Peter Heintel

Innehalten

HERDER spektrum

Band 5909

Das Buch

Zeit, Zeitordnungen, Zeitverdichtungen und Zeitbeschleunigung – Stichwörter, die den Hintergrund ganz konkreter Lebensprobleme signalisieren, die heute Menschen plagen. Mit dem Druck wachsen Hetze und Streß, es mehren sich die Fehler. Auf der anderen Seite wächst auch die Zahl derer, die keine Arbeit, dafür aber Zeit im Überfluß haben und ebenfalls unter Druck stehen: dem Druck, zuviel Zeit zu haben. Der tägliche Druck wird so groß, daß sich kaum jemand mehr die Zeit zu nehmen wagt, über kurzfristige Pläne hinauszudenken. Nachdenken, Innehalten wird zur Schwäche. Geduld wird diskreditiert, Bedächtigkeit fast als Stigma angesehen. Beschleunigung wird immer mehr zum Maß aller Tätigkeiten. Immer mehr Menschen haben für das wirklich Wesentliche keine Zeit mehr, haben oft nicht einmal mehr die Zeit, über das nachzudenken, was wirklich wichtig ist. „Als sie das Ziel aus den Augen verloren, verdoppelten sie ihre Anstrengung" – dieser sarkastische Satz von Mark Twain formuliert auch etwas, was als Impuls hinter dem von Peter Heintel gegründeten „Verein zur Verzögerung der Zeit" – und hinter diesem Buch steht, nämlich die Einsicht: Ständige Beschleunigung macht krank, das Karussell von Entscheidungen und Handlungen, die nicht mehr die Zeit haben, zu reifen, das immer rascher sich steigernde Tempo führen zu Schäden an Leib und Seele. Peter Heintel ruft dagegen auf, nachzudenken, innezuhalten, blindem Aktivismus und dem partikularen Interesse vorschneller Scheinlösungen zu widerstehen. Wichtig ist nicht nur eine Integration verschiedener Zeitmaße, die Versöhnung von Schnelligkeit und Langsamkeit, sondern auch die Fähigkeit zur Unterbrechung, zum Innehalten, der Schutz von Zeitzonen der Konzentration, Nachdenklichkeit, die Vergewisserung, Orientierung und möglicherweise Korrektur der eigenen Aktivitäten ermöglicht. Heintel identifiziert Gründe und Ursachen für diese Entwicklungen und beschreibt deren Auswirkungen ganz konkret, anhand von Beispielen, Geschichten, manchmal auch ausgehend von literarischen Texten. Er plädiert für ein Innehalten, das zum kreativen Raum dafür wird, zu uns selbst zu finden. Er regt an, Zeit qualitativ zu gestalten, einen individuellen Rhythmus des Lebens zu gewinnen, kurz: die Kunst des Lebens selber neu zu beschreiben.

Der Autor

Peter Heintel, Dr. phil., ord. Universitätsprofessor an der Universität Klagenfurt, Gründer und Vorsitzender des „Vereins zur Verzögerung der Zeit". Umfangreiche, auch internationale Vortrags- und Beratungstätigkeit.

Peter Heintel

Innehalten

Gegen die Beschleunigung – für eine andere Zeitkultur

HERDER

FREIBURG · BASEL · WIEN

Gedruckt auf umweltfreundlichem,
chlorfrei gebleichtem Papier

Jubiläumsausgabe 2007

www.herder.de
Herstellung: fgb · freiburger graphische betriebe 2007
www.fgb.de
Umschlaggestaltung und Konzeption:
R·M·E München / Roland Eschlbeck, Liana Tuchel
Umschlagmotiv: © gettyimages
ISBN 978-3-451-05909-4

Inhalt

Vorwort

Ein Vor-Wort hat etwas Seltsames. Es steht am Anfang und wird doch meist erst am Ende geschrieben; wenn die Arbeit beendet, das Werk getan ist. Es ist so wie mit unseren Vor-urteilen, nach denen wir aus dem Vorweg alle kommenden Situationen beurteilen; auch sie sind Ende, Resultat eines Lebenserfahrungsprozesses, der in ihnen jeweils zu Ende kommt. Am Anfang steht also etwas, das sein Entstehen einem Ende verdankt; nur dadurch ist es begründet-berechtigter Anfang, der nicht zufällig beginnt. Wollen wir also mit Grund beginnen, müssen wir Vergangenes, Geschehenes zu einer jeweiligen Abrundung, zu einer gewissen Voll-endung bringen. Dies können wir aber nur, wenn wir Geschehen unterbrechen, es jeweils zu seinem Ende führen. Erst das Ende zeigt auch den Sinn; fortlaufendes Geschehen ohne Unterbrechung kann ihn nicht hervorbringen; vielleicht ist er in ihm verborgen, im dahinrollenden Ereignisstrom wissen wir aber nichts von ihm. Seine Entbergung bedarf des Innehaltens.

Innehalten – ein Wort von mannigfachem Hinweis; eine Aufforderung zu halten, haltzumachen, zu verweilen, auszusteigen aus dem gewohnt-verpflichtenden Gang der Dinge. Sich im Fluß der Zeit eine „Auszeit" zu gestatten, am Ort zu bleiben, das Treiben rundherum für einen Augenblick zu verlassen, sein zu lassen; sich also den immer schneller werdenden Bewegungen, den verdichteten, aufgefüllten Abfolgen in der Zeit zu entziehen, sich von ihnen nicht mitreißen zu lassen, sich ihnen entgegenzustellen. Daß alles immer schneller wird, immer konzentrierter aufeinanderfolgt, daß Hektik und Aktionismus unseren Alltag in Arbeit *und* Freizeit immer mehr durchdringen, hören wir von allen Seiten. Viele leiden unter diesem Zeitstreß, einige aber sagen uns, daß nur die Schnellsten überleben und vorankommen.

Es ist auch eine gewisse Müdigkeit und Erschöpfung bemerkbar. Dennoch scheint weitere Beschleunigung vorgesehen, gleichsam aus sich selbst heraus sich steigernd, ohne unser Zutun, aber auch ohne sich um unsere Klagen zu kümmern. Woher dieser Selbstlauf, was treibt uns an, was macht uns so hilflos im verzögernden Widerstand? Was kann uns in stand setzen, haltzumachen, wo wir meinen, daß Fort-schritt und -schreiten zum blinden Wegrennen wird? Wo Aktionismus, das ruhelose Tätigsein mehr Probleme schafft, als es löst? Wir wurden daran gewöhnt, Problemen aktiv zu begegnen, sie möglichst rasch zu lösen, sie zu „bekämpfen“. Im Tun allein meinen wir uns bereits lösend auf dem richtigen, einzig möglichen Weg. Was oft auf der Strecke bleibt, ist gründliche Betrachtung, Genauigkeit, Analyse. Langfristigkeit. Nun scheinen wir aber immer mehr Problemlagen geschaffen zu haben, die nur über Generationen lösbar sind. Dafür haben wir so recht noch kein Organ entwickelt, auch wenig Organisation. Was kann diesem rastlosen Tun Ein-halt verschaffen, es vor sich selbst zur Ruhe kommen lassen? Eine Unterbrechung, die uns erst frei macht für Rundblick und Ausschau. Denn rastlose Tätigkeit hängt am Speziellen und dem nahe liegenden Ziel, sie hat in ihrer Distanzlosigkeit zu sich selbst von sich keinen Begriff. Sie weiß nicht, was sie ist, was sie soll und welchen Sinn sie hat, sie weiß nur, daß sie ist und meint, in Anstrengung und Vollzug genug Auskunft über sich selbst zu erhalten.

Haltmachen heißt aber auch Halt bekommen. Es kann nicht nur darum gehen, einfach stehenzubleiben, die anderen davonziehen zu lassen, auf einer selbstgeschaffenen Insel der Windstille und Ruhe zurückzubleiben. Immer mehr gibt es zwar, die diesen Ausstieg versuchen und doch nicht ganz glücklich werden dabei; einmal vielleicht, weil es wenig eingeübte alternative Lebensformen gemeinschaftlich gibt, zum anderen, weil man die Macht der umgebenden Welt nicht mit reiner Verweigerung bekämpfen kann. Schließlich weiß man ja auch, daß man es ihr verdankt, so aussteigen zu können, und übrigens brauchen die meisten viel Geld dafür.

Ein Innehalten soll nicht bloß haltmachen, es soll uns Halt geben in dieser sich so rasch bewegenden und verändernden Welt. Wir wollen nicht einfach mitgerissen werden, einbezogen und fremdbestimmter Abfolge verpflichtet. Wir bemerken, daß Daueraktivität - und die noch beschleunigt - uns auf uns selbst vergessen läßt, Nach-denklichkeit zum Luxus macht. In immer rascherer Taktabfolge reihen sich unsere Handlungen eine nach der anderen lückenlos aneinander, alle schon vorbestimmt, mit wenig Spielraum, eine Kette aus Notwendigkeiten. Man sagt uns mit Recht, daß noch niemals in der Geschichte so viel an Optionen für selbständiges Entscheiden vorgelegen war. Es ist aber vielleicht auch diese überfordernde Zumutung, die nur beschleunigt, hektisch werden läßt. Denn wieviel Zeit haben wir für kluges und nachdenkliches Entscheiden? Für Abwägung und Konsequenzerwägung? Müssen Mitglieder einer „Versäumnisgesellschaft" nicht fürchten, daß uns „alles" entgeht, wenn wir uns auf „eines" konzentrieren? Also lassen wir uns durch unsere Tätigkeiten treiben und sind froh, daß sie sich wie von selbst aufeinander beziehen und zusammenschließen. Daß es in ihnen kein Halt und keinen Halt gibt, verbirgt die narkotisierende Wirkung der Dauertätigkeit.

Einen Halt bekommen wir aber nur durch Anhalten. Erst letzteres läßt Rück-blick zu: urteilende Betrachtung des zurückgelegten Weges. Immer wieder ist es gut, Vergangenes zu sichten, in ihm Pfade zu legen, die zu uns führen und in weitere Zukunft eine gangbare Richtung weisen. Geschieht dies nicht, sammelt sich mächtiger Ballast an, und es erschlagen die Ahnen alle zukünftigen Generationen. Kronos verschlingt seine Kinder.

Der Rückblick ist aber auch verzögernde Vorausschau. Im Anhalten sehen wir, was an uns vorüberziehend seine Spuren in die Zukunft legt. Wir ahnen, wie sie sich formen wird, was unser Handeln hier gestaltend dazu beiträgt. Im Heraustreten sind wir gleichsam schon in ihr, mit Phantasie, Wunsch, aber auch Erschrecken. Da wollen wir nicht mehr, daß sie einfach nur mehr so „automatisch" auf uns zukommt, wir empfinden Verantwortung und Gestaltungswille. Das fortlaufende Tätig-Sein, das nicht innehält, ist immer zukunftsfatalistisch; es muß auch Verantwortung nach außen delegieren. Aber wohin?

Worin besteht aber der Halt, den wir bekommen? Er ist von seltsamem Charakter. Nicht das gewünschte Fundament, nach dem wir suchen. Im Innehalten finden wir weder ewige Wahrheiten und Werte noch eine unbestreitbare Autorität, die uns die Richtung weist. Es ist nichts Bestimmtes, an das wir uns halten können. Im Innehalten finden wir uns wiederum nur selbst, als Individuum, als Gemeinschaften, Gesellschaften, als Gattung, die sich für bestimmte Wege vorentschieden hat. Das wollen wir zunächst nicht. Wir glauben sie zu kennen, weil wir ja ständig in ihnen leben. Was soll denn Innehalten, wenn wir immer dort ankommen, wo wir ohnehin schon sind? Sind wir aber wirklich dort? Der laufende Stand-Ort-Verlust läßt uns eher torkeln als schreiten.

Dennoch haben wir anscheinend hier immer noch mehr Sicherheit als in der Leere, der Distanz, die Innehalten zunächst erzeugt. Es geschieht etwas, es ändert sich etwas, man kann sich auf etwas beziehen; viele kleine Haltegriffe. Sie verliert man im Innehalten zunächst. Man ist auf sich zurückgeworfen und weiß, wie unsicher und zweifelhaft gerade dieses Fundament sein kann.

Es heißt aber *Inne*-Halten. Und so scheint eben doch verlangt, daß wir uns unseren Halt aus dem „Inneren" gewinnen. Wofür steht es, welchen „Ort" bezeichnet es? Es ist wohl nicht räumlich gemeint, so als gäbe es in den vier Wänden unseres Körpers diesen Ort des Inneren, in dem wir haltmachen, wo wir immer Zuflucht finden könnten. Das Verlassen der äußeren Orte beschert uns noch keinen inneren. Im Gegenteil: der eigentliche Ort ist „nur" eine Differenz, ein sich Gegenüberstellen, ein ortloser Standort, der noch keinen Platz hat. Mit Recht ist von ihm aber als von einem „Inneren" die Rede, weil er das Wichtigste und Wesentlichste des Menschen ver-„ortet", das ihm zur Verfügung steht. Es ist die Fähigkeit, zu sich in Differenz zu stehen, sich frei machen zu können von den vorgegebenen Bestimmungen, zumindest sie bedenken, überlegen, reflektieren zu können. Innehalten ist also kein bloßes Stehenbleiben. Es ist auch eine Tätigkeit, sozusagen die entgegengesetzte zu allem äußeren Aktivismus. Sie bringt den Menschen wieder das in Er-innerung, was er ist, was ihm Würde und Auszeichnung verleiht. Dieses letztere läßt sich vielfach beschreiben, und jeder Humanismus hat dafür Wörter und Begriffe gefunden. Ihnen allen zugrunde liegt aber diese Fähigkeit, herauszutreten aus der Ereigniskette der Notwendigkeit, sich selbst gegenüberzutreten und nachzuschauen, was sich denn alles so tut, darüber sich sein Urteil zu bilden, ihm Sinn zu geben. Dazu also ist Innehalten geboten. Erst hier bekommen wir Halt in uns selbst: Weil wir erkennen, was wir sind und auch was wir sein wollen. Diese Fähigkeit gehört zu uns dazu. Sie kann aber, verschüttet durch Beschleunigungen, von sich abgelenkt werden. Sie ist auch nicht von vornherein Halt. Sie muß daher immer wieder „aktiviert" werden. Ver-innerlichung, Sinngebung, Orientierung sind nie abschließbare Akte. Immer wieder aufs neue müssen sie stattfinden. Der Halt ist fortlaufend zu erstellen. Hier nützt auch persönlicher guter Wille wenig. Individuelles Innehalten mag wichtig sein für die eigene Lebensgeschichte, für einen kleinen, begrenzten Wirkungsraum, für sein „gutes Gewissen". Hierin leben wir aber nur beschränkt. Vor allem für ablenkende Beschleunigung sind kollektive Arrangements verantwortlich, die früher von uns geschaffen, uns nun zu ihren Diensten bitten. Wir fühlen uns ihrem „Sachzwang" unterworfen, persönlich ohnmächtig, etwas verändernd zu tun. Subjektives Innehalten verschafft hier nur ein schizophrenes, unglückliches Bewußtsein, das uns auch noch die kleinen Freuden nimmt, die uns unser Alltag beschert. Wird also Innehalten zum Appell, bloß an Individuen gerichtet, darf es nicht wundern, daß wenige ihm nachkommen. Es muß zu einem gesellschaftlich organisierten „kollektiven Programm" werden. Und wir brauchen Orte und Zeiten, weil sonst gemeinsam „nach innen" Handeln nicht möglich ist. Die alte „Transzendenz" scheint verlorengegangen zu sein. So etwas wie innehaltende „Systemtranszendenz" ist heute gebotene Aufgabe. Sie wäre auch erster Schritt zu einer neuen Zeitkultur, in der wir neben unseren dominanten Beschleunigungsvorgängen wahrscheinlich noch viele andere (Eigen-)Zeiten entdecken werden.

Das vorliegende Büchlein erkundet Plätze sinnvollen Innehaltens. Diese aufzusuchen bedarf es einiger Umwege. Gezeigt werden muß zunächst einmal: Was verhindert immer wieder, sie wahrzunehmen, ja überhaupt sie noch zu finden? Dies rückt das Thema Beschleunigung in den Vordergrund. Was sind ihre Facetten? Woher kommt sie, wer hält sie am Leben und dreht weiter am Rad immer schneller werdender Geschwindigkeiten?

Die einzelnen Kapitel können unabhängig voneinander gelesen werden; sie haben essayhaften Charakter und bieten einzelne Szenen zum Thema. Freilich gibt es einen inneren Zusammenhang und einige Klammern, die alle zusammenhalten. Sie sind auf der Ursachenebene angesiedelt und berichten über den Grund unserer Beschleunigungen und machen klar, warum trotz Sehnsucht und Wunsch Innehalten so schwer fällt. Daß eine Ursache von Beschleunigung unser bestehendes Wirtschaftssystem ist, kann nicht geleugnet werden. Es gehört zu seiner Logik, Zeit als ökonomische Ressource zu gebrauchen. Am Markt gewinnt, wer in gleicher Zeit mehr und besser produziert als sein Konkurrent; er kann billiger sein. Der zum gnadenlosen Verdrängungswettbewerb sich zuspitzende Wettlauf *muß* beschleunigen, vielleicht in der Hoffnung, daß man, wenn man gewinnt, einstens wieder einmal nachlassen kann. Was aber betriebswirtschaftlich einsichtig sein mag, verliert alle Vernunft, wenn man es in andere Bereiche überträgt. Dies geschieht aber leider, hervorgerufen durch die Dominanz und Allpräsenz des wirtschaftlichen Arguments in allen Lebensbereichen. Selbst der Staat und die Politik haben sich vom Wirtschaftssystem völlig abhängig gemacht; kaum gibt es mehr Orte „eigenständigen" politischen Handelns. Damit wird auch Beschleunigung für alle anderen aktuell; ob im Gesundheitswesen oder in der Bildung, im Rechtswesen oder gar der Seelsorge und der sozialen Betreuung, überall werden Quantität erhöht, Zeit verdichtet, Abläufe beschleunigt. Sonst kostet es zuviel, wird unrentabel oder kann nicht mehr bezahlt werden. Dies nennt man ökonomische Rationalität. In diesen Dominanz- und Übertragungsphänomenen wird zugleich ein altes menschliches Verhaltensmuster sichtbar: Wir neigen dazu, den Erfolg unserer Tätigkeit zu universalisieren. Wer kann daran zweifeln, daß wir unserer Ökonomie im Verbund mit Naturwissenschaft und Technik unsere gesamte Zivilisation verdanken, unseren Reichtum, unsere Macht über die früher schicksalhaften Zufälle der Natur. Der Erfolg *hier* wollte sich überall fortsetzen und beweisen. So ist es wohl auch zu den beschriebenen Dominanzen gekommen.

Man beruhigt sich aber vorschnell, wenn man bei dieser augenfälligen Ursache stehenbleibt. Allzuleicht gerät man dann auch in Schuldzuweisungen, und man weiß doch aus anderen Zusammenhängen, daß mit der Identifikation von Schuldigen jede weitere Argumentation, ja überhaupt jedes Weiterdenken an sein Ende gebracht ist. In diese Falle wollen wir nicht hineintappen. Denn was hat uns denn dazu veranlaßt, diesen Systemen Wirtschaft und Technologie eine solche Machtfülle zu übergeben?

In immer neuen Anläufen versuchen wir, darauf Antworten zu finden und damit Wirtschaft und Technologie selbst als Antworten auf Bedürfnisse, Bedürfniswidersprüche und Grundängste zu verstehen. Hinzu kommt ein weiteres Grundmuster: Wo Gefahren auftreten, Krisen sich anbahnen, wir Niederlagen auf uns zukommen sehen, gehorchen wir einem alten Impuls; er heißt Flucht. Unsere „Natur" empfiehlt uns, schnell wegzulaufen, alle Energie in Bewegung zu stecken und möglichst wenig zu denken. Hektik und blinder Aktionismus weisen auf diese Flucht hin; sie erscheint zwar als eine solche „nach vorne", sie denkt aber genausowenig wie jede andere. Nun mögen es gegenwärtige Krisen sein, die uns so aktiv machen, und sicher ist die mögliche Niederlage im Verdrängungswettbewerb, die Gefahr des Zurückbleibens in Karriere und Konkurrenz bedrohlich und herausfordernd. Es ist aber berechtigter Zweifel daran angebracht, daß wir unsere Grundängste dann endgültig loswerden, wenn die Wirtschaft wieder floriert. Denn sie ist nur *eine* Antwort, und sie kann nicht alle offenen Fragen beantworten wollen.

Es war daher notwendig, sich weiteren Zusammenhängen zu widmen. Tod, Unsterblichkeitswünsche und unser Umgang damit, Anfang und Ende des Lebens, ja unseres Universums (woher kommen wir, wo gehen wir hin), schicksalhafte Abhängigkeiten, aber auch unsere Hineingehaltenheit in das Nichts einer unbestimmten Zukunft, die wir paradoxerweise aber selbstverantwortlich gestalten müssen, all diese Widersprüche und Probleme, vor denen wir immer wieder stehen, im Bewußtsein, sie nie endgültig zur Zufriedenheit „lösen" zu können, verleiten zur Flucht und Verdrängung.

Eine Güterherstellung, die verspricht, mit jeder Ware diese Widersprüche, die Bedürfnisse aus ihnen zu beantworten, zu beruhigen, und die damit verbundenen Glücksversprechungen, sie waren historisch wohl der größte und einseitigste Versuch, unsere Ängste zum Schweigen zu bringen. Auf alles gibt es ein Angebot, nirgendwo werden wir anscheinend mit ihnen mehr direkt konfrontiert. Es dürfen hier aber keine Lücken auftreten. Pausenlos müssen unsere Bedürfnisse befriedigt werden; man muß produzieren und konsumieren. Pausen sind nicht nur gefährlich, weil sich andere Bedürfnisse unbefriedigt zurückmelden, sondern weil in ihnen vielleicht bewußt wird, daß man sie nur „quantitativ" zuschüttet, daß sie nicht restlos beantwortet werden können. In der Stille, im Zwischenraum meldet sich das Zurückgelassene, Verdrängte; unsere alten unaufhebbaren Abhängigkeiten, vor denen wir flüchteten, indem wir uns andauernd ihre Überwindung durch unsere Tat vorspiegelten. Aktivität und Leistung passen gut in unsere warenproduzierende Ökonomie. Sie wiederum produziert jene Beschleunigung, die uns endgültig alle Zeit „erfüllt". Das ist ein gegenseitig sich stützender Zirkel, der uns die Aufmerksamkeit für die Grundfrage unseres Lebens nimmt. Aber es bleibt ein Rest, der uns dabei nicht wohl sein läßt, auch wenn wir uns durch weitere Beschleunigung und Zeitverdichtung zu betäuben versuchen. Und wir merken, daß uns Lebensqualität verlorengeht, wenn wir nicht zu den Gründen und Widersprüchen unseres Lebens zurückkehren.

Dies ermöglicht aber erst eine neue Zeitkultur. Eine solche achtet nicht bloß Eigenzeiten, die Rhythmen der Natur und des Lebens, die Zeiten, die man braucht für Sexualität und Liebesglück, für Partnerschaft und Organisationskultur, für politische Partizipation und langfristig brauchbare Konfliktregelungen. Sie ermöglicht zuallererst individuelles und kollektives Innehalten, Verweilen und Pausen, gesellschaftliche Moratorien zum Überlegen und Systemtranszendenzen wider alle „Logik" der Sachzwänge, und darüber hinaus einen freien und gewährenden Blick in das Nichts und das sicher auf jeden von uns zukommende Ende, den Tod.

Bewegte Räume, bewegte Zeiten

„War's gestern, war's vorgestern oder war's im vierten Stock"...? *(K. Valentin)*

Ab nun läuft alles in die Zukunft und ins Weite

Raum und Zeit sind „ein altes Ehepaar", sagt Nabokov und bezeichnet damit ein Verhältnis, das tatsächlich jahrhundertelang in fast unveränderter Form stabil bestand. Man dachte sich den Raum als größeres oder kleineres „Gefäß", *in* dem man jeweils alles, was man wollte, unterbringen konnte. Natürlich traten schon sehr früh Fragen auf, die sich mit dem Problem der Raumgrenzen beschäftigten. Aus unserem Leben und unserer Erfahrung heraus kennen wir eigentlich nur den begrenzten Raum, also einen solchen, den man durch real vorhandene Konturen bestimmen kann; den Raum als Zimmer („die eigenen vier Wände"), die „Piazza", den sakralen Raum einer Kirche, den heiligen Bezirk, eine Talschaft, eine Region, einen zentralen Ort, den Nationalstaat usw. Diese Räume entstehen durch Eingrenzung, die sich wiederum auf „natürliche", künstliche, politische u.a. Voraussetzungen beziehen. Ohne diese Grenzen wäre der Raum unbestimmt, ja wir würden gar nicht vom Raum so leicht sprechen können. Auf der anderen Seite wissen wir aber ebenso, daß jenseits der jeweiligen Raumgrenze wiederum Raum ist, und jenseits dieses Raumes wiederum einer. Verfolgen wir diesen Gedanken weiter, stehen wir plötzlich vor einem Raum, der sich selbst immer weiter fortsetzt, anscheinend bis ins Unendliche. Vom Unendlichen können wir aber nichts Konkretes wissen, es ist die reine Negation aller endlichen Bestimmung, welche letztere immer einer Grenzsetzung bedarf. Hier wird ein ärgerliches, herausforderndes Paradoxon sichtbar: Obwohl wir viele Räume kennen, von ihnen wissen, sie bestimmen können, scheinen wir nicht zu wissen, was der Raum überhaupt ist. Selbst wenn wir alle bekannten Räume aneinanderreihen, erreichen wir ihn nicht. Wie gibt es aber so etwas, daß wir vom Raum einerseits soviel wissen, andererseits gar nichts?

Unsere Denkgeschichte hat sich immer wieder dieser Herausforderung gestellt und Antworten versucht. So stellte man sich einst das Universum (es dominierte der Begriff, daß es neben den vielen Räumen eben *einen* gemeinsamen gibt, *in* dem alle anderen sind) als riesengroße Kugel vor. Dieses Bild hat nicht nur den Vorteil, daß man in einer hohlen Kugel viel unterbringen kann, es bietet auch eine Lösung für das Unendlichproblem: Fährt man nämlich entlang der Kugelgrenze, egal ob innen oder außen, gerät man nicht ins Unendliche, Unbestimmte, man kommt vielmehr nach einiger Zeit wieder zum Ausgangspunkt zurück, geht also „in der Kälte des Alls" nicht verloren. Deshalb waren auch allen Entdeckern die Vorstellung von der „Erdkugel" so sympathisch, weil Hoffnung auf Rückkehr bestand; man kippte mit seinem Schiff nicht mehr ins Bodenlose, wie es das Scheibenbild noch nahelegen mußte. Aber ebenso früh mußten sich diese Denker bereits die Anfrage gefallen lassen: „Was ist, wenn ich mich zur Grenze des Universums begebe und meinen Speer über sie hinausschleudere? Wohin fällt er?"

Astronomie, Astrophysik und Raumfahrt haben später unsere Perspektive erweitert. Der Weltenraum bekam immer unfaßbarere Dimensionen und unvorstellbare Weiten, die nur mehr in dem höchsten uns zur Verfügung stehenden Streckenmaß bestimmt werden konnten, nämlich in der Lichtgeschwindigkeit: 300 000 km/sec. Je größer der Raum, um so weniger die Chance, mit statischen Maßen zu messen. Erstmals begegnen wir dem Thema Bewegung, Geschwindigkeit, Zeit. Also kann der Raum, jedenfalls der immer größere, nicht durch bestimmte Grenzen definiert werden, er muß Zeit und Bewegung zu Hilfe nehmen. Auch für uns gilt ganz pragmatisch: Je mehr und größere Räume wir betreten wollen, um so schneller müssen wir werden. Denn, unsere Lebenszeit ist beschränkt. Die Hereinnahme von Zeit und Bewegung hat zwar die Möglichkeiten zusätzlicher Raumbestimmung erhöht, unser ursprüngliches Problem aber noch nicht gelöst. Es war zwar möglich, den Raum *fast* unendlich zu erweitern, ihn aber als solchen zu entdecken, blieb weiter verwehrt. Schwarze Löcher, Antimaterien etc. sind auch nicht gerade ermutigend. Insbesondere die schwarzen Löcher regen jene Phantasien wieder an, die sich immer schon den unendlichen Raum als verschluckendes Ungeheuer gedacht haben.

Also ist es doch und von vornherein vernünftiger, so wie Newton den unendlichen Raum als „Leib Gottes" zu bezeichnen (sensorium dei) und ihn damit aus dem Übermut spekulierenden Denkens endgültig herauszuholen? Der Leib Gottes übersteigt so wie er selbst alle unsere Denkmöglichkeiten. Damit wäre es auch müßig geworden, weiter über den Raum überhaupt nachzudenken. Das Angebot Newtons wurde aber anders aufgenommen und behinderte weitere Forschung. Es blieb nämlich die „Gefäßvorstellung", ein statischer, unendlich großer unbeweglicher Raum, in dem man jedem Ding seinen Ort zuweisen konnte. Mit diesem Modell hat bekanntlich die Relativitätstheorie Schluß gemacht. Es gelang ihr dies schlicht dadurch, daß sie verschieden eingegrenzte Räume gegenseitig in Bewegung brachte und dabei aufzeigen konnte, daß dies für Strecken- und Zeitmaß nachhaltige Folgen haben mußte. Die Relativitätstheorie löst damit alle stabilen für sich bestehenden Räume auf, und sie entsteht nicht zufällig in einer Zeit, in der sich ebenso die unterschiedlichsten früher „ortsgebundenen" Räume auflösen. Es kann kein Zufall sein, daß von Einstein und der Populärliteratur so gerne Züge, Bahnhöfe und Raumschiffe als Erläuterungsbeispiele verwendet werden. Die Menschen beginnen sich neu zu bewegen, traditionelle Raumgrenzen sind nicht mehr maßgebend; sie relativieren sich. Die Geschwindigkeit, sie zu überschreiten, erhöht sich ständig und innerhalb eines Jahrhunderts um das Tausendfache. Für den sich immer schneller bewegenden Menschen fallen alte Grenzen.

Wenn aber Zeit und Bewegung (Geschwindigkeit) für die neue Raumbestimmung eine so große Rolle spielen, müssen sie auch ins neue Raummodell prominenter mit einbezogen werden. Man wendet sich ab vom statischen „Gefäßbild" und entwirft ein dynamisches. Wenn sich aber der Raum selbst zu bewegen beginnt, müssen ebenso neue Annahmen getroffen werden. Läßt man ihn nur sich überhaupt und irgendwie bewegen, bleibt man in der Unbestimmtheit bzw. in einer gleichförmigen Bewegung, die der alten Statik recht ähnlich ist; man fiele in sie zurück. Will man aber Bewegung raumbezogen bestimmter fassen, muß man sie „Ent-stehen" lassen. Der Raum muß einen Anfang bekommen, das Weltall muß einmal entstanden sein und sich seither in eine bestimmte Richtung entwickeln, weiterbewegen. Im Anfang bekommt der unendlich-unbestimmte Raum seine erste und alles Weitere prägende Bestimmung. Wenigstens „nach hinten, und nach vorne" ist er faßbar, wenn schon nicht in sich selbst, so doch wenigstens nach der Zeit und der Bewegung. Seine Bodenlosigkeit bekommt ihr Fundament in einem Beginnen. Zwar kannten, soweit mir bekannt, alle Mythen, Religionen, Weltanschauungen solche Anfangsvorstellungen, gemäß ihrer Grundprinzipien und -einstellungen. Naturreligionen scheuten sich nicht, den Anfang ausgezeichneten Tieren oder Pflanzen zuzuschreiben, Mythologien sehen ihn in „Zwischenwesen", halb Natur, halb Mensch, Hochreligionen vertrauten auf den einen Gott oder ein sonstiges geistiges Prinzip. Man wollte immer schon wissen, woher alles kommt, was der Beginn, womit alles anfängt. Das Motiv war allerdings dabei nicht so sehr, etwas über den „realen" Anfang in Erfahrung zu bringen, sondern aus ihm die weitere Entwicklung ableiten, voraussehen, rechtfertigen zu können. Anfangsspekulationen sind so immer Standortversicherungen. Und es ist natürlich ein gewaltiger Unterschied, ob man in zyklischem Bilde das Ende wieder zum Anfang zurückkehren läßt (in bestimmten Seelenwanderungslehren, Animismen, ja in einer Weise sogar noch in der Vorstellung des Jüngsten Gerichtes), oder ob man vom Anfang her die unendliche, immer vor sich liegende Zukunft eröffnet. Und es ist auch ein Unterschied, ob Anfangsbilder, Religionen oder Mythen ihrer Gleichnishaftigkeit zugeordnet oder zum wissenschaftlichen Ergebnis gemacht werden.

Es begann mit einer großen Explosion ...

Es scheint unserer Zeit zu entsprechen, daß wir uns einen besonderen Anfang ausgedacht haben: den „Urknall", big-bang. Er also stand am Anfang, es begann mit einer großen Explosion, und ab nun läuft alles in die Zukunft und ins Weite, und – das Wesentlichste – ihr Raum *dehnt sich aus.* Mit dieser Modellvorstellung meint man sich wieder einmal alle klassischen Aporien vom Halse geschafft zu haben. Der unendliche Raum hat plötzlich Bestimmung in einem konkreten Anfang, und nach weiteren Bestimmungen zu fragen ist ganz sinnlos, weil er sich nämlich weiter ausdehnt, daher „immer größer" wird. Das heißt, er hat seinen eigentlichen und Endzustand noch gar nicht erreicht; er bewegt sich beschleunigt immer weiter fort, eröffnet sich immer weitere ... „Räume" ... nein, das kann es nicht sein; also noch einmal: Er dehnt sich aus und wird dabei immer größer und größer, und damit erst immer mehr er selbst.

Dem Philosophen mag klar sein, daß das alte Problem nur verschoben wurde. Denn dasselbe, was die Grenzaporie des Raumes ausmacht, trifft auch auf jene der Zeit zu. In ihr ist nämlich ebenso Ordnung durch Grenzen bestimmt. Eine dieser war immer schon Anfang und Ende. Innerhalb dieser Grenzen läßt sich Zeit gut bestimmen, zwischen Geburt und Tod. Arbeitsbeginn und Feierabend, Anfang und Ende von Regentschaften, Regierungsperioden, Kulturgestalten, Kunststilen etc., Periodisierungen lassen endliche Zeit bestimmen. Weit schwieriger wird es allerdings, wenn man nach der Zeit selbst fragt: wann beginnt sie, wann endet sie, was war vor der Zeit, was kommt nach ihr? Schon wenn man versucht, sie selbst (ohne äußeren Anhaltspunkt, ohne äußere Ereignisse) zu bestimmen, zu ordnen, gerät man bekanntlich in große Schwierigkeiten, wie uns dies bereits Augustinus vorgeführt hat. Vergangenheit ist vorbei, ist nicht mehr, Zukunft noch nicht; also ist nur Gegenwart. In ihr selbst ist aber ständig Vergangenheit und Zukunft, also schrumpft sie zum Punkt zusammen. Was vorher das einzige war, verschwindet im Augenblick (dessen zeitliche Ausdehnung ab nun alle beschäftigen, von Goethe bis zu den Wahrnehmungspsychologen; allerdings auf verschiedene Art). Nicht besser geht es uns mit der Anfangsthematik. Was war vor ihm? Wenn etwas vor ihm war, dann ist es nur ein sehr beschränkter Anfang, jedenfalls nicht der Anfang der Zeit. Ein „absoluter" Anfang ist aber wiederum nicht vorstellbar, denn selbst wenn vor ihm nichts war, ist dieses Nichts der Anfang und nicht der Anfang selbst. Anfänge sind also immer bestimmt, motivierte Setzungen, Gründungsakte, die ihr kleines Weltall errichten wollen. Dieselbe Aporie ist auch beim Ende geltend. Was ist nach einem Ende? Sicher nicht dasselbe wie vor ihm, sonst könnte es nicht als Ende bezeichnet werden. Aber etwas muß auch nachher sein, demgegenüber es Ende ist, sonst wäre das Ende ewiges Ende, d.h. stets dasselbe einer immer sich selbst wiederholenden Grenze, also *kein* Ende. Unsere Urknallvorstellung hat daher die Endvorstellung besser gleich weggelassen und an ihre Stelle jene der Ausdehnung gesetzt. Diese hat nämlich anscheinend kein Ende. Von jedem Punkt aus geht es immer weiter; und es werden ständig mehr Punkte. Abgesehen davon, daß diese Art unendlicher Ausdehnung ebensowenig vorstellbar ist wie der unendliche Raum, können an sie ebenso die alten Fragen gestellt werden: Wohin führt sie, bleibt sie einmal stehen, zieht sie sich vielleicht wieder zusammen?

Dass wir in Wissenschaft und Weltanschauung die genannten Modelle entwickeln müssen, sei zugegeben. Wir müssen immer danach trachten, unsere Wirklichkeit, in die wir nicht einfach eingebunden sind, zu ordnen, umzuordnen, zu bestimmen. Das Problem dabei ist nur, daß wir uns immer wieder einzureden versuchen, es handle sich in diesen Modellen tatsächlich um Wirklichkeiten, um die Realität, so wie sie ist, und wir sie endlich erfaßt, begriffen haben.

Diese Wirklichkeits- und Identitätsillusion (zwischen Denken und Sein) teilen fast alle Mythen, Religionen und Wissenschaften miteinander, und die meisten verhalten sich in ihrer Bewährung und Rechtfertigung zutiefst dogmatisch. So groß sind unsere Orientierungs- und Sicherheitsbedürfnisse, unsere

Ängste vor unbestimmt Unendlichem. Könnte es sein, daß es diese Bedürfnisse sind, die uns dazu treiben, in immer schnellerem Takt das Unbestimmte mit Inhalt zu füllen?

Der durch den Urknall begonnene Raum dehnt sich von jetzt an aus und schafft unser ständig größeres Weltall. Damit glauben wir endgültig das statische Raumbild durch ein dynamisches ersetzt zu haben. Endlich gibt es einen plausiblen und inneren Zusammenhang von Raum, Zeit und Bewegung. Alles bestimmt sich gegeneinander und durcheinander und löst sich in seiner eigenen Wesenhaftigkeit zugleich auf. Der absolute unendliche Raum löst sich in Zeit (Anfang) und Bewegung (Ausdehnung) auf, die Zeit wird an einen sich ausdehnenden Raum gekoppelt, und die Bewegung bekommt Anfang und Richtung (Ortsbestimmung). Haben wir aber damit die alten Fragen beantwortet?

Der Urknall, unser Schöpfergott

Versuchen wir unser Urknallmodell als Zeitzeuge, als Repräsentant des unserer Epoche Wesentlichen zu sehen und aus ihm Aufklärung über unsere gegenwärtige weltgeschichtliche Entwicklung zu erhalten. Zweifellos beginnt bei uns vieles mit Explosionen, und mit ihrer Hilfe bewegt sich vieles in unterschiedliche Richtungen. Der Explosions-Verbrennungsmotor beschleunigt Autos und Flugzeuge. Raketen sind mit Triebwerken ausgestattet, die auch von fern noch wie eine große Explosion aussehen. Explosionen spalten den Atomkern und führen zu Atombomben und Kernkraftwerken. Gewaltige Sprengungen eröffneten Wasserwege, führten Straßen über Brücken und durch Tunnels, begradigten das Bahnnetz. Kriege werden „nur mehr über die Luft gewonnen", heißt es, und von den Flugzeugen fallen Bomben und werden Raketen abgeschossen. Sogar Fische fängt man angeblich, indem man lokale Detonationen durchführt. Wenn etwas „explosionsartig" vonstatten geht, gebietet es Achtung, und wir beobachten es voll Ehrfurcht. Kurzum, der Knall und die Explosion haben in unserer Kultur einen zentralen Stellenwert. Es ist also naheliegend, den Knall als Ursprung aller Dinge schon an den Anfang zu setzen.

Zum „Wesen" der Explosion gehört Antreiben, Beschleunigen, Trennen, Töten, Vernichten. Es wird etwas in Bewegung gesetzt, und je heftiger die Explosion, um so gewaltiger die Geschwindigkeit. Letztere dient dazu, in kurzer Zeit weite Strecken bewältigen zu können, bestehende Raumgrenzen zu überwinden. Auto, Flugzeug, Raketen: Länder, Kontinente, Weltraum, Planeten. Explosionen schießen uns in den unendlichen Raum und relativieren an ihm alle bestehenden endlichen Räume. Es gibt nicht mehr nur Weltenbürger und Weltenbummler, wer auf sich hält, hat bereits für einen der ersten Mondflüge gebucht. Es dauert zwar immer noch Jahre, bis unsere Sonden sich den anderen Planeten des Sonnensystems annähern, aber immerhin. Wir staunen nicht nur über die großartige technische Leistung, die hier vollbracht wird, wir hoffen auch Sterne, Weltkörper mit Leben, ähnlich dem unseren, zu finden.

Wir treffen auf ein bekanntes Muster: Auch wenn wir uns noch so schnell von unserem „blauen Planeten" wegbewegen wollen, was suchen wir im fernen All? Dasselbe wiederum wie hier. Am liebsten wären uns wohl viele liebe Erden, zerstreut im ganzen Weltall; zumindest Kolonien mit Rohstoffen und Energiequellen. In den utopischen Filmen, im „Krieg der Sterne" wiederholen wir auf technologisch „höherer" Ebene unsere Vergangenheit. Die Explosionen ermöglichen uns die Weltall-Universalisierung unserer Geschichte. Weltgeschichte ist passé, es folgt die wahre Universal-Geschichte. Wegen der Entfernungen brauchen wir uns keine Sorgen zu machen. Zunächst könnte es nämlich bedenklich stimmen, zu wissen, daß wir den fernen Planeten erst nach einer Reise erreichen, für die wir unser halbes Leben investieren müßten. Erstens werden wir sicher schneller, zweitens findet sich im Reisegerät alles, was wir brauchen, und drittens hat man ja bereits physikalisch im Gefolge der Relativitätstheorie bewiesen, daß alles ohnehin ganz anders ist: Wir werden nämlich *„jünger"*; jedenfalls im Vergleich zu den auf der Erde Zurückgebliebenen. Dieses

Angebot muß bestechen. Wir bewegen uns mit toller Geschwindigkeit durch den Weltraum, überwinden Schwerkraft und Raumgrenzen, werden Über- und Außerirdische und kommen noch dazu jung wieder zurück. Die bodenständigen Erdenbürger hingegen sind alt geworden, sie haben sich eben nicht bewegt. Man bleibt also jung, wenn man sich bewegt, und je weiter weg und schneller, um so jünger. Ein alter Menschheitstraum scheint uns in Erfüllung zu gehen. Der Jungbrunnen fließt, es wird uns Jugend geschenkt. Wir selbst merken zwar davon zunächst nichts. Nur im Vergleich mit den Zurückgebliebenen werden wir jung. Wir müssen sie daher zumindest zeitweise aufsuchen, um uns an ihrer Zurückgebliebenheit, ihrem Altgeworden-Sein zu erfreuen. So bestätigt uns schon das physikalische Modell: Wer schnell ist, Raumgrenzen überwindet, flexibel sich im Weltraum dahinbewegt, bleibt jung. Ähnliches hören wir aus der Managementliteratur, wenngleich man sicherheitshalber von vornherein davon ausgeht, daß nur Junge für diese Jugendlichkeit wirklich geeignet sind.

Explosionen trennen, spalten, und dies tun sie mit Gewalt. Zwar finden auch in der Natur gewaltige Explosionen statt, und wir leben von jenen auf der Sonne. Wir haben ihnen aber einen besonderen systematischen Charakter gegeben. Wir spalten, was von Natur aus, jedenfalls von der Natur- und Evolutionsgeschichte her zusammengehört, sich zusammengefunden hat. Die längste Zeit hielt man an der Unspaltbarkeit der Atome fest. Nur aus technischem Unvermögen? Es gab jedenfalls die Ideologie des Kleinsten, Unteilbaren, eine gewisse Ehrfurcht vor dem Elementaren. Ob zu Recht oder Unrecht, die Kernspaltung hat alle Selbstbeschränkungen aufgehoben und damit den Weg für die unendliche Teilung und Spaltung freigegeben. Das hat nicht nur für das Kleine und Kleinste Bedeutung. Etwas viel Prinzipielleres ist ausgesprochen worden: Alles ist jederzeit und überall „beliebig" teilbar. Es gibt keine „natürlichen" Grenzen mehr. Der Raum und alles, was in ihm ist, kann also nach Lust und Laune geteilt werden. Grenzziehungen sind willkürlich. Auch wenn man für neue Teilungen Gewalt braucht, auch sie kann uns zum Fortschritt und Segen gereichen. Indem es gelang, das Elementarste zu teilen, es in seine Bestandteile aufzulösen, welche auch nur vorläufig Teile waren, indem man die Unendlichkeit im Kleinen bewies, hat man den Raum überhaupt zu seiner Unendlichkeit „befreit". Die Unendlichkeit erreicht man nämlich nicht dadurch, daß man sich etwas immer Größeres vorstellt, sondern dadurch, daß man zeigt, daß Begrenzung beliebig ist, nichts Absolutes, Endgültiges. Unendlichkeit heißt nämlich Unbestimmbarkeit. Indem uns die Physik mit ihren Explosionen ständig vorführt, daß jede Grenze wieder aufgehoben werden kann, beweist sie uns praktisch den unendlichen Raum. Und sie zeigt noch mehr: Indem sie mit dem Elementarsten, Kleinsten operiert, öffnet sie die Möglichkeit für das Größte: die „Eroberung" des Weltalls, aber auch die Vernichtung der Gattung Mensch.

Es wundert nicht mehr, daß der Urknall unser Schöpfergott ist, Herr über Leben und Tod. Er hat uns gelehrt, den endlichen Raum zum unendlichen hin zu überwinden. Damit ist er mächtiger als unser alter Gott, der uns auf die Erde verbannt und sich das Firmament mit allen Himmeln vorbehalten hat.

Auch die zweite Behauptung des astrophysikalischen Schöpfungsmythos ist nur konsequent. Explosionen erzeugen *Ausdehnung*. Das Weltall wird immer größer, kennt keine äußere Grenze, und nachfolgende, kleinere Detonationen sorgen für weitere Entfaltung. Der immerwährenden Ausdehnung entspricht die dauerhafte Zeit; ein nach vorne gerichteter Prozeß geht nie zu Ende, durch Größer- und Mehr-Werden ist die unendliche Fortsetzung, die Zukunft gesichert. Da sich das Universum nach allen Seiten hin ausdehnt, findet auch, nimmt man Raumgleichzeitigkeit an, ein ständiger Beschleunigungsprozeß statt. Kein Sektor wartet, bis der nächste sich bewegt, alle müssen sich zugleich ausdehnen. Sie sind miteinander universell vernetzt und zugleich „rücksichtslos" gegeneinander. Die Ausdehnung ist für alle unabwendbar. Nur wenn sie sich allseitig nach vorne bewegen, „lebt" das Weltall, wenn es stehenbleibt, erstarrt es und alles in ihm. Das Jenseits des Raumes, sein unbestimmtes Nichts, muß erobert, besetzt werden, so erst wird er „aktual" unendlich.

Seit den neolithischen Revolutionen wissen wir von dieser Thematik, zumindest ihren Analogien. Nomadenkulturen vorher (und bis heute) zogen von einem Futter- und Wasserplatz zum nächsten; sie hatten ihre bestimmten Stellen und einen großen zur Verfügung stehenden Raum. Er sicherte jahreszeitgemäßes Überleben. Raum und Zeit hatten ihre gegenseitige Entsprechung. Was die Jahreszeit bot oder verlangte, lieferte der jeweils umgebende Raum. Mehr von ihm war nicht nötig, seine Grenzen mußten auch nicht überschritten werden. Jahreszeitliches Wandern braucht leichtes Gepäck. Es ist eher beschwerlich, Besitztümer mit sich zu schleppen. Die Herden gehen mit, die Zelte können schnell abgebrochen werden, Geräteschaft, Waffen und Schmuck dürfen nicht an den Ort binden. Beschleunigung und Geschwindigkeit bringen keinen Vorteil. Es ist sinnlos, die Jahreszeiten überholen zu wollen. Schnelligkeit bleibt höchstens eine Tugend gegenüber dem Feind und dem bedrohenden Tier. Mit der Waffe zusammen ist sie eine Kunst leiblicher Geschicklichkeit.

Ausdehnung, Überwindung des Raumes sind kein Thema. Mehr Raum wäre nur anstrengend, und es ist angenehmer, wenn die Weideplätze nicht allzuweit voneinander entfernt sind. Gebot des Überlebens ist es auch, sich selbst nicht zu sehr auszudehnen. Ein Stamm hat begrenzte Mitgliedschaft.

Zunächst wäre anzunehmen, daß der seßhaft gewordene Mensch noch weniger Raum braucht, begrenzter leben kann. Er ist ja nicht mehr abhängig vom Wechsel der Jahreszeiten und dem Abweiden der Herden. Er kultiviert Ackerland, bleibt am Platz, schafft Vorrat und Reserve für Winter, Trockenzeiten usw. Er lebt auf eingegrenztem, festgelegtem Raum, er wird sein Besitz. Und dennoch beginnt ab nun der Traum von der Ausdehnung, der seine Spitze im Mythos vom Urknall erreicht. Vieles mag zu seiner Entstehung beigetragen haben. Zunächst war es wohl der Verzicht auf die nomadische Bewegungs*freiheit,* die kompensiert werden mußte. Man selbst war zwar „ortsansässig" geworden, aber der Ort, auf dem man sitzt, hat keine imponierende Größe. Dann waren es vielleicht die Ausgesetztheit und Gefahr, die in erster Zeit die Dörfer und Städte bedrohten. Noch waren die Nomaden stärker, und sie holten sich ohne schlechtes Gewissen die reifende Ernte. Wie konnte man sich vor ihnen besser schützen als dadurch, daß man die Grenzen weiter hinausschob und verteidigte, sich selbst im sicheren Hinterland wußte. Größere „Reiche" boten den Zentren mehr Sicherheit, Ausdehnung versprach sie zu gewähren. Schließlich bedeutete mehr Raum (mehr Besitz, mehr Land) mehr Reichtum. Und dieser konnte verwendet, gebraucht werden. Man mußte ja nicht mehr so beweglich sein; konnte an Ort und Stelle konsumieren.

Freilich, die Grenzen mußten geschützt und womöglich erweitert werden. Dafür brauchte man bewegliche Einheiten. Aber Bewegung konnte delegiert werden, an Militär, Verwaltungsbeamte, Priester. Sie hatten für Schutz, evtl. Erweiterung und innere Einheit zu sorgen. Dafür war nicht nur Beweglichkeit geboten, Schnelligkeit war Vorteil. Schließlich befahl die fortschreitende Arbeitsteilung die Einrichtung des Marktes, des Handels und Tausches. Je mehr spezialistische Trennung, um so größer die Notwendigkeit, Kooperation zu sichern. Auch hier war Beweglichkeit erforderlich und Schnelligkeit Profit. Ausdehnung verschaffte überhaupt erst Existenzberechtigung, Nachbarn brauchen keine Vermittlung über Händler. Gesicherte Ausdehnung war daher ideale Voraussetzung für reiche Märkte und blühenden Handel.

Aber auch Grenzen hatten so manchen Vorteil. Man konnte sie überschreiten und Waren bringen, die jeweils im anderen Land gebraucht, erwünscht waren. Man konnte mit dem Mangel im eigenen Land spekulieren und mehr Gewinn machen. Mangel und Gefahr mußten bezahlt werden. So lebte der Handel immer schon von der Ambivalenz der Raumgrenze. Ihr Überschreiten war nie ganz ungefährlich, es brachte aber auch Reichtum; fallen Grenzen, gibt es zwar mehr Sicherheit, es fällt meist aber auch der Gewinn.

Die neuen Raumgrenzen der Seßhaften sind nicht mehr wie die der Nomaden nach natürlichen, jahreszeitlichen Rhythmen bestimmt; sie sind „künstlich" aus vielen Motiven heraus erstellt, nicht zuletzt aus strategischen Erwägungen abgeleitet. Ebensowenig entsprechen sie mehr einer regelmäßigen Abfolge von Zeit. Raum und Zeit werden allmählich und Schritt für Schritt voneinander getrennt. Der Reichsgrenze ist es egal, wie spät es ist, welche Jahreszeit gerade ins Land zieht. Die Trennung führt zu einer „emanzipatorischen" Unabhängigkeit. Der Raum wird zu einer eigenen Substanz, die Gefäßvorstellung nimmt ihren Anfang, und die Zeit wird zu einem „Subjekt", das unser Tun und Lassen zu beeinflussen scheint (die Zeit vergeht, die Zeit heilt alle Wunden ...). Damit kann der Raum zu einem beliebig großen oder kleinen Gefäß gemacht werden, je nach Gebrauchszweck und Nutzen. Und die Zeit kann von ihm getrennt, „über allen Räumen schwebend", in die Zukunft, die unendliche Dauer gerichtet werden. Zwar werden Räume durch das Geschehen in ihnen, durch Ereignisse, Feste, Rituale etc. auch nach Zeiten strukturiert, und die Zeit historisch nach Zeit„räumen" zu gliedern versucht, der frühere innere Zusammenhang ist aber endgültig verlorengegangen. Dies hilft, Raumgrenzen nach Belieben festzusetzen und die Zeit endgültig aus räumlichem Geschehen zu befreien. Eine in die unendliche Dauer abstrahierte Zeit darf sich auch nicht an Natur und geschichtliche Vorkommnisse binden. Im Gegenteil, sie muß das Maß aller derer Ordnung werden. Nach ihrem Kalender wird alles zugeordnet und eingeteilt.

Der Beliebigkeit im Setzen von Raumgrenzen waren lange Zeit selbst Grenzen gesetzt. Sie waren von verschiedener Herkunft. Es gab immer noch unüberwindlich „natürliche" Grenzen (hohe Gebirgszüge, große Ozeane, Wüsten etc.). Dazu gehören auch klimatische; Menschen, die über Generationen an ein bestimmtes Klima gewohnt sind, finden das andere, wärmere oder kältere wenig attraktiv, zumal sich mit ihm die ganze Lebensform ändert. Es gab technologisch-kommunikative Grenzen; schlecht entwickelte Verkehrswege, keine Verständigungsmöglichkeit über größere Räume hinweg (Telefon, Post – Internet), es konnten allzu große Räume nicht mehr zentral verwaltet und beherrscht oder die langen Grenzen militärisch nicht ausreichend abgesichert werden. Eine um so größere Rolle spielte für die Aufrechterhaltung der Identität von Territorien eine gemeinsame Religion: Von jeder Kanzel, von jedem Ort aus konnte das Gleiche gepredigt werden. Es gab aber natürlich auch soziale Grenzen bzw. sozial bestimmte Raumordnungen. Vor allem letztere erscheinen nicht so ohne weiteres veränderbar. Familien, Gruppen brauchen zu ihrem Bestand einen bestimmten Raum, der nicht zu groß sein darf, weil sonst die für diese Sozialeinheit notwendige direkte Kommunikation gefährdet wird, Dörfer brauchen ihren Raum, der sie einerseits ernährt, der ihnen andererseits Nachbarschaftshilfe erlaubt, die Stadt braucht ihren Umraum, mit dem sie überlebenswichtigen Austausch pflegt, und wie beschränkt er auch sein mag, es braucht auch jedes Individuum seinen Raum, der nicht bei seiner „Haut" aufhört. Repräsentation hält sich an größere Räume, das Heilige braucht seine Bezirke. Und die identitätstiftende Trennung zwischen „Wir" und „Fremde" bedarf auch räumlicher Außenhalte. So ohne weiteres und willkürlich läßt sich also mit Raumgrenzen anscheinend nicht verfahren. Davon berichten auch die vielen Raumideologien, die sich darum bemühten, nachzuweisen und zu begründen, daß genau diese oder jene Raumgrenze zu Recht besteht; oder daß Anspruch auf mehr Raum besteht („Volk ohne Raum"). Interessant ist hier, daß diese Ideologien sehr oft auf Geschichte, Ursprung, Traditionen zurückgriffen, also z. B. nachwiesen, daß die Land- und Besitzrechte eines Volkes dadurch Berechtigung haben, daß dieses Volk schon vor soundso viel Zeit an gleicher Stelle „nachweisbar" ist. Ein etwas seltsames Begründungsargument, faßt man es rational. Interessant dabei ist aber, daß die Berufung auf Raumrechte durch Zeitargumente eine besondere Würde und Glaubhaftigkeit bekommt. Zur Stabilisierung von Raumgrenzen wird wiederum die Zeit herangezogen; je länger der Zeitraum, um so begründeter die Raumgrenze.

Das Ausdehnungsmotiv der seßhaft gewordenen Gesellschaft ließ sich aber durch alle Grenzziehungen *nicht* beruhigen. Es bleibt und entfaltet seine wirksamste Kraft in unserer neueren Geschichte. Wissenschaft und Technik helfen der Überwindung früherer natürlicher Grenzziehung; die industriellen Revolutionen, denen politisch-demokratische folgen oder mit ihnen parallel gehen, der sich anbahnende Welthandel, sie lockern und verändern die sozialen Raumgrenzen: Grenzsetzungen erscheinen immer mehr als willkürlich, zufällig, als bloßes historisches Erbe. Die „Welt" wird zur Heimat und soll von „Weltbürgern" besiedelt werden. Aber auch die Erde ist keine natürliche Grenze mehr; es öffnet sich der Weltenraum. Der Raum wird prinzipiell grenzenlos, das ganz große unendliche Gefäß.

Die Nomaden nahmen den Raum so, wie ihn die Natur (-zeit) bot. Der Ausdehnungstrieb der Seßhaften ist stets mit Umgestaltung und Veränderung verbunden. Ausdehnung heißt so nicht einfach Erweiterung, Ergänzung, bloße Hinzufügung. Seßhaftigkeit ist an Grenz-*Setzung* gebunden, und diese ist immer Eingriff, Machtausübung. Ein Besitz muß abgegrenzt werden, um ihn in Ruhe und geschützt kultivieren zu können, ein Land muß Grenzen setzen, um den Geltungsbereich seines Rechts zu definieren. Grenzen definieren Einschluß und Ausschluß und können über Leben und Tod entscheiden. Ausdehnung ist kein leerer, abstrakter Akt.

Man will *seine* Grenzen hinausschieben, *seine* Einflußsphären erweitern, das Fremde eingliedern, es seinem Recht unterwerfen. Und dies ist noch die harmlosere Seite. Kolonialismus und Imperialismus haben uns vor Augen geführt, was Grenzerweiterung sonst noch sein kann. Ausbeutung, Sklaverei, begründet oft durch menschenunterscheidende Ideologien („die Primitiven"), zeigen das andere Bild der Ausdehnung. Sie war und ist immer wieder Machtausübung durch die Sieger, die die Besiegten unterwerfen.

Ausdehnung ist also selten ein friedlich-harmloses, folgenloses Überschreiten von Raumgrenzen. Es scheint die jüngere Geschichte zu lehren: Die alten, „natürlichen" und sozialen Raumgrenzen könnten nur in einem Prozeß laufender Machtausübung und Veränderung überschritten werden. Jenes System, das am konsequentesten und ständig alle Räume durchläuft,

Handel und Wirtschaft, bedient sich ohnehin der Sprache des Militärs; Märkte müssen erobert, Konkurrenten verdrängt oder vernichtet werden, das alles in permanenter strategischer Planung. Und schließlich geht es uns auch um die „Eroberung des Weltalls".

Wichtig wird der globale, grenzenlose Raum

In der unendlichen Ausdehnung, vom Urknall inszeniert, schafft sich unser Weltall selbst. Es überschreitet ständig seine eigenen Grenzen und läßt sie zurück. Die Unendlichkeit ist nur faßbar, wenn sie sich selbst erzeugt. So der Mythos der Naturwissenschaft. Die Analogie ist nicht nur im „Knall" zu finden, sondern auch in der Idee der permanenten Ausdehnung. Sie wurde hier als Erbgut der seßhaft Gewordenen, als ihr Kollektivtrieb bezeichnet. Ihre Entfaltung erfuhr sie durch die Hilfe von Wissenschaft, Technik und Ökonomie in unserer Neuzeit. Diese ließen sie konkretisieren. Die Kugelgestalt der Erde, die Enttabuisierung aller Himmel, die Schaffung des „unabhängigen, freien, selbstbestimmten" Individuums, das überall zu Hause sein können muß, Relativismus und Pluralismus in allen Wertfragen trugen Unterstützendes bei. Der bestimmte, endliche Raum verliert mit der Relativität seine Grenzen, seine innere Substanz. Wichtig wird der globale, der grenzenlose Raum. Auf ihn muß sich nun unsere Ausdehnungshoffnung konzentrieren, er muß erobert werden. Denn nur „wenn er sich selbst schafft, wird er". In der Entdeckung des grenzenlosen Raumes kommt eine Entwicklung zum Abschluß, die früh begonnen hat. Es kommt in ihr zum Selbstbewußtsein, was die ersten Ausdehnungswünsche bereits bewußtlos in sich enthielten: Daß jede Raumgrenze *Setzung* ist und insofern wieder aufhebbar, je nach Möglichkeit technischer, ideologischer Mittel. Der Nachweis dafür erscheint nun erbracht. Ist damit auch das letzte Wort gesprochen?

Die Relativierung aller bestehenden Raumgrenzen löst auch das auf, was früher an sie gebunden war: Normen, Standards, Rechtssysteme, nationales und regionales Identitätsbewußtsein,

Sitten und Verbindlichkeiten usw. Man kann es auch umgekehrt formulieren: Bisher waren Raumgrenzen konstitutiv für die Entwicklung, den Geltensbereich der Sanktions- und Kontrollmöglichkeit oben genannter menschlicher Regelungsformen. Dies machte ebenso ihre zeitweilige Enge und Dumpfheit aus. Das Zusammenleben der Menschen war eben immer nur „in Grenzen" zu regeln, und Grenzen erzeugen stets auch Ausschluß. Weltweite Grenzüberschreitung mag uns von dieser Enge befreit haben, wohin aber sind wir offen geworden? Zwar fordern wir grenzüberschreitende Regelungen, internationale Standards, internationale Gerichtsbarkeit etc. Das alles erfordert aber, wie es scheint, eine neue Strukturierung und Organisation unserer „Weltgesellschaft". Deutet sich hier eine neue Raumstrukturierung, eine Grenzsetzung auf höherer Ebene an?

So weit sind wir aber noch nicht. Im Augenblick werden wir noch dominiert von den Prinzipien jener Systeme, denen wir die Grenzüberschreitungen verdanken: Ökonomie und Technologie prägen den Zusammenhalt dieser Welt. Ihre Einseitigkeit besteht in der Beschleunigung der Grenzüberschreitungen. Was heute noch Grenze war im Geographischen, Rechtlichen, Moralischen, gilt morgen nicht mehr. Eines nur scheint zu gelten: Alles, was dem Wachstum und der Prosperität der Wirtschaft genügt, ist gut und zu beachten, alles andere zu verwerfen.

Nicht nur die Relativitätstheorie hat ein neues Raum-Zeit-Verhältnis begründet, Wissenschaft überhaupt und Ökonomie trugen das Ihre dazu bei. Die Wissenschaft, indem sie die alte unendliche Dauer der Zeit an ihren eigenen Fortschritt band, die Ökonomie, indem sie sie als wichtigste Ressource entdeckte. Wird nun diese Ressource an Raumgrenzenüberwindung und Weltwirtschaft gekoppelt – und dies geschieht m. E. eben –, dann können nur Beschleunigung, erhöhte Geschwindigkeit herauskommen. Wer zuerst und zugleich an den verschiedensten Orten anwesend ist, gewinnt. Man muß sich weltweit Standorte sichern und zwecks Koordination immer öfter und schneller zwischen ihnen hin und her reisen. Videokonferenzen allein scheinen nicht ausreichend und das Internet ebensowenig. Virtuelle Räume sind zwar von bedeutender Hilfe, Sozialräume werden aber von ihnen nicht ersetzt. Letztere sind aber fast schon „überall", daher ist „Allgegenwart" angesagt. Wir müssen an vielen Orten womöglich zugleich sein, auch wenn wir nicht mehr wissen, an welchen wir gerade sind. Mit dem „Handy" hängen wir an der Nabelschnur zu allen Sozialräumen, und je mehr uns Zugehörigkeit abhanden kommt, um so mehr telefonieren wir. Wir bemerken allmählich den Preis, den uns die Überwindung der Raumgrenzen (bekannt auch unter dem Namen „Globalisierung") eingebracht hat. Er wird zwar durch die Ökonomie eingefordert, hat aber wahrscheinlich tieferen, metaphysischen" Ursprung: Die „totale", prinzipielle Überwindung der Raumgrenzen öffnet uns zwar den Raum bis hin in seine unendliche Dimension. Unendlichkeit kann aber weiterhin nicht aktualisiert, bestimmt gemacht werden. Unser individuelles Leben jedenfalls und so manche kollektive Ausprägung des sozialen Lebens sind jedenfalls schon zeitlich überfordert. Denn irgendwie scheint die Fassung des unendlichen Raumes so etwas wie Allgegenwärtigkeit zu fordern. So schnell können wir aber nie sein, um ihr zu entsprechen. So weit wird unsere „Gottesebenbildlichkeit" wohl nicht reichen.

Wenn alles in diesem Raum ist, hat man auch über dies alles Macht

Apropos Ebenbildlichkeit: Ausdehnung und Entgrenzung sind zwar sicher kaum durch den in ihr möglicherweise enthaltenen Auftrag motiviert worden. Über die verschiedenen Motivebenen haben wir bereits Vermutungen angestellt. Es muß aber auffallen, daß die monotheistischen Religionen ihrem Gottesbegriff Prädikate zugeordnet haben, die schon so etwas wie Vorstellungen über Ziel und Grenzen von Ausdehnung zur Verfügung gestellt haben. In diesen Prädikaten finden wir eine eigentümliche Ambivalenz, die in der Geschichte viel zur Verwirrung der Gläubigen beigetragen haben. Versteht man sie nämlich wörtlich und affirmativ, enthalten sie in „irdischer

Anschauung" die Vorstellung von Entgrenzung, unendliche Dauer und Beschleunigung. Diese Vorstellungen sollen auch gleichsam für den ebenbildlichen Menschen als Ideen, praktische Postulate maßgebend werden. Versteht man sie allerdings „negativ", als Grenzbegriffe oder als „unbegreifliche Aussagen" über das Wesen Gottes, als prinzipielle Differenzbegriffe zu allem irdischen Bestreben, sie zu verwirklichen, dann ändert sich die Aussage radikal. Sie lautet dann nämlich: Egal, wie weit entgrenzt und ausgedehnt wird, wir landen doch immer im Endlichen. Man kann aber auch beide Auslegungen zusammenziehen. Dann erst ergibt sich jener Realismus der Widersprüchlichkeit, in dem wir ständig zu leben scheinen: Das Unendliche ist und bleibt ewige Herausforderung, wir dürfen vor ihm nicht resignieren. Gerade weil es aber der Stern bleiben muß, der uns leitet, kann er nie eingeholt werden wollen. Was wir dem Unendlichen, es „erobernd", abjagen, bekommt unsere weltlich-endliche Gestalt. Offensichtlich sollte es darauf ankommen, diesen Widerspruch zu balancieren und ihn nicht einseitig abzuspannen.

Dazu neigen wir aber gegenwärtig:

Die Überschreitung aller traditionellen Raumgrenzen, anscheinend ohne begleitende Sicherheitsnetze (neue Raumstrukturen), führt uns in einen unendlichen, abstrakten Raum, in dem all die Prinzipien der Systeme herrschen, die ihn zustande gebracht haben und ihn erhalten (Technologie, Ökonomie). Die Zielidee dieser Entgrenzung ist das Hereinholen aller und von allem in diesen einen, immer größer werdenden Raum. Wenn alles in diesem Raum ist, hat man auch über dies alles Macht; man ist „allmächtig".

Die Entgrenzung der Zeit in Dauer und unendlicher Zukunft hat längst stattgefunden. Es wurde uns Geschichte, vor allem aber das offene Vorne zugänglich gemacht. Das Voranschreiten in dieser Zeit, der Fort-schritt vom jeweils Vergangenen, Minderwertigen suggeriert die Annäherung an Gottes Vollendung; wir sind geboren, um seine Schöpfung „nachzuschaffen", wie es zu Beginn unserer Neuzeit heißt. Die unendlich nach vorne geöffnete Zeit läßt uns zu solchen Schöpfern werden; wir nähern uns „asymptotisch" Gott. Dafür müssen wir selbst, zumindest unsere Gattung, unsterblich sein, gleich ewig wie Gott. In dieser ewigen Zeitdauer können wir ihn erreichen.

Um nicht allzulange darauf warten zu müssen, erhöhen wir unsere Geschwindigkeit in „Werk und Tat". Der erweiterte Raum verlangt Reisen, Flexibilität, Beweglichkeit. Man muß an vielen Orten sein. Weil aber Lebenszeit beschränkt ist, schnell vergeht, muß man sich beeilen, um von der Allmächtigkeit und von der Unsterblichkeit einen gehörigen Anteil zu bekommen. Man könnte sie sonst versäumen. Langsamkeit ist nicht mehr „menschenwürdig", ist wie ein Makel, eine Behinderung. Die sich erhöhende und entgrenzende Bewegung (die Erhöhung der Beschleunigung und der Geschwindigkeit) läßt uns erfahren, was als göttliches Prädikat „Allgegenwärtigkeit" genannt wird. In ihr spricht sich die Synthese aus: die Aufhebung endlicher Zeit in die ewige Gegenwart und die Aufhebung des endlichen Raumes in die Gleichzeitigkeit aller Räume; die Ausdehnung ist an ihr unendliches Ziel gekommen.

Ein neues Angebot: der große Zusammenfall

Eine Tatsache wird in all diesen Zielvorstellungen aber übersprungen: Alle Unendlichkeit, ob die des Raumes, die der Zeit oder die der Bewegung, ist bestimmungslos und damit unerreichbar. Diese „Leere" und Bestimmungslosigkeit empfinden wir immer noch als Bedrohung. Wir wollen sie auf unsere Art abwehren. Unser Standardmuster: „Auffüllen" und das möglichst schnell. Die Beschleunigung könnte uns erschöpfen, zumindest uns vor lauter Aktionismus blind machen. Aber wie es scheint, „wächst das Rettende auch ..." Von der Naturwissenschaft bekommen wir plötzlich ein neues Angebot: den „big crunch", den großen Zusammenbruch, das „In-sich-Zusammenfallen". Also, es kann Ausdehnung sein, aber auch Zusammenfall. Beides wird uns als Möglichkeit versichert. Der Zusammenfall ist aber kein x-beliebiger, so dort und da, er ist ein *totaler. Alles* fällt in sich zusammen, ein neues, anderes Weltall mit völlig anderen Gesetzen entsteht danach. Was motiviert die Wissenschaft, auch diesen Ausgang für denkbar zu halten? Ist es die unausrottbare Lust am dialektischen Denken, die auch vor der „exakten" Naturwissenschaft nicht haltmacht? Oder treffen wir hier auf einen neuen Zeitzeugen?

Daß die unendliche Ausdehnung in sich zusammenfallen kann, also aufhört, sozusagen bei Null wieder anfängt, klingt uns unmittelbar fast plausibler als eine Ausdehnung, die nie aufhört sich auszudehnen. Diese „progressive" Unendlichkeit ist uns weit abstrakter als eine, die wiederum zu ihrem Anfang zurückkehrt. Die Vorstellung des big-crunch gibt der negativen Unendlichkeit wieder eine endliche Gestalt. Nicht zufällig erinnert die damit verbundene Zeitvorstellung an das zyklische Modell, einem sich schließenden Kreislauf, einer ewigen Wiederkehr des Gleichen. Der einer unendlichen Ausdehnung entgegengesetzte Zusammenfall beendet auch die lineare in eine ewig dauernde Zukunft gerichtete Zeit. Der beschleunigten Bewegung geht es nicht besser. Sie kommt zur Ruhe des Anfangs zurück, wird still und neu. Abgekoppelt von der immer schneller werdenden Ausdehnung verlangsamt sie sich im big-crunch total und zieht sich in den bewegungslosen Anfangspunkt zurück, um von ihm aus langsam wieder zu beginnen.

Wir sehen, wie unsere Unendlichkeitsvorstellungen undenkbar werden. Die Linearität und Beschleunigung in eine grenzenlose Zukunft hinein, versetzt uns in Schwindel. Grenzenlosigkeit kann als solche nur im Überschreiten von bestimmten Grenzen vorgestellt werden, als eine sich immer fortsetzende aber nicht. Gedanken, die wir an eine solche Vorstellung binden, beginnen sich in sich zu drehen. Resultat ist daher immer wieder der Kreis, der Kreislauf und die Kugel. In ihnen kommt Grenzenlosigkeit „zu sich selbst", indem sie sich in ihrem Anfang wieder trifft. Alle Unendlichkeit kehrt zu ihrem Beginn zurück, von dem sie ausgegangen ist. Damit zeigt sie ihren wahren Charakter; wenn sie überhaupt *„ist"*, dann hat sie einmal einen Anfang gehabt, entspringt also einer „Setzung" durch den Menschen.

In ihr läßt sich auch „logisch" der Gedankenfigur in ihrem Selbstwiderspruch folgen. Irgendwann muß nämlich eine Ausdehnung, die sich ewig ausdehnt, auf sich selbst stoßen. Wenn sich nämlich alles nach allen Richtungen ausdehnt, erwartet unser Verstand, daß einmal die eine Ausdehnung der anderen irgendwo begegnet. Ein Aufeinanderprall im Unendlichen, wo unglaubliche „Größen" aufeinandertreffen, plötzlich keinen Raum mehr für weitere Ausdehnung zur Verfügung haben, lassen uns die Vorstellung vom Zusammenfall plausibel werden. Wo Ausdehnung sich selbst begegnet, mit sich selbst zusammenfällt, ist es aus mit ihr. Sie muß von vorne anfangen. Wer also unendliche Ausdehnung denken will, muß auch den totalen Zusammenfall ins Kalkül ziehen. Man verdankt ihn bereits der Anfangsvision, dem big-bang. Was ist aber, wenn sich unser All als solches gar nicht ausdehnt?

Mit der Bewegung verhält es sich ähnlich. Immer schneller werdende Beschleunigung führt zum „rasenden Stillstand", wie Virilio treffend sagt. Wenn Bewegung nämlich unendlich schnell wird, ist sie ständig überall. Sie kann sich nicht mehr irgendwohin bewegen, weil sie immer schon dort ist. Klugerweise hat daher die Physik für unsere Zwecke die Beschleunigungsmöglichkeit beschränkt, indem sie eine Höchstgeschwindigkeit festgesetzt hat. Aber bereits beim Licht bemerken wir mit einfacher Sinnlichkeit die Bewegung nicht mehr. Wenn es Tag wird, ist überall Licht zugleich. In ihrer Höchstgeschwindigkeit fällt also Bewegung in sich zusammen, sie hört auf, die Ruhe des Anfangs ist wieder erreicht.

In ihm muß Zeit auch wieder neu beginnen; denn Zeit war an Ausdehnung und Bewegung gebunden worden. Kommen sie zu Ende, hat auch Weltzeit keine Zukunft mehr. Im Zusammenfall scheint sie rückwärts gerichtet, und manche spekulieren schon mit einer Zeitrichtung, die wieder in die Vergangenheit zurückzeigt, uns wiederum durch die Geschichte nach hinten bewegen läßt. Der big-crunch läßt uns aber solche Kontinuitätshoffnungen nicht; er spricht vom plötzlichen Fall, vom Ende aller bisherigen Zeit. Das klingt nach längst bekannten Geschichtsmythologien nach dem „Ende aller Tage" und dem „Jüngsten Gericht". Aber auch konsequentes Denken im Modell von Ausdehnung, Beschleunigung und dauerhafter Zeit muß zu einem ähnlichen Resultat kommen: Die sich überlagernde Ausdehnung, gekoppelt mit dem rasenden Stillstand, ist nur in einer *„gleichen"* Zeit denkbar. Zeit setzt sich nicht mehr fort; ab nun ist sie gleichzeitig, sich immer gleich. Der Zusammenfall der Zeit verliert alle mögliche Zukunft, bleibt ewig gegenwärtige Vergangenheit.

So interessant solche Spekulationen sein mögen, vielleicht ist noch anderes gemeint. Der big-crunch könnte die andere Seite zum big-bang sein und von einer Explosion sprechen, die alles in sich zusammenfallen läßt. Die so groß ist, daß „nachher" nur ein völlig neues Universum entstehen kann. Der big-crunch ist ein Bild von der „absoluten Endlichkeit" unserer Welt, die sich gerade an ihrem Gegenteil, der Vorstellung ihrer unendlichen Ausdehnung, zum Vorschein bringt. Das mögliche Ende *unserer* Welt wurde in der Geschichte noch kaum so realistisch, wie wir dies heute tun, überlegt. Insofern kann es nützlich sein, die astrophysikalische Spekulation als Zeitzeugen aufzurufen. Sie legt den Zusammenfall tröstlich noch in eine ferne Zukunft, bindet das Vergehen unseres kleineren Planetenkosmos an das Erlöschen der Sonne. Betrachten wir aber die große Explosion als Symbol unserer Zeit, dann gehört das des Zusammenfalls dazu. Explosionen dehnen nicht nur aus und lassen schneller bewegen, sie lassen Aufgebaut-Errichtetes in sich zusammenfallen. Sie sind Mittel der Zerstörung.

So könnte es sein, daß der big-crunch den Zusammenfall *unserer* Welt meint, herbeigeführt durch die größte Explosion, die uns bisher in der Geschichte möglich wurde. Daß wir gar nicht auf jenen des Universums warten müssen, weil wir ihn gar nicht mehr erleben würden, weil wir jene Explosion veranstalten können, die uns alle auslöscht. Tatsächlich muß dann etwas völlig Anderes, Neues beginnen, weil es etwas ist, wo wir nicht mehr dabei sind. Nicht zufällig hat unsere Zeit einmal den Namen Atomzeitalter bekommen; es waren wohl Kernspaltung und Atombombe wichtig und eindrucksvoll genug, um eine ganze Zeit nach ihnen zu taufen. In ihr war nämlich jene Explosion zur Reife gebracht worden, die mit den Menschen auch ihre Zeit auszulöschen imstande war. Erstmals hatte die Menschheit Macht über ihr Leben und ihren Tod bekommen, wenn auch eine negative. Sie ist fähig, sich durch die große Explosion als Gattung selbst zu vernichten. Diese Macht hatte sie in der Geschichte trotz Massenvernichtung und Weltkriegen noch nie. Und obwohl viel über den „overkill" geschrieben und geredet wird, was er wirklich bedeutet, in aller Zuspitzung unserer Situation, das, glaube ich, wird erst erahnt, zumeist aber verdrängt. Es ist dann tröstlich, wenn uns Astronomen versichern, daß der mögliche Zusammenfall eben noch in astronomischer Entfernung stattfinden wird. Tatsächlich ist es aber anders. Seit geraumer Zeit ist er nämlich ständiger Begleiter. Die große Explosion hat unser aller Ende zur andauernden gegenwärtigen Möglichkeit gemacht. Damit hat auch unsere Zeitvorstellung einen tiefen Riß bekommen. Der linearen, in eine ewig offene Zukunft hineindauernden Zeit steht das Zeitende, die Endzeit gegenüber, ist ihr sozusagen ständig auf den Fersen. Endzeitpropheten und Apokalyptiker gab es zwar immer schon, nicht nur angesichts der jeweiligen Jahrtausendwenden. Und weil sie bisher mit wenig Erfolg prophezeiten oder ihre Botschaft für Manipulationen zu ihrem Nutzen verwendeten, sind sie nicht sehr beliebt; man ist auch ihres Gejammers überdrüssig. Vielleicht wehrt man in ihnen und ihrer Geschichte, ihrem aufdringlich, jämmerlichen Auftreten aber nur ab, was längst Realität geworden ist: Mit der großen Explosion haben wir uns selbst historisch in das reale Vorhandensein einer Endzeit versetzt, die nun nicht mehr von irgendwoher kommt, sondern von uns selbst inszeniert werden kann. Damit ist zum Ausdruck gebracht, daß die Zukunft, Ort all unserer Hoffnungen und Wünsche, plötzlich aufhört zu sein, eine Annahme, die zutiefst unserer fortschrittsbezogenen linearen Zeitvorstellung widerspricht.

Vielleicht handelt der Zusammenfall aber auch noch von weiteren Grenzen. Eine Ausdehnung, die in sich zusammenfällt, könnte die Entgrenzung meinen, der sich unsere Gesellschaft unterworfen hat; Entgrenzung der Produktion, der Ökonomie auf alle anderen Gesellschaftsbereiche, der Quantität zuungunsten der Qualität; Aufhebung der nationalen Grenzen, der Staaten etc. Eine Entgrenzung, die in sich unendlich und maßlos ist, ausbeutend, ressourcenvernichtend, die rück-sichtslos mit der eigenen Zukunft umgeht, individuell und kollektiv. Auch hier findet eine generelle Ausdehnung statt, die Gefahr läuft, in sich zusammenzufallen, sei es, weil sie sich selbst ihre Zukunft nimmt, indem sie Ressourcen verschleudert und vernichtet, sei es, daß sie soziale Verbindlichkeit, Recht und Sitte ortlos macht. In unserer Weltgesellschaft, der bisher größten Ausdehnung von Gesellschaft, verschwinden die kleinen Ausdehnungen, Regionen, Staaten, Kulturen. Inter-national heißt ja auch *zwischen* den Nationen. Was sie bestimmt hat, verschwindet also in Zwischenräumen, und vieles fällt ins Leere. Die universelle Ausdehnung läßt historisch Gewachsenes in frappanter Geschwindigkeit zusammenfallen, weil es an kleinere Räume gebunden war. Und die Gesetze und Gestalten der großen Ausdehnung sind uns noch nicht bekannt und zugänglich. Mit Ausnahme derer, die sie ermöglicht hat: Es sind die Gesetze der Ökonomie und der Technologie. In ihnen scheint derzeit tatsächlich alles zusammenzufallen (im doppelten Sinn des Wortes).

Aber auch in beschleunigter Bewegung und Zeitverdichtung fällt viel zusammen. Es überkreuzt und überlagert sich, wird übereinander geschoben, verliert an Eigenbedeutung, fällt in sich zusammen. Ist nicht vielleicht der big-crunch hier ein Bild für eine zu Ende kommende Dichte, die keine Qualität mehr hat, die uns an der Oberfläche vieler Ereignisse unser Leben flüchtig vergehen läßt? Oder ein Hinweis auf ein Erschöpft-Sein, ein Müde-geworden-Sein, weil tatsächlich alle Möglichkeiten erschöpft sind? Der Zerfall tritt ein, weil wir zum Spiel rasch aufeinanderfolgender Geschehnisse werden, wir uns in steter Aufeinanderfolge selbst verlieren. Wir zerfallen mit uns selbst, weil wir für uns keine Zeit mehr haben, die längst gefüllt ist. Der Zerfall geschieht aber auch mit unserer Wirklichkeit, weil Beschleunigung uns alles gleich-gültig werden läßt. Je mehr schnell aufeinanderfolgt, um so weniger läßt dieses Geschehen Wertschätzung zu. Denn diese braucht Abstand, Befund und die Ruhe zu urteilen. Sie braucht eine andere Zeit; nicht eine an Explosion und Ausdehnung (Quantitätssteigerung) gekettete.

Big-bang und big-crunch, nur ein astrophysikalisches Modell oder Ausdruck des Widerspruches *unserer* geschichtlichen Situation?

Die Wissenschaften haben unser Denken zu sich selbst befreit. Es hält vor keinem Tabu, keinen fremdbestimmenden Geboten, es ist nur sich selbst verpflichtet, ist seine eigene Autorität. Indem es Grenzen denkt, hat es sie immer schon überschritten; es ist unendlich, grenzenlos. Wissenschaft wird zu einer ewig sich fortsetzenden Argumentation; ihre Ergebnisse sind vorläufige Entscheidungen. Zweierlei läßt uns erschrecken: die unbedingte, offene Unendlichkeit und die Vorläufigkeit von Wahrheit. Erstere hat kein Maß, keinen An-Halts-Punkt, die letztere verwehrt uns dauerhafte Sicherheit. Wissenschaftliche Modelle versuchen uns mit ihrer Realitätsillusion die verlorene Wahrheit zurückzugeben, Modellwechsel und Veränderungen entziehen sie uns aber immer wieder aufs neue. Das Denken will sich nicht festlegen lassen, will in Bewegung bleiben, seine Offenheit bewahren. Zugleich fürchten wir seine offene Leere. Sie muß immer wieder durch neue Inhalte „vernichtet" werden.

Die Relativitätstheorie, das astrophysikalische Weltmodell, sie tun so, als ginge es „bloß" um unsere Welt, unser Universum: Es könnte aber auch sein, daß sie die tiefe Widersprüchlichkeit unseres Denkens wiedergeben, seine Unruhe, seine Unendlichkeit ständig überwinden zu wollen, ohne es letztlich zu können. Diese Einsicht läßt es aber nicht zu; daher verliert es alle Gelassenheit und beschleunigt explosionsartig, um nicht seiner Leere und Beliebigkeit gewahr zu werden.

Innehalten im Prozeß des Denkens bedeutet, sich seines Charakters bewußt zu werden und die Gläubigkeit an die Wahrheit und Sicherheit von Wissenschaft zu verlieren; vielleicht täte dies auch ihr selbst gut. Sie müßte nicht ständig mit Neuem aufwarten und könnte sich eher mit dem Sinn des Erreichten und Bestehenden beschäftigen.

Sie hat aber einen mächtigen Zeugen: ihr Produkt, das uns allen zum Nutzen geschaffen ist.

Beschleunigt Produzieren

„Sie treiben über die Gegenwart und über das, was sie besitzen, hinaus, um Knechte der Hoffnung zu werden und nach Schatten zu haschen und nach eitlen Bildern, welche die Phantasie ihnen vor die Augen zaubert. Aber diese fliehen um so rascher und um so weiter, je mehr man ihnen nachjagt. Frucht und Ertrag dieses Jagens ist das Jagen."
(Michel de Montaigne, Essais)

Das Fundament des Wohlstands ist die Effizienz der menschlichen Arbeit, ein „maximaler Wohlstand existiert nur als Folge der maximalen Produktivität".
(Grundsatz des Taylorismus)

Was ein Werk, ein Produkt für Männer bedeutet

Eine kleine Geschichte zum Anfang:

Meine Beratertätigkeit führte mich vor ungefähr 25 Jahren in ein großes Automobilunternehmen. Ich hatte Führungskräfteschulungen durchzuführen bzw. teambildend für Geschäftsleitungen, Abteilungen, Bereiche zu wirken. Während einer dieser Beratungen wurde mir die Ehre einer Einladung zuteil. Es ging um eine Festveranstaltung zur „Taufe" eines neuen, eben in Serie gehenden Modells. Ich spreche deshalb von Ehre, weil ich zusammen mit einem Kollegen der einzige „Externe" war, der zu dieser Veranstaltung zugelassen war. Wir erachteten dies als hohen Vertrauensbeweis (schließlich werden ja auch sonst bei Taufen Fremde nicht eingeladen). Das Fest fand in einer großen Halle der Stadt, in der viele Teile des Werks konzentriert waren, statt. Zunächst war auffallend, daß sich in der Halle etwa 800 Männer, Manager, versammelt hatten und nur zwei Frauen (eine Betriebsärztin und eine Frau aus der Bildungsabteilung; ich weiß dies deshalb so genau, weil ich zwischen beiden zu sitzen kam; Fremdelemente, die noch Fremderes in ihre Mitte nehmen?). Verwunderlich war zu dieser Zeit diese „Ausgangslage" aber nicht, weil im oberen Management der Produktionsbetriebe eben fast nur Männer waren. Und schließlich feierten sie ja *ihr* Produkt.

Vorne erhöht war eine Bühne. Auf der befanden sich Sitze und Mikrophone für die Vorstandsmitglieder, hinter dem üblichen langen Tisch und rechts von ihm, eingehüllt in eine Plastikverkleidung stand so ein „Ding". Man konnte ahnen, daß es sich um ein Auto handelte.

Als alle Platz genommen hatten, begannen die Reden der Prominenz. „Es ist uns ein guter Wurf gelungen ...", „unser schönstes Kind", „wir sind stolz auf das, was wir hervorgebracht haben", „unser neues Baby ..." usw. Solche und ähnliche Wendungen kamen oft vor und verbreiteten tatsächlich die Stimmung der Geburt von etwas Lebendigem. Man hatte fast den Eindruck, als wollten Begriffe und Blicke, die sich immer wieder „dem Ding" zuwandten, ihm ein gutes weiteres Leben beschwören. Nach den Reden fand der „Geburtsakt" statt. Vier eher leichter bekleidete Frauen trippelten ballettartig herein, zogen das Plastiktuch weg, und da stand es nun das neue Modell, rot, blitzend, energiegeladen. Die Frauen zogen sich wieder zurück, und man hatte Gelegenheit, das „Männerwerk" zu bewundern. Geburt und Taufe waren vollzogen – ganz ohne Frauen schien die Sache doch nicht abgehen zu wollen –, und man fand sich anschließend zu einem kleinen Imbiß zusammen.

Damals wurde mir klar, was ein Werk, ein Produkt für uns Männer bedeutet. Es ist eben auch ein Ersatz für ein „Produkt", das sonst Frauen vorbehalten ist. Kinder können wir nicht bekommen, aber Werke können wir schaffen, sogar solche, die sich bewegen. (Insofern neigen wir auch dazu, Maschinen „biomorph" zu betrachten. Wir versehen sie mit Prädikaten des Lebendigen. Beim Auto ist das allgemein nachvollziehbar: „es sauft zuviel, stirbt ab, stottert dahin" usw.) Die Geschichte, die ich hier erlebte, war Anlaß, mich genauer mit dem Thema Produkt zu beschäftigen.

Unser befristetes Leben scheint für letzte Sinngebungen nicht ausreichend

Der Zusammenhang zwischen dem Thema Produkt und dem Thema Zeit scheint von vornherein nicht auf der Hand zu liegen. Schon eher jener zwischen Produkt und Unsterblichkeit. Dafür ist auch die vorangeschickte Geschichte ein Beispiel. Kinder sind ein Symbol für unser eigenes Weiterleben; „in unseren Kindern leben wir weiter", heißt es, und wenn wir auch selbst als Person nicht mehr dabei sind, wir haben ihnen „etwas von uns mitgegeben", das sie fortsetzen, verwenden, entfalten, in dem wir weitere Wirksamkeit haben. Unser Leben ist nicht einfach zu Ende, plötzlich abgebrochen, ein punktuelles Ereignis. Es hat Fortsetzung in den Kindern und zwar nicht nur biologisch, sondern auch durch Erziehung, Bildung, die Weitergabe eigener Lebens- und Weltanschauungen, besonderer Erbschaften. Zu Lebzeiten versuchen wir auch diesbezüglich Einfluß zu nehmen, und so hört man, daß für Eltern ihre Kinder trotz fortgeschrittenen Erwachsenenalters doch immer ihre Kinder bleiben. Betrachtet man zusätzlich Erbrecht, Erbrituale und die damit verbundenen individuellen Verhaltensformen, wird man nicht umhinkönnen, hinter allem auch die Rettung von Lebenskontinuität, eine Art des Versuches, den Tod zu überwinden, zu bemerken. So scheint auch jede Erbschaft einen Verpflichtungscharakter in sich zu haben, und Erblasser wissen genau, warum sie wem was vererben wollen.

Kinder repräsentieren also die Kontinuität des Lebens, auch eine solche von Leistung und erworbenem Besitz sind Zeugnis dafür, daß man nicht vergeblich gelebt hat. Daß seine Leistung noch bis über seinen Tod hinaus Respekt erfährt; Sinn gewinnt dadurch, daß sie übernommen und weitergeführt wird. Unser befristetes Leben scheint für letzte Sinngebungen nicht ausreichend zu sein. Sie muß aus einem „Nachher" erfolgen (bis hin zu einem „Eschaton"), das uns aber nicht mehr zeitlich fixierbar ist. Solange Menschen leben, muß das Nachher immer in die Zukunft verlegt werden; in die Unsterblichkeit der Gattung, real repräsentiert durch unsere Kinder.

Auch wenn diese „Produkt" beider Geschlechter sind, ihre erste und unmittelbarste Heimat haben sie doch bei den Frauen. Sie sind zunächst noch ein Leib mit ihnen und auch nach der Trennung, der Geburt, ist das Verhältnis ein intensiveres. Der Mann muß dort erst hinfinden. Es ist auch zu beobachten und in vielen Kulturen so zum Ausdruck gebracht worden, daß Frauen als Mütter ihre Kinder als *ihr* Eigenes, *ihr* besonderes Werk, *ihr* Schicksal, ihre Aufgabe ansehen und daß der Mann dabei zwar eine unterstützende Rolle einnehmen kann; tut er es aber nicht, es würde sich kaum etwas ändern, außer aus Verzweiflung. Männer – und auch dafür gibt es viele Zeugnisse – fühlen sich in dieser Situation mit Recht peripher, außenstehend, jedenfalls aus dem Zentrum gerückt. Dies löst Defizitgefühle aus, und viele erschrecken über die Entfremdung, die sie gegenüber dem Partner zu empfinden meinen. Sie wird oft als Liebesentzug erlebt, und tatsächlich hat sich ja ein neues Wesen angemeldet, das Eintritt in die alte Bindung verlangt. Diese kann nicht mehr die gleiche bleiben.

Die intensive Beschäftigung der Mutter mit ihrem Kind, das dichte Verhältnis beider, löst im Mann, der erst zum Vater werden muß, Überflüssigkeitsgefühle aus. Einmischungen werden zwar geduldet, manchmal sind sie sogar erwünscht, die erste Bindung Mutter-Kind können sie aber nie erreichen. Erst langsam und mit der Zeit ergibt sich eine andere, zweite Bindung. Männer, die sich hier zu schnell vorwagen, gar der Frau ihre Mutterschaft streitig machen wollen, erfahren von ihr meist eine Zurückweisung. Berufstätige Mütter können sehr darunter leiden, zuviel ihren Männern überlassen zu müssen, auch wenn es notwendig und nützlich erscheint. Auch Eifersucht spielt hier eine Rolle. Mag sein, daß sich dies alles in Zukunft ändern wird, daß Schwangerschaften vom Mutterleib getrennt wo anders geschehen, die bisherige Geschichte läßt nicht locker an der nachhaltigen Aussage der Frauen, daß in ihren

Kindern nun *sie* dran sind, den entscheidenden Beitrag für den Sinn und Inhalt des Lebens und die Unsterblichkeit der Gattung beizutragen.

Überflüssigkeitsgefühle kann man verleugnen, annehmen oder kompensieren. Verleugnung ist bei der Augenfälligkeit des Zustandes gar nicht so leicht und bedarf einiger Anstrengungen. Sensible Mütter können hier einige Hilfestellung abgeben, indem sie dem Vater seine Wichtigkeit lassen. Ähnlich Familie und Verwandte, die den verlegenen Mann zum „stolzen Vater" erheben. Andere Kulturen unterstreichen dies rechtlich und ökonomisch, Gefühlsabsicherung schien nicht ausreichend. So können Männer froh sein, einen „Stammhalter" bekommen zu haben, allerdings wertet dieser Stolz Töchter zugleich ab. Auch unser Recht und unsere Politik sind daran interessiert, den Mann zum gleichwertigen und gleichverpflichteten Partner zu machen, ihm seine Überflüssigkeit als Ausrede zur Drückebergerei, zum Machismo etc. nachzuweisen. Ist es wirklich nur der nachhaltige Widerstand der Männer, der hier Gesetze so zögerlich Erfolg haben läßt? Oder spielen sie das Verleugnungsspiel mit? In dieser entscheidenden Bruch- und Aufbruchssituation unseres Lebens ist jedenfalls viel Heuchelei und Sentimentalismus zu beobachten, der sich wie eine Dunstglocke über die widersprüchliche Wirklichkeit legt.

Die zeitweise Nebensächlichkeit anzunehmen ist nicht einfach. Sie geht an das Selbstwertgefühl, kränkt bisher möglichen Narzißmus, verlangt eine neue Rolle und „Selbstdefinition". Sicher die beste Voraussetzung, um hier weiterzukommen, woher aber kommt Unterstützung? Bekannt einfach hat W. Busch die Situation auf den Punkt gebracht: „Vater werden ist nicht schwer, Vater sein dagegen sehr." Auch wenn unsere Gesellschaft immer wieder so tut, als wäre das, was passiert, auch das Selbstverständlich-Natürliche; was partnerschaftliche Vaterschaft bedeutet, dafür hat sie wenig Antworten, eher ein reichhaltiges Angebot für Kompensationen. Ihre Wahrnehmung kann auch der Grund sein, der von der „vaterlosen Gesellschaft" hat sprechen lassen.

Im weiten Feld der Kompensationen (von der Jagd, über Schutz-Bieten als Krieger, bis hin zu Arbeit und Stammtisch) interessiert uns hier vor allem das Thema Ersatz*produkt*. Denn dieses hat einen nicht zu unterschätzenden Einfluß auf das Thema Zeit und vor allem Zeitbeschleunigung.

Im leblosen Werk gibt es keine Vollendung

Es gibt Behauptungen des Inhalts, daß Männer, „ausgestoßen" aus der Partnerschaft, vertrieben durch das Kind, Trost unter ihresgleichen suchen. Ihresgleichen treffen sie organisiert und versammelt in den verschiedenen Arbeitsverhältnissen, den Unternehmen, Firmen etc. Hier findet sich eine Anhäufung von Vertriebenen gleichen Schicksals, und mit Skepsis wird der Eintritt von Frauen in diese Arbeitsgesellschaft betrachtet, denn man kennt sie ja: Kaum sind sie da, man hat sich an sie gewöhnt, eine Beziehung aufgebaut, schon bekommen sie ein Kind und sind wieder weg. Man muß diese Enttäuschungen nicht selbst unterstützen, um sie auf diese Weise in dauernder Wiederholung zu erleben. Also wird man sich gegen den Eintritt von Frauen wehren, zumindest in verschlüsselter Form nach ihren Kinderplänen fragen und dort natürlich nie eine ehrliche Antwort bekommen können, da viele Betroffene es gerade jetzt auch noch nicht wissen.

Die Arbeitswelt erfüllt hier mehrere Funktionen, es ist nicht nur der Trost Gleicherfahrener, der aufgefunden werden kann. Man wird oft „Alleinverdiener" und so zum eigentlichen Ernährer (Nährvater, Mutter) der Familie, kann so zeigen, wie angewiesen Frau und Kind sind, man kann abends müde und angestrengt nach Hause kommen und sich unter die bedürftige Kinderschar einordnen, in der Hoffnung, auf diese Weise etwas von der (Mutter-)Liebe abzubekommen, und man kann produzieren, Werke schaffen, in Konkurrenz zum Kind. Produkte sind nämlich das, was die organisierte Arbeitswelt zum Zweck hat, sie sind die Kinder des Mannes. In ihnen kann er sich als Schöpfer, Erzeuger, Schaffender erkennen. In ihnen erreicht er seine spezifisch männliche Unsterblichkeit und kann der Frau seine Unverzichtbarkeit, Wichtigkeit nachweisen. Zwar produziert er im allgemeinen nur Lebloses, ganz abwegig ist diese Kompensationsform aber auch nicht. Denn auch das Überleben der Kinder bedarf einer Welt, in der sie „sicher" sind, ein Haus, in dem alles eingerichtet ist. Und leblose Produkte haben eben diesen Vorteil: Man kann sie leichter weggeben, verallgemeinern, verbreitern, man kann sie tauschen, mit ihnen handeln, sie dienen uns, sind unsere Sklaven, erleichtern unser Leben usw., kurzum: es handelt sich um eine recht effiziente Kinderschar; auch Vermehrung ist kein Problem, jedenfalls zunächst. Weil es aber leblos ist, kann es nie wirklich Kind sein. In dieser Analogie steckt daher immer etwas Defizientes. Ein Werk kann noch so vollendet sein, man wird es verbessern können, jedes Produkt treibt über sich hinaus und ist Anlaß für Nachfolge und Variation. Zwar lassen sich auch bessere Kinder vorstellen, und manchmal wünscht man sich andere als die man hat. Weil sie aber lebendig sind, Leben in sich haben, haben sie *ihre* Vollendung in sich, sind nicht austauschbar und ersetzbar. So festgestellt das Produkt erscheint, es hat die Unruhe des Fortschritts in sich, denn im leblosen Werk gibt es keine Vollendung. Je mehr man sie in ihm aber vorstellen will, um so schneller folgt ein Werk auf das andere. Die Abfolge wird beschleunigt.

In agrarischen Lebensformen, als generell noch die „Produktion" des Lebendigen im Vordergrund stand, als man noch abhängiger war vom „Werk der Natur", spielte des Menschen Produkt eine untergeordnete Rolle. Zwar gab es Werkzeug und Waffen, sie dienten aber eher der Beförderung des Naturwerks oder dem Schutz des Überlebens als einer Überwindung dieser Abhängigkeit. Die „großen" Werke der Religion und Kunst sowie jene des Staates waren ohnehin zur Ehre der „Großen", „Unsterblichen" errichtet und repräsentierten deren Ewigkeit und nicht die der Menschen. Es waren dies auch Zeiten, die auf die Bedürfnisse der Menschen und deren Widersprüche nur in eingeschränkter Form mit Produkten antworten konnten. In religiösen Wahrheiten, in Spruchweisheiten, im „Volksmund", Sprichwörtern etc. wurde beruhigt und geleitet, was sich auch damals schon als allzu ungestümes Bedürfnis äußerte. Man war um ein mögliches Maß bemüht, wobei man auf das Übermaß ohnehin nicht hätte antworten können. „Eile mit Weile" beruhigt den Bewegungs- und Beschleunigungsdrang der Menschen, die noch auf das Reisen mit Postkutschen angewiesen sind.

Jedem menschlichen Bedürfnis seine Produktantwort

Die neuzeitliche Wissenschaft in ihrer technologischen Ausprägung mit Unterstützung eines neuen ökonomischen Systems, genannt Kapitalismus und Industrialisierung, hat diese agrarische Szenerie radikal geändert. Ihr Motto mußte lauten: Jedem menschlichen Bedürfnis seine Produktantwort und erst recht eine solche auf alle Bedürfniswidersprüche. Vielleicht bestand darin die eigentliche Säkularisierung, jedenfalls aber der sogenannte Materialismus, der unsere Neuzeit auszeichnet. Es soll nichts mehr geben, worauf man nicht „produktiv" antworten kann. Nun wird das Werk zentral und sein Fortschritt zur Basis aller Unsterblichkeitsvorstellungen.

Zugleich wird auch das heilsgeschichtliche Eschaton ausgesetzt. Es gibt kein transzendentes, auch kein immanentes Ende der Geschichte, es öffnet sich eine Zukunft ins Unendliche. Eine Geschichte ohne „Jüngstes Gericht" hat auch kein Jenseits ihrer selbst, in das man auferstehen kann. Es gibt daher auch keinen Ort mehr, wo ausgleichende Gerechtigkeit waltet, wo jetzt nicht wahrgenommene Bedürfnisse und Wünsche ihren Platz bekommen könnten. Das individuelle Leben erkennt sich immer mehr als befristetes und will *jetzt,* was ihm früher für die Ewigkeit versprochen war. Bedürfnisse sollen im Diesseits befriedigt werden, Aufschub könnte endgültigen Verlust bedeuten. Produktantworten sind greifbare Realität; sie sind das Paradies auf Erden; Konsum „ewige Seligkeit".

Leider geht dem Anschein nach die Rechnung nicht ganz auf. Der Mensch hat nicht einfach Bedürfnisse, die sich so linear befriedigen ließen. Viele seiner Bedürfnisse sind ambivalent, widersprüchlich, und oft will er beide Seiten zugleich beruhigen. Außerdem steht er immer auch vor der Frage, ob, warum und mit welchem Zweck er dem einen oder anderen Bedürfnis nachgehen soll. Diese Frage läßt sich verdrängen, sie bleibt aber latent vorhanden. Schließlich gibt es Widersprüche, die ungelöst bleiben. Es gibt viele Produkte, die uns Jugend, Schönheit, Frische, Gesundheit versprechen, Altern und Tod aber bleiben. Das neuzeitliche Programm ist ehrgeizig und fordert von den Menschen höchste Entfaltung ihres Erfindergeistes. Grenzenlos auszuprobieren, was an Produktantworten möglich ist, hat uns tatsächlich um viele Optionen, Handelsmöglichkeiten reicher gemacht. Der „Materialismus" war auch nötig, um hinhaltende Spiritualität zu entzaubern: Wir können mehr, als früher je denkbar war und sind ermutigt, von unserem Können auch Gebrauch zu machen. Die „letzten" Antworten bekommen wir aber nicht; die Frage ist freilich, ob wir sie überhaupt hören wollen.

Die Konzentration auf Produktantworten und deren Charakter sowie der durch sie unbeantwortete Rest an Sinn und Lösung treiben in Vielfalt und Beschleunigung. Man hört zwar immer wieder, daß diese Entwicklung eindeutig „Verdienst" unseres ökonomischen Systems ist, nach dem derjenige im Wettbewerb gewinnt, der im gleichen Zeitabschnitt mehr und besser produziert als sein Konkurrent. Zeit ist Geld, und er kann deshalb billiger sein und hat damit seinen Marktvorteil. Unsere Wirtschaft kann daher sehr wohl als Motor der Beschleunigung angesehen werden, überhaupt dann, wenn sie als System dominant wird. Was aber, so wäre weiter zu fragen, treibt uns denn dazu, eine solche Wirtschaft zu entwickeln und zu fördern und ihr eine solche bedeutende Rolle zuzuschreiben? Schließlich war es weder in der früheren Geschichte so, noch in vielen anderen Kulturen. Das Fundament muß m. E. ein wenig tiefer gelegt werden. Hier nähern wir uns dem bisher Ausgeführten. Eine Wirtschaft unserer Art kann sich nämlich nur dann in dieser dominanten Weise entwickeln, wenn wir uns von ihr mehr erwarten als eine vordergründige Befriedigung unserer materiellen Bedürfnisse. Eigentlich erwarten wir von ihr nicht nur mehr, sondern fast alles: die sinnstiftenden Antworten auf unser bürgerliches Zeitalter, also das, was das Bürgertum als Proponent dieser Ökonomie an Kultur, Religion, Weltanschauung festgehalten hat. Blickt man aber näher hin, dürften zumindest Zweifel darüber aufkommen, welche Bedeutung man ihnen gab. Zumindest kann behauptet werden, daß diesen Antworten auf unsere Grundfragen weniger Verbindlichkeit zukommt und daß ihre „Praxis" sich sehr wohl nach der ökonomischen Decke zu strecken hat. Natürlich hat es etwas zutiefst Humanes an sich, die Antworten auf Grundfragen „frei-zu-geben". Sie der Überlegung, Selbstreflexion und Selbstbestimmung der Individuen zu überlassen. Ihnen nicht mehr von außen vorzuschreiben, worin denn ihr Glück zu bestehen habe. So wird Religion „privatisiert", zur Angelegenheit persönlicher Entscheidung gemacht, dem Zugriff bestimmender Institutionen entzogen. So wird Kunst der Beliebigkeit des Geschmacks, über den sich bekanntlich streiten läßt, überantwortet, weshalb ihr Wert ökonomischer Absicherung und eines guten Managements bedarf. Und Weltanschauungen werden in rascher Abfolge entwickelt, und der Verweis auf Toleranz und Pluralismus läßt viele unbedacht nebeneinander stehen. Die Auflösung in die Unverbindlichkeit oder den Betrieb hat Reaktionen hervorgebracht. In Verbindung mit Politik und Wissenschaft kam es verschiedentlich zu Tyranneien, in denen versucht wurde, neue Verbindlichkeiten gewaltsam herzustellen. So pendeln wir zwischen Beliebigkeit und neuen heteronomisierenden Normierungen, zwischen Singletum und Sekten und scheinen hier keine Antwortmöglichkeiten zu erhalten.

Im Produkt kommt der Mensch zu sich selbst

Demgegenüber hat die Wirtschaft ein besseres Angebot. Sie produziert laufend Antworten, stellt sie zur „freien" Verfügung und erzeugt in ihnen auch Zusammenhalt und Verbindlichkeit. Der Markt unserer Warenwelt hat synthetische Funktion. Er kann sich den Anschein von Freiheitsberücksichtigung geben, er bestimmt nicht mehr fremd, beachtet die freie Entscheidung des einzelnen („der Kunde ist König", es geht nach „Angebot und Nachfrage", der Konsument ist der „Souverän"). Was also die Produktantworten betrifft, so repräsentieren sie über die Organisation des Marktes mehr Demokratie als alle bisherigen institutionell verbindlichen Antworten. Wahrscheinlich ist dies auch das Verlockende an unserem Wirtschaftssystem, das, wie es scheint, zunächst für Individuen aller Kulturen attraktiv erscheint. Man bekommt die Antworten nicht mehr vorgeschrieben, kann sie sich erwerben, kaufen, auswählen. Ein Freiheitsakt wird verlangt. Allerdings um den Preis eigener Leistung. Geschenkt bekommt man nichts. Früher bekam man die Antworten vorgeschrieben. Was Besonderes mußte man dafür nicht tun, außer ihnen entsprechen, sie befolgen. Produkte liegen immer massenweise herum. Auswahl und Entscheidung sind notwendig. Sie schreiben nichts vor außer persönliche Erwerbsfähigkeit. Für diese hat man aber ebenso selbst zu sorgen. Sonst hat man an dieser neuen Freiheit nicht teil. Produktantworten konstituieren unsere Leistungs- und Arbeitsgesellschaft. Beständig müssen wir am Erhalt unserer „äußeren" Freiheit tätig sein. Aus diesem Grund meinen wir auch Freiheit an Produktion binden zu müssen. In ihr konkretisiert, veräußerlicht sich die zunächst innere Freiheit, wird sich selbst anschaulich. Arbeit ist Selbstverwirklichung; im Produkt kommt der Mensch zu sich selbst, wird seiner selbst gewiß, erkennt sich in seinen autonomen Möglichkeiten. Die Wahrnehmung von Autonomie, Freiheit heißt ab nun tätig zu sein und sich in der *Tat* seine Antworten selbst zu geben. Diese Verbindung befördert Fortschritt und die Entwicklung industrieller Produktion enorm. Ihr verdanken wir den Höchststand an der Zivilisation, in der wir leben.

Produktantworten, unsere universelle Warenwelt, haben darüber hinaus keineswegs den Charakter bloßer Beliebigkeit. Zwar kann man sich als freier Konsument für dieses oder jenes Angebot entscheiden, in ihm wird man aber anonymer Teilhaber jener Gruppe von Menschen, die das gleiche Angebot gewählt haben. Die Waren- und Produktionswelt verbindet Menschen und unterscheidet sie nach Einkommensklassen, Erwerbsfähigkeit etc. Auf dieser Ebene wird eine neue Verbindlichkeit hergestellt; die Rolle der Institutionen übernehmen Marken, Warengruppen, Hotelklassen. Durch sie wird Zugehörigkeit hergestellt und verweigert. Die „neue Heteronomie" ergibt sich aus unserem Bedürfnis nach (freier, anonymer) Zugehörigkeit. Aber auch sonst sind Produkte nicht beliebig. Sie sind ans Material und seine Möglichkeiten gebunden, an Wissenschaft, Technik. In den Produktantworten werden wir einer ganz bestimmten Auslegung unserer Vernunft verpflichtet, nämlich jener, die sie zustande bringen. Die Fremdbestimmung, die hier in Kauf genommen werden muß, ist eine viel unnachgiebigere als die frühere. Sie hat unser Schicksal in die Hand von Spezialisten und Experten gelegt, die neuen Hohenpriester unserer Wirklichkeit. Und hier gibt es „sachgemäß" Verwechslungen. Der Experte urteilt sachgerecht, der Logik seiner Wissenschaft, seines Produkts entsprechend. Nur zu oft wird er aber als „Gut-Achter" bezeichnet, soll also auf das *Gute* achten. Das ist aber nicht dasselbe wie Sachgerechtigkeit. Ein Gut-Achter sollte sich dazu aufgefordert sehen, darauf zu achten, ob die Sache auch gut für uns ist.

Produkte folgen immer schneller aufeinander

Mehreres befriedigt also in den Produktantworten nicht; und dies verursacht, wie schon erwähnt, Vielfalt und Beschleunigung. Wie das?

Jedes Produkt ist als bestimmtes (festgelegt-totes) etwas Unvollendetes; es kann verbessert werden. Es fordert förmlich Nachfolge. Diese ist aber eine solche, die wiederum über sich hinaustreibt. Der Prozeß ist unendlich, findet keine Ruhe, keinen Abschluß in sich. Als bestimmtes Produkt erhält man außerdem auf Bedürfniswidersprüche eine ebenso bestimmte Antwort. In ihr ist auf eine gewisse Zeit der Widerspruch „aufgehoben"; aber er ist nicht weg. Er meldet sich wieder und fordert ein neues Produkt. Das Ausweglose an der menschlichen Existenz, sein Lebensparadoxon ist nämlich, daß er als Widerspruchswesen beständig in einer doppelten Situation lebt, die nicht auf einer Ebene befriedigt werden kann. Existentielle Widersprüche haben es nämlich so an sich, daß sie einerseits nach einer idealen, ewigen und endgültigen Lösung streben (gleichsam nach einer symbiotischen Vereinigung), andererseits an ihrer Erhaltung interessiert sind. Also pendeln wir beständig hin und her.

Die alten Antworten aus Religion und Weisheit begründeten ihre Synthese und Dauerhaftigkeit aus einem Absoluten, Ewigen, Transzendenten. Um heteronome Verbindlichkeit sichern zu können, ließen sie sich auf keine endliche Verankerung ein. Für Fehlschlag, Unvollkommenheit (die sich meldende Unüberwindlichkeit der Widersprüche) hatten sie Verzeihung, Vergebung und Gnade. Dies muß sich ändern, wenn die Antwort als Produkt zugegebenermaßen endlich wird. Sie genügt damit nie einer idealen Synthesis, einer Aufhebung der Widersprüche; also muß sie stets verbessert werden. Vielleicht kann man hier von folgender Hypothese ausgehen: Je schärfer und zahlreicher die Widersprüche werden, je mehr sie auch zu Bewußtsein kommen, um so größer der Innovations-Verbesserungsdruck. Das heißt, Produkte folgen immer schneller aufeinander; manchmal, so muß man den Eindruck gewinnen, sogar „auf eigene Kosten". In schneller Aufeinanderfolge vernichten sie sich selbst. Sicherlich profitieren kurzfristiges Wirtschaften und ihr Profit aus dieser „Innovation". Ob aber der Grund der Wegwerfgesellschaft nur in ihr liegt, kann nach Bisherigem bezweifelt werden. Da Produktantworten nie „vollendete" Widerspruchslösungen anbieten können, diese aber angestrebt werden, müssen schnell neue Antworten angeboten, die alten vernichtet werden. Im größer werdenden Müllberg finden wir unsere begrabenen Hoffnungen. Sie sind gerade noch „Material" für jene, die sich unserer Zivilisation annähern; den Müllmenschen in den Slums der Megastädte.

Aber auch die Vielfalt, das schnelle Nebeneinander von Produkten und Waren kann hier einen ihrer Ursprünge haben. Was im inneren Wesen nicht vermittelt werden kann, vermag vielleicht äußere Variabilität. Zwar handelt es sich um dasselbe Produkt, ein kleiner unwesentlicher Zusatz, eine andere Verpackung spiegeln eine neue Lösung vor. Es kann doch nicht sein, daß man „ein für allemal" beim selben bleibt. Das hieße doch zugeben zu müssen, daß man die endgültige Lösung gefunden hat. Dann wäre man aber durch diese ebenso endgültig bestimmt; dieser Zustand käme der alten Heteronomie bedenklich nahe. Hinzu kommt, daß Vielfalt und Variabilität der Konkretisierung unseres neuzeitlichen Subjektbegriffes bestens entgegenkommen. Wir alle sind zum autonomen, unverwechselbaren Ich erklärt worden. Worin zeigen wir diese Einmaligkeit, machen sie deutlich? Die Differenzierung der Warenwelt hilft uns hier. In so manchem Produkt sehen wir uns allein zur Darstellung gekommen; zumindest können wir uns eine Zeitlang einbilden, daß nur wir es besitzen und kein anderer. Boutiquen leben von diesem Glauben. Waren- und Konsumdifferenzierung könnten also auch mit unserer Verlegenheit zusammenhängen, uns als Besondere zu zeigen, sie ist die Produkt-Systemantwort auf den Widerspruch zwischen Ich-Autonomie und sozialer Identität.

Das Bürgertum und die von ihm hervorgebrachte kapitalistische Wirtschaft haben das Subjekt, das Individuum gebraucht (den einzelnen als „Ware" Arbeitskraft), als homo oeconomicus und Konsument und sind dabei, es weltweit hervorzubringen. Wir schätzen diese nicht mehr rückführbare Leistung der Moderne als persönliche Freiheit und Autonomie. Zugleich aber müssen wir bemerken, daß diese anscheinend nur existieren können, wenn auf der anderen Seite höchste Disziplinierung, Zwang und Normierung stehen. Sogenannte Sachzwänge lassen jeden individuellen Protest im Keim ersticken. Arbeitsorganisationen sorgen für funktionale Reduktion und spezialistische Einschränkung des einzelnen; und andere Lebensformen als (welt-, klein-)bürgerliche werden nicht „bezahlt". Ist das Individuum Illusion? Ist es nur ein „unglückliches Bewußtsein" ohnmächtiger Differenz? Wie bekommt seine Autonomie „Substanz"? Wie wird es sichtbar? Hat es in der verbürgerlichenden Massengesellschaft überhaupt noch Erscheinung? Zunächst versuchte man es mit Eigentum. Man gab sich sozusagen einen erweiterten geistig-körperlichen Leib. „Ich bin mein Besitz." Dann versuchte man es mit Geld: Ich bin, was ich vermag, wieviel „Vermögen" ich habe (Potentialität). Nachdem beides Grenzen hat und in ihnen nicht massenhafter Aufenthalt möglich ist, gab es immer noch ein breites Feld: den Konsum. Er läßt Masse und Individuum zu. In ihm sind sowohl anonyme Zugehörigkeit (z.B. auch in Prestigeklassen) und Individuen möglich. Es kann eine Hypothese sein: Die ungeheure Differenzierung unserer Konsum- und Warenwelt hat zu ihrem ständigen Motor und Antrieb die unstillbare Sehnsucht des Menschen, seinem Individuum, dem abstrakt autonomen Subjekt, äußere Gestalt, Substanz zu geben. Da aber Besitz immer auch neue Abhängigkeiten schafft, da man in Zeiten ständiger Veränderung und Normenvielfalt eigentlich auch immer „hinter sich selbst her sein muß" (Identitäten sind flüchtig, Selbstgewinn nur punktuell), die Gefahr massenhaften Selbstverlustes besteht und gewußt wird, bekommt der warendifferenzierende und -vermehrende Antrieb dauernd neue Nahrung. Philosophisch gesprochen ist er unendlich, weil es zum Charakter des Individuums gehört, nie seine Bestimmung endgültig erreichen zu können, es immer sich selbst Vorgabe bleibt. Die Frage ist nur, ob man im Sinne der ökonomischen Dominanz letztlich nur die Möglichkeit hat, sich über Konsum und Ware als Individualität zu veräußerlichen, zu zeigen, wer und was man ist, oder ob es noch andere „immaterielle" Äußerungsmöglichkeiten gibt.

Es besteht zusätzlich der Lebensauftrag, soviel wie möglich an unendlicher Zeit in unsere Gegenwart hineinzupacken; sie *jetzt* zu materialisieren. Es gibt für uns als Individuum kein attraktives Nachher mehr. Zwar können wir unsere Unsterblichkeit noch in Kinder, Erben und Werken hineinwünschen wollen, es sind aber jedenfalls andere. Und auch meine Werke verlieren durch ihre Brauch- und Interpretierbarkeit für Nachfolgende meine Individualität. Es scheint den Auftrag zu geben, sich hier und jetzt im endlichen Leben zu zeichnen, zu bewähren, sich selbst zu verwirklichen (aus seinem Selbst seine ihm entsprechende Wirklichkeit zu machen). Dies allein ist angesichts von Sachzwang und Systemmaschinen eine hohe Zumutung. Die Warenwelt schafft Möglichkeiten, zumindest Ablenkung. Das Hereinnehmen der unendlichen Zeit in das Jetzt schafft den Anspruch maximaler Fülle. Zusammen mit dem Verwirklichungsauftrag des Individuums kommt es hier zu einer Dichtheit, zu einem Gedränge der Veräußerlichungen. Vor allem die *„Freizeit"* ist hier der notwendige Ort. Sie ist ja die Zeit für mich, in der ich ich soll sein können, jene Zeit, die nicht durch Arbeitsorganisation, Sachzwang, Einordnung in Systeme vorstrukturiert und bestimmt ist. Es ist aber gerade diese Zeit, die uns die Abstraktheit des Subjekts, seine unendliche Leere radikal vor Augen führt. Sie verlangt Erfüllung, Inhalt, Aktualisierung der unendlichen Verwirklichungsaufgabe. *Als solche* ist sie nicht auszuhalten; sie erinnert zu sehr an das Nichts, an den Tod, der letztlich Schicksal jedes Individuums ist. Es ist also gerade die Freizeit, in der wir zu besonderem Tätigkeitsrausch angespornt werden, und dies um so mehr, als sie kaum entsprechende kommunikative Formen hat. Sie ist nämlich durchsetzt von den „alten" gesellschaftlichen Ordnungsfiguren, der (Klein-)Familie, dem Freundes- und Bekanntenkreis, mit ihrem „In-group-Verhalten". Aber auch diese sind in Auflösung begriffen; es ist schon schwierig, gemeinsame Termine für freundschaftliche Treffen zu arrangieren. Die Freizeit ist keine Heimat mehr, keine beruhigende Rückzugsmöglichkeit, sie ist ein leeres Angebot. Wollen wir also nicht in diese Leere, diese unendliche Pause antriebslos-depressiv versinken (meist wird dies durch viel Schlaf erträglich gemacht), müssen wir in Tätigkeit gehen. Sport und Konsum sind die Angebote der Fülle, in beiden kann sich Individualität entfalten, sich Erscheinung geben.

Dinge, Waren, Gerätschaften, Bauten sind außerdem Produkte des rationalen Denkens und zeigen das in ihrem sinnlichen Erscheinen. Unser wissenschaftlich-technisches Denken ist analytisch, abstrahierend, logisch, womöglich widerspruchslos, nachvollziehbar, nachprüfbar, sich selbst gleich. Seine Produkte sind dementsprechend isoliert, einzeln, abstrakt (sie gibt's nicht in irgendeiner bestehenden Wirklichkeit), serienmäßig (gleich) produzierbar. Hier äußert sich am Gegenstand die spezifische „Sinnlichkeit" rationalen Denkens. Dieses ist schnörkellos und eindeutig, richtet sich auf ganz bestimmte Zweckerfüllung. Die höchste Ästhetik besteht in der besten Sichtbarkeit ihrer Funktion. Es geht eine gewisse Kälte und Einförmigkeit von ihm aus, die traditionelle Sinnlichkeitsformen verstört. Das erstarkende Bürgertum als der Träger dieser Entwicklung hat diese neue Ausrichtung wohl bemerkt und zunächst dadurch dagegen gekämpft, daß es im Historismus den Versuch gemacht hat, die alten sinnlichen Ausdrucksformen wieder hereinzuholen. Doch auch dies war ein Akt eines nostalgie-anfälligen Verstandes, der sich im „Neo" (Neogotik, Neorenaissance) als formale Perfektion und Unsinnlichkeit zum Ausdruck bringt. Später hat es dieses Unternehmen mit Recht aufgegeben; auch noch so viele neugotische Kirchen brachten nicht mehr Gläubige: Ihre Art der Sinnlichkeit mußte als mißglückte Verführung wirken.

Der Verweis unserer Grundfragen und -widersprüche auf Produkte führt also zu einer Defizite anreichernden Reduktion. Ihre Folge ist ein Mehr desselben: das schnellere Neben- und Nacheinander der Produkte; eine Beschleunigung und Verdichtung von Zeit, die mit Tat und Leistung ausgefüllt werden muß; denn nur durch sie haben wir autonom regelbaren Anspruch auf Antworten. Wir scheinen aber müde zu werden und auch übersättigt und verspüren, daß Produkte nicht mehr ausreichen. Es gibt Konsumverweigerung und Zweifel am bisherigen Antwortverhalten; plötzlich werden wieder Sinnfragen gestellt und haben Konjunktur. Was bedeutet das?

Vielleicht kommt uns in Erinnerung, daß wir nur von einem Teil der Autonomie Gebrauch gemacht haben, von der tätig schaffenden, produzierenden Freiheit. Daß wir uns in einen sich beschleunigenden Zirkel (Hamsterrad) hineinbegeben haben, aus dem herauszukommen schwerfällt. Er lautet: Widersprüche (Bedürfnisse) sollen Produktantworten erhalten, Produkte aber müssen produziert werden, und die Arbeit dafür schafft auch erst ihre Konsummöglichkeit. Wie aber, wenn das Problem ganz anders aussieht? Wenn Produkte zwar Feststellungen, nie aber Lösungen sind? Wenn wir durchaus uns zugeben dürfen, daß es sich um nützliche und angenehme Feststellungen und Lösungen auf Zeit handelt, daß aber über sie hinaus noch ganz andere Fragen unbeantwortet bleiben?

Dem entgrenzten Raum, der entgrenzten Zeit entspricht ein grenzenloses Subjekt

Am Anfang dieses Kapitels stand eine Geschichte. Den Widerspruch der Geschlechter über Produktion lösen zu wollen hat die Balance gestört. Es schien etwas „zugunsten" der Männer entschieden worden zu sein. Nicht, daß davon nicht auch Frauen profitiert hätten; sie sind sogar selbst in Arbeit und Produktion mit eingestiegen. So ganz ungeteilt war die Freude bisher aber nicht. Die Entwicklung hat nämlich immer wieder gezeigt, wie schwierig und zum Teil unvereinbar es ist, beide Produktionsprinzipien in ein Arbeitssystem zu bringen. Beschleunigungs- und Verdichtungsprozesse in der Arbeit und Produktion ließen Frauen immer wieder aussteigen, jedenfalls sind sie generell schlechter bezahlt und in den Karrieren benachteiligt. Aber auch den Männern ließ ihre eigene Produktionswelt kaum Zeit und Spielräume, sich z.B. zu Vätern zu entwickeln.

Autonomie und Freiheit nur in Tat, Arbeit und Leistung verwirklicht zu sehen läßt uns dem Zirkel nie entkommen. Es gab aber früher schon davon eine andere Perspektive. Freiheit war gebunden an Muße, Innehalten, sich eben frei machen von allem Vorgegebenen, Bestimmten, Umgebenden. Diese Freiheit der Betrachtung, der Differenz, der Überlegung, der Theorie fehlt der wütigen Tatfreiheit. Sie kann nur im Agieren und Produzieren Selbstbewußtsein bekommen, nicht aber bei sich selbst. Sie ist daher immer nach außen gerichtet, muß sich im Äußeren bewähren. In diesem unendlichen Akt kann sein, daß sie auf sich selbst vergißt.

Die Subjektkonstruktion unserer Neuzeit schreibt eigentlich ein Lebensprogramm vor. Indem sie ein Subjekt setzt, das sozusagen immer auch das andere seiner selbst ist, macht sie

Identitätsfindung zur unendlichen Aufgabe. Mit sich selbst eins sein ist keine Sache des Seins, sondern des Werdens. Dieser Prozeß ist erst mit dem Tode abgeschlossen. Daß man „unendliche" Aufgabe seiner selbst wird, dieses Hineinversetztwerden ins Werden, in die eigene offene Zukunft, dies alles formuliert nichts anderes als die ideelle Seite des Konzepts Neuzeit überhaupt. Dem entgrenzten Raum, der ins Formal-Quantitative entgrenzten Zeit entspricht ein „grenzenloses" Subjekt, das sich selbst uneinholbare Differenz ist. Die sinnliche Ordnung, die zyklische Zeitvorstellung, die hierarchisch-normative Struktur bedarf dieses Subjektes nicht; daher heißt es auch Subjekt, das „Unterworfene". Bereits Kinder sind „kleine Erwachsene" und haben sich Vorgegebenem möglichst rasch anzupassen. Erst die Neuzeit entdeckt Kindheit und macht aus ihr eine Epoche der Bildsamkeit, der Eröffnung des Wegs zur Mündigkeit (Autonomie). Daß ab nun Kindheit, Jugend immer mehr in die Länge gezogen wird, liegt nicht nur an den Steigerungen des Lern- und Bildungsgutes, der quantitativen Anhäufung von „Stoff", dem Wissensgut spezialistischer Expertensysteme. Es liegt dieses Faktum in der Konstruktion selbst; indem wir uns selbst ständig „voraus" sind, uneinholbar, sind wir unser eigenes ständiges Lernprogramm. „Man lernt nie aus", ist der Spruch der Neuzeit, und dementsprechend fühlen sich Experten angeregt, vom „lebenslangen Lernen" zu sprechen und überhaupt dieser Art von Bildung die größte Chance zu geben.

Kindheit und Jugend sind aber, wie wir wissen, mit Unruhe, Suche und Trotz verbunden. Es darf angenommen werden, daß diese Momente dann ebenso lebenslang begleiten. Die Subjektkonstruktion versetzt uns nicht nur in die Möglichkeit der Autonomie, sondern auch in den Status „ewiger Jugendlichkeit". Wir wissen ohnehin nie genau, ob wir für uns nun das erreicht haben, was wir eigentlich immer gewollt hatten, dafür sorgt schon der ständige Veränderungsprozeß unserer Umgebung. Zu ihm müssen wir uns immer neu verhalten, denn überall sind Subjekte unterwegs, die sich in gleichbleibender Unruhe gegenseitig weitertreiben. Zu Anfang dieser Entwicklung versuchte man noch einen common sense über unverzichtbare Standards in Kultur und Bildung herzustellen. Durch sie war es auch möglich, einen „gebildeten" Menschen annähernd zu definieren und ihm damit die Weihen des reifen Erwachsenen zu verleihen. Außenhalte für Identität waren damit gegeben und eine gewisse innere Ruhe möglich. Die Dominanz ökonomischer Grundaxiomatik, zusammen mit der des Experten-Spezialistenwissens, hat diese Zielmöglichkeit individuellen Lebens endgültig aufgehoben. Im Sinne der allgemein verbindlich zu machenden Subjektkonstruktion war dies auch ein notwendiger Prozeß; denn „Bildungsbürgertum" war ohnehin nur ein Status einiger privilegierter Subjekte. Woraus vielleicht zu schließen ist, daß traditionelle Kultur- und Bildungsvorstellungen die in neue Gestalt übersetzte alte sinnliche Ordnungsmacht waren; d.h. Hierarchien nicht wirklich aufgelöst haben. Insofern waren sie Übergangsphänomene, die allerdings den Versuch unternahmen, Kultur und Subjekt (Autonomie) zusammenzudenken (das beste Beispiel sind m.E. die sogenannten bürgerlichen Bildungsromane).

Die Auflösung der Kultur- und Bildungsstandards – wer kann heute schon sagen, was Kultur und Bildung eigentlich heißt, deshalb gibt es plötzlich auch Kultur- und Bildungswissenschaften – hat uns letzte Identitätsmöglichkeiten genommen und somit die abstrakte Differenzseite der Subjektkonstruktion radikal herausgestellt. Die Unruhe bleibt bis zum Lebensende, Selbstgewißheit und Identität sind vorübergehende Ereignisse im ständig unterbrochenen Lebenslauf. Und weil sie dazu noch meist Sache des einzelnen bleiben, nicht kollektiv abgesichert sind, haben sie ebensowenig Dauerhaftigkeit; ihre Unvermittelbarkeit macht sie in sich selbst unsicher. Ohne Anerkennung keine Identität. Für die Betroffenen wird das Eins-sein-mit-Sich zum zufällig gelingenden Patchwork, zum flüchtigen Augenblick erlebten Glücks, aus dem man sich selbst ständig vertreibt. Für die Dominanz des ökonomischen Systems aber bedeutet diese Lage gute Unterstützung. Nicht nur, daß die ewig Jungen, die dauerhaft Identitätssuchenden, sich gegenseitig in Konkurrenz versetzen, sie sind auch in fortdauernde Leistungsbereitschaft versetzbar. Arbeit und Leistung sind entsprechende Topoi unserer Neuzeitgesellschaft. Sie entsprechen einer abstrakten Subjektkonstruktion ohne „Bindungsinhalt" (zu wissen, was eigentlich gut für mich und andere ist, bzw. dieses Wissen als Bedürfnis anmelden zu können). Das sich selbst als Aufgabe vorgegebene Subjekt kann sich zwar nie erreichen, aber es kann und muß sich selbst herstellen, produzieren, schaffen. Es ist, was es leistet. An ihren Werken sollt ihr sie erkennen. Produktion steht auch hier daher im Vordergrund; sie ist nicht nur eine Herstellung von Sachen und Waren, sie ist Selbstproduktion.

Das Hineingetriebensein in Leistung, Produktion, in Werk und Selbstentäußerung ist die eine Seite, die andere der Konsum. Nicht nur aus ökonomischen Gründen sind dies die zwei Seiten einer Medaille. Das unendliche Subjekt findet nämlich auch in seiner „materiellen" Selbstproduktion keine Ruhe, keine endgültige Selbstgewißheit. Die Selbstentäußerung ist zugleich eine Art der Entfremdung, der Trennung, der notwendigen Verallgemeinerung. (Damit ist noch gar nicht die gesellschaftlich-politische Seite der Entfremdung angesprochen; z. B. die der Produktion ausschließlich für andere bzw. der funktionellen Reduktion der Menschen *in* der Produktion = funktionelle Einschränkung des Subjekts.) Konsum aber ist „Wiedereinverleibung", Gebrauch, Verzehr, wo Produkte „für einen selbst" werden. Also kann man sein Selbst auch auf umgekehrtem Weg zu finden versuchen; indem man sich nämlich möglichst viel an Produziertem aneignet, zu eigen macht. Dieser Umweg über Konsum und Ware zu sich selbst hat seine positiven Seiten und schafft zweifellos Subjektmöglichkeit (Tätigkeiten, vielfältigen Genuß etc.). Die Grund- und Selbstdifferenz wird aber damit nicht „geheilt". (Eigentlich ist sie ja nur heilbar, indem man sie als unauflöslich akzeptiert und sich dann mit daraus ergebenden Fragen beschäftigt.) Sie bleibt. Weil wir es uns aber noch nicht abgewöhnt haben, Identitäten zu brauchen und diese über äußere Ordnungen zu erreichen, führt dies zu einer extensiven Nutzung der Warenwelt. Diese Nutzung differenziert diese auch gehörig. Eigentlich muß jede

Ware subjektentsprechend werden, unverwechselbar, besonders. Auch wenn dies nie geschehen kann, man kann den Schein erzeugen: über Variabilität und Quantität. Kleidung eignet sich dafür besonders; einmal deshalb, weil sie ein weites Formenspiel zuläßt, zum anderen, weil sie ohnehin nicht auf Dauerhaftigkeit produziert werden kann, schließlich, weil sie fast grenzenlos vermehrbar erscheint. In ihr kann anscheinend auch an die alte Sinnlichkeit angeschlossen werden, allerdings unter ganz anderem Vorzeichen. Was nämlich notwendigerweise an ihr zugrunde gehen mußte, hat jene Unruhe und Leere produziert, die nun durch Quantität und Beschleunigung kompensiert wird. In Produktion und Konsum kann sich zwar die Subjektkonstruktion entfalten, sie befördert beide sogar, sie kann aber keine Gesamtvermittlung bekommen. Weder wird eine gesamthafte Subjektvermittlung erreicht, noch eine Anbindung an ein mögliches gesellschaftlich Allgemeines, das nicht Produktion oder Ware heißt. Vieles bleibt offen und unbefriedigt.

Produktantwort und das abstrakte (männliche) Subjekt – beide Seiten forcieren sich gegenseitig – treiben in beschleunigte Produktion und ruhelosen Konsum. Was kann diesem Entsprechungszirkel Einhalt gebieten? Was ermöglicht uns hier innezuhalten, uns dem beschleunigten Strudel zu entziehen? Zugleich auf den Wert der Produktantwort und die Autonomie des Individuums nicht zu verzichten? Es geht wohl einerseits um einen anderen „inneren" Gebrauch von Freiheit, andererseits um zusätzliche Güter, Antworten anderen Charakters. Autonomie heißt nicht nur Arbeit, Leistung und „produktive" Selbstverwirklichung, sie ist ebenso wirklich in „kontemplativer" Betrachtung, in Zurücknahme, im Sein-Lassen. Freilich wird sie auf diesem Weg nicht völlig allein gelassen werden dürfen. Es bedarf „freier Gemeinschaften", die gegen selbstverschuldete Veräußerlichungen genügend Widerstandspotential aufbieten können. Deren Einrichtung wird uns auch andere, soziale „Werte" entdecken lassen. Noch glauben wir uns aber durch Beschleunigung von Produktantworten auf der Überholspur.

Sich selbst überholen

„Eigentlich bin ich ganz anders, ich komme nur so selten dazu." *(Ödön von Horváth)*

Bleibt etwas zurück?

Es gibt eine bekannte Geschichte, die schon vielen in den Mund gelegt wurde. Ich habe sie in Verbindung mit Livingstone und seinen Entdeckungsreisen in Afrika gehört; sie lautet so:

David Livingstone und seine Begleiter marschierten durch den Kongo in Afrika. Schwarze Träger schleppten ihr Gepäck. Nach drei Tagen Eilmärschen – Entdecker haben es oft eilig, weil sie möglichst viel auf einmal entdecken wollen – blieben die Träger stehen und waren nicht vom Fleck zu bringen. Nachdem alle damals üblichen Mittel, sie anzutreiben, sie wieder in Bewegung zu setzen (Peitschenhiebe etc.), vergeblich waren, sie stur blieben, griff man zum letzten (auch heute noch letzten) Führungsmittel: der Frage. Man fragte sie also, warum sie nicht weitergehen wollen. Darauf antworteten sie: „Wir sind die letzten Tage so schnell marschiert, daß unsere Seelen zurückgeblieben sind. Jetzt müssen wir warten, bis sie uns wieder eingeholt haben."

Animistische Vorstellungen von „Primitivkulturen" oder ein Trick gegen die Europäer, um sich den Anstrengungen eine Weile zu entziehen? Mit solchen Vorstellungen und Aberglauben haben wir jedenfalls nichts mehr zu tun. Das Ganze ist eine nette Geschichte, die uns wieder einmal mehr auf andere Kulturen hinunterblicken läßt. Sie sind eben unfähig, schneller, flexibler zu sein, bleiben in ihrem alten Trott.

Trotzdem scheint uns die Geschichte irgendwie anzusprechen; sonst würde sie nicht in so vielen Facetten weitererzählt. Warum? Könnte es sein, daß in unseren Beschleunigungsprozessen auch etwas zurückgeblieben ist?

Sicher zunächst die Älteren, die Langsamen, die nicht mehr oder von vornherein nicht mitkommen. Vielleicht auch diejenigen, die ihre Fortbildungsgrenzen erreicht haben oder sich dem Prozeß „lebenslänglichen Lernens" verweigern. Vielleicht auch liebe alte Gewohnheiten, die nicht mehr in die Zeit passen, oder Gerätschaften, die von ständiger Innovation und Neuproduktionen überholt zum Gerümpel gemacht werden. Früher hatte man Orientierung an einem genealogischen Generationsbegriff; man rechnete eine Generation mit dreißig Jahren. In unserer Art, Maschinen liebevoll mit Prädikaten des Lebens und der Menschen zu versehen, sprechen wir heute von Computergenerationen. Die Analogie wäre so tragisch nicht, hätte sie nicht eine Umkehr zur Folge; schließlich sprechen wir auch von einem Auto, das zu viel „sauft", ohne daß wir die Angst haben, es könnte dabei betrunken werden. Nur, im Computerfall ist es anders. Seine Generationsabfolge, die immer kurzzeitiger geworden ist, definiert tatsächlich Menschengenerationen.

Wer sich die neue Maschinengeneration nicht kaufen kann bzw. sich nicht mehr auf neue Programme und Verfahren umstellt, gehört „zum alten Eisen". Wir bemerken neuerdings die Umkehr: Menschen werden mit Prädikaten des Anorganisch-Maschinellen „ausgezeichnet". Das dürfte kein Zufall sein. Es scheint unser Leben immer abhängiger zu werden von unseren Produkten. Nicht die Maschinen dienen uns, sondern wir bedienen die Maschinen. Bleibt etwa gar das Leben zurück, oder besser gesagt menschliches Leben? Dann wäre unsere Geschichte wieder aktuell.

Wir reisen heute noch viel schneller als der Entdecker D. Livingstone; er ging noch zu Fuß. Das tun heute nur mehr Exotiker, und sie berichten dabei von Erlebnissen, die wir anderen staunend zur Kenntnis nehmen. Einst sagte einmal ein Philosoph gegen Descartes polemisch „ambulo ergo sum", nicht bloß „cogito ergo sum". Nicht bloß im Denken bin ich mir meiner sicher, weil ich im Akt des Denkens mich selbst nicht wegdenken kann, sondern im Spazierengehen, Schlendern, Flanieren. Das Denken ist schnell überall und kann in den geistigen Landschaften rascher von einem Ort zum anderen kommen als jedes Flugzeug. Was dabei aber zurückbleiben kann, ist der Leib, das alltäglich praktische Leben. Im Spazierengehen ist er aber dabei und läßt trotzdem denken. In Griechenland gab es die Schule der Peripatetiker. Sie dachten und philosophierten im gemeinsamen Herumgehen – wie kamen sie auf diese Idee? Offensichtlich geht es um den Leib und das rechte Maß seiner Bewegung, das uns gut denken läßt. Jetzt sitzen wir meist beim Denken. So haben unsere Gedanken vielleicht etwas Seßhaft-Besessenes, etwas Feststellend-Festsitzendes. Sie kommen nicht vom Umraum los, sind dickflüssig und schematisch. Zugleich bewegen wir aber unseren Körper beschleunigt durch den Raum. Er ist immer schneller überall. Wie schafft er das, ohne begleitendes Denken?

Indem das Denken und seine Produkte schon dort sind, wo er jeweils hinkommt. Dann erfährt er nichts Neues, Überraschendes, Befremdendes. Er ist gleichsam überall zu Hause, seßhaft geworden. Endlich scheinen wir die große weltgeschichtliche Synthese geschafft zu haben. Wir können Nomaden und Seßhaft-Gewordene zugleich sein. Manche meinen ja, daß das Nomadentum in uns nie ganz ausgetrieben werden konnte, daß wir es nur in andere Bereiche verlegt haben; ins Denken, in die „Geldflüsse", in Pilgerreisen, in die Dichtung der „fahrenden Helden" etc. Ist vielleicht unsere Beschleunigung eine späte Rache des Nomadentums an der Seßhaftigkeit? Jedenfalls, die Seßhaften bleiben zurück, wie die Seele der Schwarzen. Sie irren irgendwo in verlassenen und vergangenen Regionen herum und kommen nicht mehr nach. Regionen werden entvölkert, es wachsen die Megastädte; Bauern überleben nur mehr als Nebenerwerbstätige, und viele „pendeln aus". Während der Woche werden die Dörfer zu Stätten von Pensionisten, Müttern und Kindern. Auch als Berufstätiger muß man flexibel sein, ständig bereit sein, seinen Ort zu wechseln. Die ganze Welt wird zum Arbeitsplatz, jedenfalls dort, wo die Firma ihre Filialen, Tochterunternehmen, Verkaufspartner etc. hat. Wer am Ort bleiben will, bleibt zurück, jedenfalls in seiner Karriere. Fremdsprachen müssen gelernt und gekonnt werden – wie gut auch immer die Qualität. Wer seßhaft ist in seiner „Mutter-Sprache", bleibt zurück, wird Provinz.

Und noch eine Synthese: Wenn man eine Maschinensprache gelernt hat und bereit ist, sie immer wieder neu zu adaptieren, hält man Einzug in die neue virtuelle Welt, surft in der Datenautobahn, nomadisiert hinweg über nationale, kulturelle und sonstige Grenzen; zugleich kann man am Ort sitzenbleiben. Man muß real nicht mehr reisen, erspart sich alle Mühseligkeit und allen Streß und ist trotzdem per Mausklick allbeweglich. Man sitzt auf Telearbeitsplätzen und steckt nicht mehr im Verkehrsstau; trotzdem ist man in seinem Betrieb. Man geht zwei Türen weiter ins Studio und spricht in einer Videokonferenz mit den Partnern in Übersee; legt sich eine CD-Rom auf und surft durch die Geschichte bis zurück zu den Anfängen der Menschheit oder durch die verschiedenen Kulturen und vergleicht eine ägyptische Pyramide mit einer der Mayas. Hier bleibt eigentlich nichts mehr zurück, weil man nach Wunsch alles ständig zur Hand bzw. am Bild hat. Oder doch?

Was und wieviel hält unsere Physiologie aus?

Wir sind eine Gesellschaft des Sehens, des Auges geworden. Was ist mit den anderen Sinnen? Und wir sehen nicht mit unseren Augen, sondern denen der Maschinen. Unsere Sehwirklichkeit ist vorkonstruiert. Was hier zurückbleibt, sind nicht nur die anderen Sinne, der Geruch, der Geschmack, das Begreifen, sondern so etwas wie „leibliche" Kommunikation. Unser Zusatzleib ist die Maschine, die uns nicht bloß unendliche Möglichkeiten eröffnet, sondern diese auch erheblich beschränkt. Die anderen treten uns als visueller Maschinenleib entgegen, der nicht riecht und sich nicht anfassen läßt. Es ist ein „gereinigtes" Gegenüber, das kein Deodorant braucht. Vielleicht wollen wir diese Distanz. Mit vielen Menschen zu tun haben zu müssen in direkter Kommunikation kann überfordernd sein. Nomaden waren an der Stammesgröße beschränkt.

Ob wir aber gänzlich auf die direkte Kommunikation verzichten können, scheint zweifelhaft. Auffallend aber die Kompensationsformen. Die Maschine, die uns die virtuelle Welt eröffnet, wird zum eigentlichen Partner, zum faszinierenden Begleiter, zum geduldigen Gegenüber, mit dem man beliebig spielen kann. Sie erhält nicht nur Prädikate des Lebendigen, sondern solche menschlicher Kommunikation. Der Computer wird sogar zur erotischen Maschine. Freilich müssen wir auch bemerken, daß, wenn es „hart auf hart" geht, Menschen immer noch das Bedürfnis haben, sich persönlich zu treffen. Die Reisediplomatie boomt, Gott sei Dank. Kann hier auf ein altes Muster schwer verzichtet werden, das von unseren Kindern einst ins Museum der Anthropologie gestellt werden wird, oder handelt es sich um Unverzichtbares?

Selbst die Nomaden hatten ihre bekannten Plätze, die sie im Laufe des Jahres und dem Wechsel der Jahreszeiten aufsuchten. Sie waren ihnen vertraut, sie mußten zwar wandern, gefährliche Zwischenstrecken überwinden, sie sind aber immer wieder nach Hause gekommen. Wenn Menschen wandern und sich wie heute immer schneller von Ort zu Ort bewegen, wieviel zu Hause brauchen sie eigentlich? Von uns wird Anpassungsfähigkeit, Flexibilität, Bereitschaft für ständige Veränderung verlangt, Bereitschaft, diese auch zu beschleunigen und sie sogar selbst herbeizuführen. Was und wieviel hält unsere Physiologie hier aus?

Natürlich sind wir als Menschen, als offene Wesen, als „erste Freigelassene der Natur" neugierig, an uns dienenden Veränderungen interessiert. Wir sind auch gerne flexibel, freuen uns an Bewegung und Ortsveränderung. Das Neue hat seinen Reiz und ist eine Herausforderung. Irgendwo sind wir immer in unterschiedlichem Maße grundsätzlich fort-schrittlich. Wo aber liegt das Maß? Was ist, wenn wir von Neuem und Neuerungen überschwemmt werden; wenn es tröstlich heißt, „das einzig Sichere, Stabile ist die Veränderung"? Wenn wir alle Anker zugleich lichten und alles in Bewegung setzen, wenn nichts mehr irgendwo zu seiner Ruhe kommt, wenn es keine Pausen mehr gibt, in denen „nichts" geschieht, nichts bewegt wird? Was ist, wenn die Dialektik zwischen Dauer und Veränderung zugunsten letzterer außer Balance gerät?

Als die Eisenbahn erfunden wurde und man für sie Strekken zu bauen begann, war man fasziniert und beunruhigt zugleich. Wie, so fragte man sich, verträgt der Mensch diese neue exorbitante Geschwindigkeit von 40 km/h? Experten wurden konsultiert, Ärzte und Physiologen, und sie alle waren skeptisch. Viele meinten, unsere ans Gehen und die Postkutsche gewöhnte Sinnlichkeit würde diese Geschwindigkeit nicht aushalten. Die vorüberfliegende Landschaft würde uns verrückt machen. Manche von ihnen empfahlen daher, links und rechts am Bahnkörper hohe Bretterzäune aufzurichten, damit dem Auge die Sicht verstellt war. Heute dienen diese Geschichten dem Scherz. Oder sie werden dann herangezogen, wenn gegen Fortschrittsverhinderer polemisiert werden soll. Schon damals jedenfalls schienen sich auch die Experten geirrt zu haben. Wir halten noch viel schnellere Geschwindigkeiten aus. Oder?

Des Menschen Natur (und Sinnlichkeit) scheint nicht festgelegt zu sein; sie ist bild- und veränderbar, kann sich neu anpassen, kann lernen. Also hat sie auch Geschwindigkeiten sehen gelernt. Wahrscheinlich haben wir so etwas wie einen Übersichts-Strukturblick entwickelt, ein „schnelles Auge", sonst könnten wir nicht Auto-Fahren. Das Wort Übersicht, übersehen, ist wohl nicht zufällig von der Sprache her zweideutig. Wer Übersicht haben will, muß einiges am Detail übersehen, sonst hat er sie nicht. Unser an Geschwindigkeit gewohntes Auge ist also zum Übersehen erzogen worden. Was ist, wenn dies nun genereller Habitus wird? Es ist jedenfalls gefährlich, im Auto bei schnellem Tempo den Detailblick reaktivieren zu wollen, den „Blumenpflückblick", man würde bei der nächsten Kurve den Unfall provozieren. Wenn wir aber ständig schnell schauen müssen, könnten wir uns womöglich daran gewöhnen. Dann aber wird langsame Bewegung, Gehen, gar stehend in die Gegend blicken zur Mühe; man sieht nichts mehr und wird den Schritt beschleunigen. Man wird auch gar nicht mehr bemerken, wenn frühere Details fehlen. Die einheitliche grüne

Kunstdüngerfläche der Kunstdüngerwiese ist genauso „normal" wie die Blumenwiese, die man nicht mehr sieht. Läßt die Geschwindigkeit das Detail verschwinden und uns zu großflächigen Sehakrobaten werden? Bemerken wir gar nicht mehr, wenn dort eine Art ausgestorben ist, dort ein altes Häusergetümmel in gleichförmige Bürofassaden verändert wurde? Oder geschieht gerade auch das Gegenteil: Aufmerksamkeitswachstum am Verlust des Details, Hinwendung zum Einzelnen, Besonderen. Auffallend ist jedenfalls, daß man wegen einer einzigen Vogelart eine ganze Gegend naturschützt, daß man liebevoll alte Fassaden renoviert. Irgendein Maß dürften wir doch in uns haben. Wir vertragen zwar mit unserem Strukturblick schnelles Zugfahren und können in die Landschaft hinaus blicken. Schauen wir aber genauer, werden wir schnell müde. Viele Menschen, die sich sonst damit schwertun, schlafen im Zug unerwartet ein. Man kann auch das Experiment mit sich selbst machen und bei einem Stadtbummel bewußt und mit aller Aufmerksamkeit allen begegnenden Menschen ins Gesicht sehen und sie wahrnehmen wollen. In kurzer Zeit wird man ermüden und wegsehen. Es ist erklärlich, warum Städter gesichtslos aneinander vorübergehen und schnellen Schrittes detailliertes Aufmerken vermeiden. Anders auf dem Lande; hier verfolgt der Blick des Einheimischen den Fremden vom Erscheinen bis zum Verschwinden. Es gibt eben nicht so viel Angebot von seiner Sorte. Man muß aber gar nicht dieses Experiment machen. Man muß nur an seine diversen Museumsbesuche denken. Nach dem vierten Saal spätestens stellt sich Müdigkeit ein, man freut sich über eine Sitzgelegenheit und steht ab nun länger vor einzelnen Bildern und läßt andere aus. Geschwindigkeit und Detail vertragen sich nicht, anscheinend gibt es hier doch physiologische Grenzen.

Davon kann auch der ständig reisende „Turbomanager" erzählen, der heute in Frankfurt, morgen in New York, übermorgen in San Franzisco und am Tag darauf wieder zurück in Frankfurt ist. Er sieht immer nur Flughäfen, Taxis, ähnliche Büros und Hotels. Zusätzliche Details würden ihn überfordern. Auch das Lächeln der Stewardeß kommt ihm ständig bekannt vor, und die Anweisungen des Flugpersonals haben fast rituelle Gleichförmigkeit. Soviel örtliche Veränderung und soviel Wiederkehr des Gleichen. Wofür spricht das?

Unsere Umgebung ist im internationalen Stil festgestellt

Offensichtlich dafür, daß wir eine ständig sich beschleunigende Veränderung nur ertragen, wenn uns zugleich Stabilität und Dauerhaftigkeit umgibt. Würden wir auf unseren Reisen jeden Tag in eine völlig andere und fremde Umgebung kommen, unsere Anpassungsfähigkeit wäre wahrscheinlich überfordert. Wir müßten zu viele Eindrücke auf einmal verarbeiten, was uns zweifellos fürs „reale Geschäft" und seine Anforderungen weniger aktiv sein ließe. Es könnten sich hier dann nicht so viele Veränderungen durchsetzen. Man müßte an vieles langsamer herangehen. Das war wohl früher auch so. Als Länder, Kulturen, Regionen und ihre Entwicklungen noch recht unterschiedlich waren, brauchte man für gegenseitige Annäherung viel Behutsamkeit und Zeit. Das ging auf Kosten der Beschleunigung im Geschäft. Wirtschaft und Technologie in weltweitem Ausgriff haben, wie es so schön heißt, Länder und Kulturen einander angenähert. Eine Weltgesellschaft ist im Entstehen. Eines ihrer Fundamente ist Normierung und „Verähnlichung"; alles gilt überall gleich, zu große Unterschiede verwirren und stören die weltweite Kommunikation. Das Besondere hat nur mehr Nischendasein, wird zum Erinnerungsgegenstand in Folklore und Nostalgie. Wir reisen in unglaublicher Geschwindigkeit um und durch die ganze Welt, legen phantastische Strecken zurück und kommen immer nur dort an, wo wir schon waren.

Unsere Umgebung ist in internationalem Stil festgestellt. Sie gibt uns jene äußere Stabilität, die es uns überhaupt erst ermöglicht, auf anderen Gebieten flexibel und veränderungsbereit zu sein. Auch das ist nichts Neues. Erst eine in bestimmtem Grad kultivierte Landschaft macht Denken möglich, befreit zur Beweglichkeit im Geiste. Sie braucht eine gewisse äußere

Ruhe. Ständige Veränderung in ihr wäre eine ebenso ständige Ablenkung. So waren bereits Orden und Klöster bestrebt, diese Gleichförmigkeit herzustellen. Die Ähnlichkeit der Zisterzienserklöster z.B. fällt auf, ebenso ihre „Internationalität". Man konnte den Ort wechseln und war doch überall zu Hause. Nur, die früheren Umgebungsfeststellungen waren räumlich auch beschränkt und bezogen sich außerdem nur auf meist privilegierte Teile der Gesellschaft. Heute wurde dieser Raum entgrenzt, die ganze Welt zur festgestellten Umgebung, in der wir überall zu Hause sein können. Manager behaupten, daß für sie dann erst das viele Reisen problematisch wird, wenn sie morgens aufwachen und nicht wissen, wo sie sind. Wiederholt sich dieses Entfremdungserlebnis des öfteren, versuchen sie ihre Reisetätigkeit einzuschränken. Hotelketten profitieren von dieser Situation, sind überhaupt ein wesentlicher Stabilisierungsfaktor. Hilton, Ambassador, Holiday-Inn, Steigenberger ... oft bis in die Zimmereinrichtung hinein versuchen sie einen internationalen Stil anzubieten. Der Vielreisende muß kaum auf Fremdes und Überraschendes gefaßt sein. Ich sah einmal einen Film, dessen Titel mir entfallen ist. Hauptperson war ein amerikanischer „Turbomanager", der es gewohnt war, immer in derselben Hotelkette abzusteigen. Gezeigt wurde die rituelle Handlung beim Betreten des Zimmers: Tür auf, Hut ab und in Richtung Kleiderrechen (Garderobe) geworfen, und dort hing er dann. Nur einmal war kein Kleiderrechen dort. Der Hut fiel zu Boden. Das verwirrte und beunruhigte die Gefühlslage dieses Managers derart, daß am nächsten Tag das Bild immer wieder vor seine Augen trat; in den ungeeignetsten Situationen. Was für den Zuschauer sehr erheiternd war, war für den Betroffenen eine größere und kleinere Katastrophe. Jedenfalls gelang an diesem Tag so gut wie nichts.

Wir begegnen uns beschleunigt, wir verändern viel und brauchen dazu stabile äußere Verhältnisse. Ihre Feststellung und weltweite Ähnlichkeit beruhigt auf der einen Seite und macht frei für weitere Beschleunigung. Bei Livingstone war es noch die schnelle Umgebungsveränderung, die Veränderung des Äußeren, die die Seelen zurückbleiben ließ. Wenn die Umgebung aber gleich bleibt und die Seele vorwärtsstürmen kann, was bleibt dann zurück? Vielfältigkeit, Variabilität, Besonderheit, Unterschiede werden geringer; in das „Globalvillage" nivelliert. Auf sie braucht keine Kreativität mehr verwendet zu werden. Sie sind individueller Luxus.

Emotionales Lernen hat seine eigene Zeit

Wir haben bemerken müssen, daß auch bei uns einiges im Beschleunigungsprozeß zurückbleibt. Vor allem dasjenige, das anderen Geschwindigkeiten unterliegt. Wo haben wir denn wirklich beschleunigt? Wo sind wir denn schneller geworden? Hauptsächlich auf technologischem und ökonomischem Gebiet, vielleicht auch noch in Organisation und Logistik. Was ist aber dabei wirklich mit unseren Seelen passiert? Sie *sind* zurückgeblieben, nicht nachgekommen. Wir haben uns in uns selbst überholt. Unsere Emotionen, Gefühle werden, wie wir zur Kenntnis nehmen müssen, immer noch von uralten steinzeitlichen Mustern geleitet und bestimmt. Im Konflikte-Lösen haben wir zwar gewisse Fortschritte gemacht, weil die ökonomischen Beschleunigungen geschützt werden mußten, das Eis ist aber immer noch sehr dünn und Rückfälle häufig. Kaum kommen wir in Bedrängnis, suchen wir Gruppenzusammenschlüsse wie die alten Jagdbanden und Außenfeinde; nach wie vor hat mögliche Armut entsolidarisierende Wirkung.

Die Diskrepanz zwischen einer hochkomplexen, intelligenten, technologisch und organisatorisch höchst entwickelten Gesellschaft und einer ebenso emotionell und sozial primitiven könnte nicht größer sein. Es könnte problematisch werden, auf dem einen Gebiet weiter zu beschleunigen und das andere so zu belassen, wie es ist. Wir könnten immer unfähiger werden, unsere eigene „historische Leistung" im Griff zu behalten oder gar sie zu genießen. Zwar versucht man Nachholarbeit und glaubt sie nach ähnlichem Beschleunigungsmuster strukturieren zu können. Emotionales Lernen hat aber seine eigene Zeit; das weiß jeder, der sich schon zum x-tenmal vorgenommen hat, sich dort und da nicht zu ärgern und doch immer wieder in die gleichen Fehler fällt.

Unbeachtet, vernachlässigt Zurückgebliebenes rächt sich, macht sich an den ungeeignetsten Stellen bemerkbar, wenn es nicht gelingt, es überhaupt zu vernichten. Zwar gab es schon viele Versuche, dies zu tun, Gefühle als Unsachlich-Irrationales zu diffamieren und nach ihrer Überwindung zu rufen, gelungen ist aber so gut wie nichts. Im Gegenteil, je mehr wir uns von ihnen zu entfernen glauben, um so deutlicher melden sie sich zurück. Und weil sie ihre eigene Zeit nicht haben, in der sie zu ihrer Kultur finden könnten, treten sie in alter Stärke und unentwickelter Primitivität auf. Die Diskrepanz zwischen einer intelligenten verwissenschaftlichte Welt, ihrer Organisation und einer emotionellen Barbarei, die jederzeit geeignet erscheint, Kriege zu führen und Massenvernichtung zu veranlassen, könnte nicht größer sein. Was passiert, wenn wir sie nicht mehr in Film und Fernsehen beruhigen und ablenken können? Zwar geben wir ihr in ihnen eigene Zeit, doch dieses Innehalten lenkt nur ab und läßt den Zustand gleich bleiben. Eigenzeit muß sich nach den Rhythmen und Zeiten ihres „Gegenstandes" richten, nicht nach medialer Produktionsvorgabe. Was wissen wir schon über die Eigenzeit von Emotionen, gar von der, die man braucht, hier zu lernen, sie zu kultivieren?

Eigenzeit

„Die Uhr schlägt: Alle" *(J. Lec)*

„Eigentlich hat jedes veränderliche Ding das Maß seiner Zeit an sich; keine zwei Dinge der Welt haben dasselbe Maß der Zeit – es gibt also (man kann es eigentlich und kühn sagen) im Universum zu einer Zeit unzählbar viele Zeiten."
(Johann Gottfried Herder)

„Willst du eine Blumenwiese, so warte mit dem Mähen, bis der Holunder blüht."

Die Natur hat ihre „zwecklose" Seite verloren

In einem deutschen Bundesland soll es vor einigen Jahren im Landesparlament eine Debatte über Blumenwiesen gegeben haben. Sie wurde von den „Grünen" initiiert. Ihnen war Unerfreuliches aufgefallen. Die Blumenwiesen werden immer weniger und durch sattes, gleichförmiges Kunstdüngergrün ersetzt. Dieses simuliert die alten Wiesen, aber doch recht verschieden von den früheren; man findet weder Blumen noch Buntheit, noch allzu viele verschiedene Gräser. Wiesen, produziert direkt für die Heuernte. Auch der früher noch mannigfaltig bewachsene Wiesenrain scheint sich anzupassen und wird im Varianten- und Artenreichtum immer armseliger.

Nun gibt es aber offensichtlich immer noch Menschen, die sich an altes Naturglück zurückerinnern. Manchmal auch Wissenschaftler, die auf solche und ähnliche Phänomene hinwiesen. Ein neues Verhältnis zur Natur verlangt auch eine neue Ästhetik, kurzum, man will wieder mehr Blumen auf den Wiesen, mehr Schmetterlinge und summende Bienen. Naturgeschützte Gehege allein sind zu wenig, die nähere Umgebung soll wieder ausgestattet werden, eben mit jener Mannigfaltigkeit, die Natur von sich aus bietet. Vielleicht ist es dem Auge langweilig geworden, und es will auch nicht mehr den Blick bloß nach innen richten oder draußen an den gleichförmigen Flächen abgleiten; vielleicht will es wieder Besonderes entdekken, An-Halt bekommen in der umgebenden Welt.

Die für Ökonomie und industriellen Gebrauch zurechtgearbeitete Natur hat ihre „zwecklose" Seite verloren. Auf Schritt und Tritt sieht man ihr an, wozu sie nutzbar gemacht worden ist. Nun kann man sich sicher auch darüber freuen. Wir haben ohne Restplätze die Natur in unsere „Kultur" hineingeholt, sie uns dienstbar gemacht, sie gezwungen, sich unserem Willen unterzuordnen. Sie muß uns geben, was sie hat, und ist dies dort und da nicht ausreichend, so läßt sich nachhelfen. Vor unangenehmen Überraschungen sind wir sicher, die Verwirklichung eines Menschheitstraumes scheint erreicht. Der Hunger ist überwindbar, und Naturkatastrophen können im internationalen Risikoausgleich in ihren Wirkungen erheblich abgeschwächt werden. Ist dennoch unser Blick müde geworden?

In unserer Kultur dominieren Ökonomie und Technologie; sie schreiben uns die Teleologie vor. Natur muß, so weit wie möglich, profitabel sein; und sie ist es nur, wenn sie den industriellen Produktionsbedingungen und den wirtschaftlichen Verwertungszusammenhängen unterworfen, zumindest angepaßt wird. Was in ihr darüber hinausgeht, stört, bringt Kosten, muß ausgeschaltet werden. Das „Spiel der Natur in Arten", ihre Vielfältigkeit, ihre „Kapriolen" mögen für den Betrachter interessant sein, der betriebswirtschaftlich orientierte Landwirt muß anders denken, Schädlinge sind schädlich, und Nutzpflanzen sind Nutzpflanzen. Wo keine Maschinen durchgreifend verwendet werden können, rentiert sich die investierte Arbeit nicht mehr, und der Ertrag ist zu gering. *Vor* alles Lebendige wird die Maschine gestellt, sie entscheidet, was zugelassen wird, was nicht Rationalisierung zwingt zu Monokulturen, und es überlebt im internationalen Konkurrenzkampf ohnehin nur „die große Fläche". Das kleinräumig Verschachtelte, das Krumme und Bergige, das abseits Gelegene und mühsamer Erreichbare hat keine Chance. Es wird der Natur zurückgegeben und „verwildert", dort und da zwar schön fürs Auge, aber über Generationen dem Landbau verloren.

Es mutet uns eigentümlich an, wenn wir einer „Sache" den Zweck, Nutzen so aufdringlich ansehen. Insbesondere einer solchen, von der wir vermuten, daß sie nicht nur für uns da ist, sondern auch für sich selbst Zwecke verfolgt. „Nutzwälder" – und welche sind heute keine –, in denen die Bäume in Reih und Glied gepflanzt sind, wie Soldatenbataillone, Rinder, angehängt immer am selben Ort, computergesteuert ernährt, Hühner in Legebatterien, begradigte Felder, soweit das Auge reicht, mit immer derselben Feldfrucht usw., man merkt nur allzudeutlich die Absicht „und ist irgendwie verstimmt". Das muß nicht unbedingt etwas mit Moral, Tierschutz, kreatürlichem Mitleid zu tun haben. Dann eher schon mit einer „Ehrfurcht vor dem Leben", dem man mehr zubilligt als unsere Zwecke. Und dies alles kommt außer Blick. Es treten uns in der Natur unsere eigenen linearen und oft recht eingeschränkten Absichten überdeutlich und anderes ausschließend entgegen, und das macht stumpf und unruhig. Wir beginnen zu suchen, wollen die Zweckidentifikationen wieder auflösen, An-Halts-Punkte für das Andere, das Mehr. Hier treffen vermutlich auch zwei Motivebenen sich verstärkend aufeinander: Was wir dem Leben und der Natur insgeheim zubilligen, nämlich, daß sie noch etwas anderes ist als unsere Zweckerfüllung, das wollen auch wir selbst; eine Natur, die uns gefällt, uns Bilder liefert, uns an ihr erfreuen, sie zum Symbol werden läßt, erleben; Herausforderung ist, was uns aufregt und bewegt. Das alles kann die zweckhafte Zurichtung nicht; in ihr ist alles klar, es gibt keine Neugierde mehr. Vielleicht ist der Wunsch nach Blumenwiesen und Schmetterlingen aus den genannten Motiven genährt. Der matte Blick sucht neuen Halt im anscheinend Überflüssigen, Störenden, Zwecklosen; er will geborgtes Leben zurückgeben.

Die Diskrepanz zwischen Datum und Eigenzeit

Die Parlamentsdebatte kam, so hörte man, zu keinem Beschluß. Eine Zeitlang wurde in Erwägung gezogen, bestimmte Gebiete, einzelne Wiesen bis zum 15. Juli unter Mähverbot zu stellen, um Entfaltung und Aussamung der Blumen zu sichern; aber selbst dazu kam es nicht. Interessant wäre es allerdings schon gewesen, hätte man sich auf den 15. Juli geeinigt. Es wäre deutlich geworden, welche Diskrepanz zwischen Datum und Eigenzeit vorliegt.

Den anfangs zitierten Spruch hört man bei uns auf dem Land. Anscheinend haben sich nicht nur die Grünen den Kopf über Blumenwiesen zerbrochen, und es gibt schon Antworten. Allerdings Antworten anderer Art. Sie brauchen kein Datum, lösen das Problem offensichtlich „außer" der Zeit. Sie verweisen einfach auf ein anderes „natürliches" Ereignis: auf die Holunderblüte; sie wird zum Zeitmaß, zur „Uhr" für Blumenwiesen. Nach unserer „normalen" Zeitordnung geht das eigentlich nicht. Die Zeit wird durch die Uhr bestimmt, das Jahr durch Daten. Hier haben wir es auch zu der nötigen Exaktheit und Verbindlichkeit gebracht; auf sie muß sich alle Zeitvereinbarung zurückführen lassen und berufen können. Was soll die Holunderblüte? Freilich müssen wir uns auf der anderen Seite schnell eingestehen, daß in bezug auf Blumenwiese sie vielleicht doch „exakter" ist; denn sie ist in die Lebenszusammenhänge der Umgebung besser integriert als die Uhr, der Blumenwiesen nun einmal egal sind. Der 15. Juli, das wissen wir außerdem, kann je nach Wetter und jahreszeitlichem Verlauf einmal „früher", einmal später stattfinden, jedenfalls in Angelegenheiten Blüte; einmal ist bereits alles verblüht, einmal finden sich erst Knospen. Die Uhr mißt, so sagt man, die Zeit; eigentlich mißt sie aber nur sich selbst, jedenfalls nicht die Zeit des Wachsens, Blühens, Vergehens. Sie haben ihre eigene Zeit, ihren eigenen Rhythmus. „Es ist etwas zeitig", sagt man ebenso bei uns auf dem Lande und meint damit nicht zeitig früh, morgens. Man meint damit, es ist etwas *reif* geworden, zu seiner Fülle und Entfaltung gekommen; eben zu *seiner* Zeit.

Diese läßt sich nicht von außen vorgeben. Der Holunder blüht nicht, weil es der 15. Juli ist. Er „weiß" aus sich selbst, wann er zu blühen hat, und kann uns damit zum Zeichen werden für parallel geschehende Prozesse in den Blumenwiesen.

Der ökonomischen Vernunft ist diese Gleichgültigkeit gegenüber Meßbarkeit und Daten ein Dorn im Auge. Denn Zeit ist Geld und die Unbekümmertheit des Lebens gegenüber dieser Einsicht ärgerlich. Vielleicht läßt sich Natur doch unter unser abstraktes Zeitmaß bringen, vielleicht kann man etwas „nachhelfen". Vielleicht Zeitprozesse abkürzen? Vielleicht lassen sich dabei zwei, drei, fünf Ernten in einem Jahr erreichen, vielleicht bekommt ein Schwein früher sein optimales Verkaufsgewicht. Und auch wenn es immer noch genug schwere Arbeit in der Landwirtschaft gibt (hauptsächlich mit Maschineninstandhaltung), ist es Arbeit, wenn man nur zuschaut, wie's wächst? Wenn man die Natur für sich arbeiten läßt? Ihr die Produktion überläßt? Hat man sich nicht dann ihr wieder zu sehr ausgeliefert? Und überhaupt, wie kann denn diese Tätigkeit Leistung sein und gemessen werden? Lassen und zusehen, warten, bis etwas reift, ist das überhaupt Arbeit? Darf sie bezahlt werden? Es wird sichtbar: Die Landwirtschaft paßt nicht in unser Wirtschaftssystem und hat nie hineingepaßt. Sie war entweder verschuldet oder hoch subventioniert. Selbst Gutsbesitz unterlag oft diesem Verdikt und war genötigt, sich raschest zu industrialisieren.

Dem griechischen Philosophen Aristoteles wird eine der frühesten „Zeitdefinitionen" zugeschrieben. Zeit sei „gemessene Bewegung", so lauten in Kürze die Übersetzungen. Man kann den Text aber auch anders lesen. Die Zeit ist das *„Maß* der Bewegung". Wahrscheinlich hat Aristoteles ohnehin beides gemeint. Es ist kaum anzunehmen, daß er bloß den physikalischen Begriff der Zeit im Auge hatte. Die Zweideutigkeit beschreibt auch viel besser die von uns aufgezeigte Problemlage. In der physikalischen Zeit geht es um ein neutrales Messen. Hierfür braucht man einen möglichst exakten Maßstab, der allgemein verbindlich und anerkannt sich selbst gleichbleiben muß. Nur wenn die Uhren weltweit die gleiche Zeit zeigen, kann ich mir mit meinen japanischen Kollegen einen Termin für ein Rendezvous ausmachen. Die Uhrzeit muß für ihn genauso verbindlich sein wie für mich. Wenn jemand zu spät kommt, darf er den Grund nicht auf eine falsch gehende Uhr schieben. Er darf zwar, aber meist wird ihm dies als billige Ausrede nachgewiesen oder unterstellt. Der 15. Juli ist, überhaupt wenn er Gesetzesdatum für Blumenwiesen wird, auch allen gleich, und keiner darf am 14. Juli mähen. Wenn er es tut, kann er bestraft werden. Weit schwieriger, sogar unmöglich ist es, eine derartige Vereinbarung mit den Blumen oder dem Holunder zu treffen. In ihrer Eigenzeit sind sie unbeirrbar eigenwillig, und Zeitmessung und Datum sind ihnen egal. Wir würden uns auch etwas verrückt vorkommen, würden wir im Frühjahr zur Holunderstaude gehen und mit ihr abmachen wollen, daß sie heuer ihre Blüten bitte am 15. Juli voll zur Entfaltung bringen solle. Sie hört nämlich nicht auf uns, sondern auf Wetter, Klima, Umgebung und ihre eigenen besten Möglichkeiten, sich zu entfalten, zu überleben. Danach bestimmt sie sich *ihre* Zeit.

Gemessene Zeit unterliegt unserer Willkür

Hier ist uns die Angelegenheit klar, und wir versuchen uns gar nicht in einer derartigen Verrücktheit. An anderem Ort bemerken wir diese gar nicht mehr. Zum Beispiel bei der alljährlich auf uns zukommenden Sommerzeit. Mehr als ein halbes Jahr lang wird die Zeit einfach um eine Stunde verschoben. Wir haben uns zum Großteil schon an diese willkürliche Verrückung gewöhnt und finden nichts mehr daran. Auffällig ist aber sofort eins: Im allgemeinen sprechen wir von der Zeit wie von einem Subjekt mit nachhaltiger Substanz („die Zeit heilt alle Wunden, sie vergeht …“), so als wäre sie überhaupt eine schicksalhafte Instanz. Ein Schicksal, das unumschränkte Macht über uns hat. Dann aber springen wir mit ihr um, wie es uns gerade paßt, verschieben sie einfach hin und her, so als wäre sie uns ausgeliefert, beliebig zu Diensten. Was stimmt jetzt also? An unserer Willkür mit der Sommerzeit wird deutlich, was gemessene Zeit immer schon war, nämlich eine Kultur- oder Sozialkonstruktion, die gesellschaftliche Kommunikation und Ordnung ermöglichte. Je nach ihren Bedürfnissen und Opportunitäten haben daher auch die verschiedenen Kulturen die unterschiedlichsten Zeitordnungen gesetzt. Noch heute läßt angeblich ein Stamm der Papuas das Jahr mit dem Auftreten eines Wurmes beginnen (sein Erscheinen hat natürlich – ähnlich wie der Holunder – eine ihn selbst übersteigende, sozusagen eine „wurmtranszendente" Bedeutung), und das vorjulianische Rom ließ das Jahr so mit Ende November zu Ende gehen, um es etwa Anfang März wieder beginnen zu lassen mit dem Fest des Gottes Terminus (Gott der Grenze, Ahnvater unserer Termine). Dazwischen war also „keine Zeit", oder doch? Alle Menge an Eigenzeit, aber keine gemessene Zeit. Gemessene Zeit, Zeitordnungen werden uns also weder von der Natur noch vom All vorgeschrieben. Sie sind unsere eigenen Setzungen, nach denen wir, wie schon Aristoteles sagte, Bewegungen, Veränderungen messen, aufeinander beziehen, einteilen, zuordnen. Warum reden wir dann von der Zeit als Subjekt? Wahrscheinlich ist es die Eigenzeit, die wir damit meinen und ansprechen, der zumindest alles Lebendige und auch Soziale unterliegt, die Eigenbewegungen und -rhythmen, die Szenerien und Gestaltungen, die sich unserer Willkür und unseren Setzungen entziehen. Der Holunder ist zwar „nur" eine Pflanze und insofern vielfältig der Macht des Menschen ausgeliefert. Über seine Zeit aber verfügt er selbst. Hier müssen wir ihm notgedrungen als „Subjekt" in seiner Eigenständigkeit anerkennen.

Daß gemessene Zeit unserer „Willkür" unterliegt, läßt sich auch an ihrer Abstraktheit ablesen. „Die Uhren gehen sehr", sagte bereits Jean Paul lapidar und hat damit ins Schwarze getroffen, denn viel mehr läßt sich darüber auch nicht sagen. Sie gehen heute um so „mehr", könnte man noch ergänzen, weil sie noch „genauer" geworden sind, sich weltweit am Schwingungsmaß des Caesium-Atoms orientieren. Warum allerdings das Caesium-Atom zum Maß aller genauen Zeit geworden ist, darüber kann man nur rätseln. Sicher, innerphysikalische

Gründe mag es genug geben, ansonsten zeigt aber auch diese Festlegung den Charakter nützlicher Beliebigkeit und die Tendenz fortschreitender Abstraktion. Diese erscheint aber offensichtlich notwendiger zu sein; sie hängt wohl mit den verschiedenen Ausdehnungen unserer Gesellschaft zusammen. Es müssen Zeitordnungen geschaffen werden, die für viele Menschen der unterschiedlichsten Kulturen zur Geltung gebracht werden können. Auf deren Besonderheiten darf keine Rücksicht genommen werden, sie würden das gemeinsame Zeitmaß immer wieder verwirren, zumindest höchst verkomplizieren. Es wäre schwierig, die Sommeruhrzeit in eine „Wurmzeit", diese wiederum in eine Digitaluhrzeit und diese in einen aztekischen Kalender umzurechnen. Es war schon in Europa schwer, als man zwischen Warschau und Hamburg Mitte des vorigen Jahrhunderts noch über zehn Zeitzonen hatte und jeder Bahnhof eine andere Uhrzeit zeigte. Übrigens, geht man vom Sonnenlauf, vom Tag- und Nacht-Wechsel aus, waren diese Zeitzonen natürlich viel „exakter" als unsere globalen. Besser angepaßt an den Tagesablauf. Wenn wir heute von der Grenze einer Zeitzone zur anderen reisen, also z.B. von Ost nach West, müssen wir im Westen bemerken, daß bei gleicher gemessenen Zeit hier die Sonne viel später aufgeht, dementsprechend auch später untergeht. Weltzeit, Zeitzonen, Caesium-Uhr, sie haben sich losgelöst von aller Geschichte, allen Kulturen, in gewissem Sinn auch von der Sonne und den Planeten. Auch der Tag- und Nacht-Wechsel ist nicht mehr maßgebend, zumal er überall, wo wir auch hinreisen, anders ist (vgl. den tropischen Zwölfstundenwechsel mit der nördlichen Polarnacht) und weil es schließlich überall auch künstliches Licht gibt. Somit stellt sich zum Ende heraus, daß die gemessene Zeit Aufhebung aller Eigenzeiten ist und auch nur so funktioniert. Nur der höchsten Abstraktion kann weltweit „zugestimmt" werden. Der Weg vom Wurm zum Caesium beschreibt auch jenen vom Stamm zur Weltgesellschaft.

Zeitmessung tendiert zur Aufhebung von Eigenzeitlichkeit

Verbindliche, all-gemeine Zeitmessung und Zeitordnung ist also notwendig und unumgänglich, soll eine globale „weltbürgerliche" Gesellschaft überleben können. Diese notwendig werdende Setzung darf aber nicht auf ihren eigentlichen Charakter vergessen, nämlich daß sie abstrakt und willkürlich ist; daß sie aus der Aufhebung aller Eigenzeitlichkeit erst ihren verbindlichen Wert bekommt. Dieses Vergessen scheint aber historisch trainiert. Unsere hierarchischen Strukturen haben wir in unserem Verhalten kondensiert, und sie haben immer dafür gesorgt, das Abstraktere, Höhere als das Bessere und auch Substantiellere anzusehen. So kann es uns auch mit den Zeitordnungen gehen. Wir könnten einer Umkehr unterliegen und die abstrakte gemessene Zeit als die eigentlich substantielle verstehen wollen, während wir Eigenzeit als Zufall, Willkür, Eigensinn begreifen und sie in jedem Fall der gemessenen Zeit unterwerfen. Und hier beginnen Gefahren. Sind wir nicht daran gewöhnt worden, unseren Tagesablauf nach der Uhr zu richten? Rüttelt uns nicht wochentags eine laute Behelfsmaschine, der Wecker, aus noch nicht zu Ende gekommenem Schlaf? Essen wir nicht nach Uhrzeiten, ob wir Appetit haben oder nicht? Sicher, wir alle wissen, daß wir uns in unserer zivilisiert-organisierten Gesellschaft nach der Uhr richten müssen, weil wir sonst aus ihr herausfallen würden, darf die Uhr aber überall einen derartig dominanten Einfluß haben? Er ist so stark, daß wir unseren Körper und sein Verhalten bereits nach der Uhr trainieren und dabei seine Eigenzeitansprüche nicht mehr hören wollen. Hinzu kommt die Beschleunigungsmöglichkeit. Der abstrakten Zeit ist es völlig egal, wie schnell etwas *in ihr* geschieht. Sie mißt im gleichen Zeitraum dann eben mehr Vorfälle.

Sie selbst bleibt sich gleich; man kann in sie hineinschieben, was immer man will, sie wird nicht „platzen"; sie läßt sich beliebig verdichten. Wenn wir uns ihr unterwerfen, schwächen wir zugleich das Zeitmaß in uns. Wir beschleunigen *gegen* unsere Eigenzeit, nehmen sie nicht mehr wahr. Bis zu einem gewissen Grad sind wir Menschen zwar in ihr trainier- und disziplinierbar. Paradoxerweise verdanken wir dies unserer Freiheit gegenüber unserer Natur, Geschöpflichkeit und Leiblichkeit. Es dürfte aber Grenzen geben, und auch bei uns selbst müssen wir wie beim Holunder von einem widerborstigen „Eigensinn" ausgehen, der sich gegen äußere Beschleunigungszumutung zur Wehr setzt.

Nicht nur, weil wir angeblich „älter" werden, wachsen die *chronischen,* also die Zeitkrankheiten. Dysstreß hängt ebenso mit Zeitverdichtung und Beschleunigung zusammen wie seine organischen Auswirkungen, und eine vielfach vermutete Ursache für Impotenz ist Berufsstreß, die ständige Ablenkung in Richtung einer anderen Zeit; sie verhindert auch Rhythmuskoordination, die in geglückter Sexualität so wichtig ist. Aus Kenia berichtete mir ein Kollege von einer Trendumkehr: War früher die europäische Medizin im Vormarsch, breiten sich jetzt die „Medizinmänner" alter Prägung wieder mehr aus. Und sie haben Erfolg, nicht bloß bei ihren Stammesbrüdern, sondern auch bei Weißen, Europäern und Amerikanern. Ein Erfolgsgrund liegt in einem „Methodenwechsel". Sie dürften nämlich bemerkt haben, daß Weiße ein aus ihrer Sicht seltsames Verhältnis zur Zeit haben, sich von der „kleinen Maschine auf der Hand" tyrannisieren lassen. Also fragen sie die Kranken, die zu ihnen kommen, zunächst nach nichts anderem als nach ihrem Umgang mit Zeit, ihren Zeiteinteilungen, was sie wann machen, wieviel Zeit sie wofür verwenden, wo ihnen Zeit abgeht, wo sie gerne mehr von ihr hätten usw. Meist kommt bereits in diesen Gesprächen Fehlverhalten zutage. Korrigierende Eingriffe haben hier angeblich oft sofortige nachhaltige Wirkung. So jedenfalls wurde mir berichtet, und ich kann mir diese Behandlung gut vorstellen. Bemerkt man doch auch bei uns, welch einschneidende Folgen es haben kann, wenn jemand seine Zeiteinteilungen ändert.

Eigenzeit des Lebendigen

An der Universität Marburg beschäftigt sich ein Kollege in Sachen Zeitforschung mit Chronobiologie. Die Rhythmen des Lebens sind sein „Gegenstand". Der Beweis ist längst erbracht: Alles, was lebt, verhält sich nicht nach der Linearität gemessener Zeit. Es „pulsiert", hat Beginn, Ende, Höhepunkt, läßt sich nur als Szene, als Gestalt beschreiben. Ob es die kleinste Zelle oder der Tag-Nacht-Rhythmus ist oder jener, der sich den Jahreszeiten angepaßt hat, jeder und jedes hat *seine* eigene, innere Bewegung, seinen Rhythmus und damit *seine* Zeitordnung. Die gemessene Zeit ist in ihrer erreichten Abstraktheit etwas völlig anderes, sie dient eigentlich nur dem Sichtbarmachen dieser anderen Zeit, ist also Mittel, Instrument. In unseren Organisationen wird sie aber, wie angedeutet, zum Subjekt, und das hat Konsequenzen für alle Art von Eigenzeit. Unlängst ging eine Meldung durch die Presse. Nach der sollte die vierthäufigste Todesursache in Kanada und den USA gemäß einer Langzeituntersuchung der „*normale* Medikamentenkonsum" sein. Ich kann diese Meldung nicht überprüfen, doch sie erscheint mir nicht unplausibel und paßt zu unseren Überlegungen.

Dazu eine kleine Geschichte aus eigener Erfahrung: Auf Grund einer eigenen chronischen Erkrankung mußte ich schon mehrmals in die Klinik. Bei zwei Krankenhausaufenthalten fiel mir im Vergleich ein völlig unterschiedliches Verhalten des Arztes in der Verabreichung der Medikamente auf. Beim ersten wurden die Dosis und die Zeit genau bestimmt und der Zeitpunkt der Verabreichung genau eingehalten. Im nachhinein kann ich mich des Verdachtes nicht entledigen, daß diese Zeiteinteilung abhängig war vom Arbeitsplan der Schwestern, der Organisation überhaupt. Im zweiten Fall glaubte ich bei dem behandelnden Arzt zunächst Unsicherheit zu bemerken. Er verabreichte mir die Medikamente zu verschiedenen Zeiten, beobachtete, überprüfte, bis er eines Tages meinte, den richtigen Zeitpunkt gefunden zu haben. Nämlich jenen, bei dem man mit der niedrigsten Dosis die höchste Wirkung erreichen konnte. Tatsächlich konnte er sie gegenüber meinem ersten

Aufenthalt erheblich senken und einen besseren Genesungserfolg erzielen. Ich bin ihm für seine Sorgfalt sehr dankbar, und darüber hinaus hat er mir die Augen für meine Eigenzeit geöffnet. Es erscheint mir ja auch sonst nicht unplausibel, daß wir nicht zu jeder Zeit alles gleich gut vertragen, aufnehmen, resorbieren.

Die Ernährungswissenschaft belehrt uns darüber, was geschieht, wenn wir ohne Not und Appetit essen. Wir wissen auch, was ein stressiges Arbeitsessen sein kann, wo wir konzentriert auf das Geschäft nachher oft nicht mehr wissen, was wir gegessen haben. Wieso soll es mit Medikamenten denn ganz anders sein? Es spricht viel dafür, daß wir „Zeiten" in uns haben, in denen wir für Aufnahme und Verwertung empfänglicher sind als in anderen. In der ersten genügt eine geringere Dosis, in der zweiten wird man vielleicht überdosieren müssen. Ob dies zu obigem Befund führt, den ich der Presse entnommen habe, weiß ich natürlich nicht, eines aber doch: Die Zeiteinteilung und -ordnung von (Klinik-)Organisationen ist eine andere als die der Eigenzeit des Organismus und oft nicht bereit, auf sie Rücksicht zu nehmen.

Noch einmal zurück zur Sommerzeit. Sie wurde aus Gründen der Energieeinsparung eingeführt. Inzwischen ist uns oft genug versichert worden, daß wissenschaftliche Untersuchungen bewiesen hätten, es würde Energie überhaupt nicht eingespart, einige aber verbraucht bei der zweimal jährlich erfolgenden Umstellung der Uhren, Automaten, Computer, Reisedaten etc. Wenn dies stimmt, warum tun wir so weiter? Ist es einfach die Gewohnheit, die uns alljährlich denselben Zirkus wiederholen läßt, ist es die Freude an unserer Macht über Zeitordnungen, die sich bei dieser Gelegenheit wieder in Erinnerung bringt? Bei einer der ersten Zeitumstellungen traf ich frühmorgens meinen Nachbarn. Er ist Landwirt. Diesen Morgen sah er irgendwie ärgerlich und unfreundlich vor sich hin. Ich sah mich veranlaßt, ihn nach der Begrüßung zu fragen, wie es ihm so ginge, was er hätte. „Ach", meinte er, „nichts Besonderes, nur diese verdammte Sommerzeit." Ich drückte mein Verständnis aus, war es doch auch mir nicht ganz leicht gefallen, eine Stunde früher aufzustehen, meinte aber, wir würden uns schon daran gewöhnen. „Wir schon", sagte er, „nicht aber das Vieh." Dieses brauche jeweils sechs Wochen mindestens. Sei das schon mühsam genug, werde die Situation noch dadurch verschärft, daß sich der Molkereiwagen genau an die Zeitverschiebung hält und eine Stunde früher kommt. Eigenzeit gegen gemessene Zeit. Der Kuh kann man eben nicht von heute auf morgen beibringen, daß nun Sommerzeit ist und sie daher eine Stunde früher ihre Milch abliefern sollte. Anders stellt sich die Sache für die Tennisspieler, Jogger, Mountainbiker usw. dar. Sie haben länger Licht und können daher besser ihrer Freizeitbeschäftigung nachgehen. Vielleicht ist das der Grund am Festhalten der Zeitverschiebung, die „Eigenzeit" der Freizeitsportler? Seit der Begegnung mit dem Nachbarn weiß ich jedenfalls, daß sich hier ein kleiner gesellschaftlicher Kampf abspielt, den allerdings die eine Seite bisher immer verliert: der Kampf der Bauern und Mütter, die es schwer haben, ihre kleinen Kinder bei Tageslicht und Sonnenschein ins Bett zu bringen, gegen die Jogger und Tennisspieler.

Im Frühjahr wird uns jedenfalls ohne weitere Begründung eine Stunde geraubt, im Herbst bekommen wir sie dann klammheimlich in der Nacht wieder zurück; so als hätte man dabei ein schlechtes Gewissen. Interessanter wäre es, die Stunde während des Tages zurückzubekommen, eine ganze Stunde Auszeit, Nichts-Tun, Rückgabefeiern. Vielleicht wäre dieses „Geschenk" geeignet, uns über unseren Zeitumgang nachdenklicher zu machen.

Eigenzeiten der Seele

Es ist aber nicht nur das „natürliche" Leben (Pflanze, Tier, Körper), das in eigenen Zeitrhythmen lebt, die sich nicht willkürlich verändern lassen, auch unsere Seele und unser soziales Leben dürften *ihre* Zeit haben. Wir wissen, wie schnell uns glückliche Augenblicke verfliegen, wie lange manchmal drohende, aufregende Sekunden werden. Die Uhr weist uns nach, daß die „gleiche" Zeit in beiden Fällen vergangen ist. Und, wie schon Augustinus entdeckte, in der Erinnerung wiederum dreht sich alles um. Im Erleben unserer Seele herrschen eigene Zeitgesetze, die mit gemessener Zeit nichts zu tun haben. Unsere Gefühle bringen ihre Zeiten mit, und sie lassen sich nichts vom Verstand dreinreden. Sie kommen, wann sie „wollen", nicht wann wir es wollen; ebenso gehen sie auch nach ihrem Dafürhalten. Unser Verstand kann hier zwar ein wenig steuern, uns vor plötzlichen Überraschungen schützen, er kann sie auch ignorieren, abschaffen, unterdrücken wollen. Ersteres ist wohl anzuempfehlen, letzteres macht eindimensional oder krank. Dort und da will man auch versuchen, Gefühle in ihrem Vergehen zu beschleunigen, aber auch das hat Grenzen. Was zu schnell verabschiedet wurde, kommt gleich wieder bei der anderen Tür herein, man wird es nicht los. Man kann sich auch vornehmen, sich nicht zu ärgern, nicht traurig zu sein, also Gefühlen keinen Zeitraum in näherer Zukunft zu gewähren. Selten gelingt dies. Und wenn, dann auch nicht mit dem erwarteten Erfolg. In unseren Gefühlen, durch unsere Seele wird unser Verstand daran erinnert, daß wir Leben, Leib sind.

Der Verstand ist schnell überall, das Denken hat ortlosen Charakter. Es ist daher oft ungeduldig mit seinem ortsansässigen Leib, der langsamer ist und sich in anderen Zeitrhythmen bewegt. Immer wieder versucht er seinen Einfluß auszuschalten, uns zur Rationalität zu ermahnen. Oft aber muß er zur Kenntnis nehmen, daß sich Gefühle nicht durch Ratio und Logik hinwegdisputieren lassen. Man mag zwar mit guten Gründen gegen sie argumentieren, nur, es nützt nichts. Nach dem Tode eines nahen Angehörigen war es früher üblich, den Hinterbliebenen ein Trauerjahr zu gewähren. Der Trauernde machte dies auch durch Kleidung und Trauerschleife nach außen kenntlich. Damit war für andere erkennbar, daß er mit noch etwas anderem beschäftigt sein durfte als mit dem gewöhnlichen Alltag. Dieser Brauch ist aus der Mode gekommen, getrauert wird unsichtbar und versteckt, so als würde man sich dafür schämen. Ein Jahr mag eine lange Zeit sein, für unsere allzeit bereiten leistungswilligen Werktätigen. Ihre

Einsatzbereitschaft darf nicht durchkreuzt oder gar von außen in Frage gestellt werden können. Wie sich aber zeigt, ist oft ein Jahr recht kurz, und die Zeit wird länger, je weniger wir sie uns nehmen. Ein Jahr muß noch einmal durchgegangen werden, alle Jahreszeiten haben ihr Recht und müssen besucht werden. Der Abschied kann nicht anbefohlen werden, er wird auch nicht geschenkt. Man selbst ist durch die Trennung auch ein anderer geworden und braucht Zeit, sich neu zu entdecken.

Auch Freude und Genuß haben ihre Zeit und verarmen, wenn man ihnen diese nimmt. So haben sich die Menschen z.B. viele Rituale der „Vorfreude" eingerichtet, um sich schon in ihr auf die kommende Freude vorzubereiten. Also sich schon einmal vorweg zu freuen. Ebenso gab es Zeit für Nachfreude, wo das Erlebte noch einmal vergegenwärtigt wurde. Unsere terminreiche Planung hat uns diese Rituale weitgehend genommen. Wir „plumpsen" sozusagen von einem Ereignis ins nächste, übergangslos. Plötzlich sollen wir uns freuen, genießen. Ohne Vorbereitung. Wir merken, es gelingt nicht so recht, das Erlebte wird dünner, die Freude eher Routine. Von der letzten Berufsbesprechung rasen wir mit dem Auto zum Theater, finden in letzter Minute den Parkplatz, werden gerade noch eingelassen. Bis wir so richtig angekommen sind, läuft bereits der zweite Akt. Ständig verlangen wir von uns Umstellungsartistik, volle Konzentration für die nächste Situation, auch wenn sie ganz eine andere ist. Doch auch wenn wir uns hier schon gut trainiert haben, ganz können wir es nicht vermeiden, daß eben Erlebtes nachhallt, uns in das nächste Ereignis begleitet. Hier kann sich dann so einiges überlagern, gegenseitig zuschütten, vielleicht auch verstärken. Jedenfalls ist ständige Ablenkung möglich, wir sind nie ganz da. Freude und Genuß verlangen aber so etwas, sonst verlieren sie an Intensität.

Ich hatte einmal einen Zeitfragebogen entworfen. Wir wollten an unserem Institut wissenschaftlich nachweisen, wie die Menschen ihre Zeit einteilen, wieviel Zeit sie für Alltagsverrichtungen brauchen etc. Dementsprechend waren auch die

Fragen formuliert: „Wieviel Zeit verwenden Sie für ...?" Nach unserer ersten Untersuchung bereits mußten wir passen. So ging es nicht. Es wurde uns nämlich das „Zeitüberschneidungsphänomen" klargemacht. Wir bekamen etwa zu hören: Wenn ich in der Arbeit Ärger habe mit meinem Chef, so mag man das als ganz normal der Arbeitszeit zurechnen, was ist aber, wenn mich dieser Ärger auch noch beim Abendtisch, beim Essen mit meiner Famlie beschäftigt? Ist das dann Arbeitszeit oder Familienzeit? Oder wenn ich gar noch schlecht träume, immer wieder aufwache. Ist das dann jene Zeit, die man ‚erquickendem' Schlaf zurechnen darf?" Es ist also nicht so leicht, unsere Seele nach Zeit aufzuteilen, und wir gaben unser Forschungsprogramm auf; zu unserer Überraschung wird hier aber ständig weitergeforscht und mit „objektiven" Resultaten aufgewartet, und wir erfahren, wieviel Zeit Menschen für dies und jenes verwenden, so als wäre der Tagesverlauf des Menschen eine Kette von Ereignissen, die völlig voneinander unabhängig betrachtet werden können. Aber warum soll die Wissenschaft besser sein als ihre Zeit? In ihrer ereignisbezogenen Isolierung und Elementarisierung ist sie nur Spiegel unseres Vorgehens; voneinander unabhängige Ereignisse dicht aneinander zu hängen.

Ein anderer wissenschaftlicher Befund mag in dem Zusammenhang aber doch interessant sein. Man hat sich nämlich oft gewundert, warum Menschen den Berufsverkehr – also Abend- und Morgenstau – trotz guter öffentlicher Verkehrsmittel im eigenen Auto, meist allein sitzend, in Kauf nehmen. Also weder die U-Bahn benützen noch Fahrgemeinschaften eingehen. Auch wenn in dieser Haltung langsam eine Wende einzutreten scheint, ein Motiv war und ist vielleicht immer noch wichtig: Die Autofahrer gaben nämlich fast übereinstimmend an, daß es ihnen wichtig sei, guttue, zwischen Beruf und Familie eine Ruhepause dazwischenzuschieben, wo sie mit sich allein sind, abklingen können, den Tag Revue passieren lassen. So gleich vom Beruf nach Hause, das ginge zu schnell, und die vielen Leute im Bus ließen zuwenig Nach-denklichkeit zu. Es geht also um Übergänge.

Übergänge, Zwischenräume und -zeiten werden vielfach als Zeitvergeudung angesehen. Dementsprechend wird auch verfahren. Nahtlos wird ein Termin an den anderen gehängt, selbst Pausen sind für bestimmte Zwecke vorgeplant. Vor- und Nachfreuden sind ebenso im Weg wie Vorgefühle überhaupt und Nach-denklichkeiten. Damit verlieren die abfolgenden Ereignisse aber auch an Bedeutung und Eigenwert. Sie verdampfen in die Vergangenheit hin, schnelles Vergessen ist gefragt. Man unterwirft sich der Abfolge und ihrer Zeitordnung. Zuletzt vergißt man dabei die Eigenzeit der Seele und wird selbst zum Ablaufautomaten. Zu vermuten ist: Wenn man auf die Eigenzeit der Seele nicht Rücksicht nimmt, verliert man sich allmählich selbst, wird zum Vollzugsorgan außenbestimmter Ereignisfolgen. Die Gefahr dabei ist, daß man mit der Zeit gar nicht mehr so recht weiß, was man tut und vor allem warum man es tut. Man hat das Begründungsverhältnis zu sich selbst verloren. Übergänge, Zwischenzeiten schützen vor diesem Verlust; sie sind ein Ort, auf dem man wieder an sich selbst erinnert wird, zu sich zurückkommen kann.

Eigenzeiten der sozialen Welt

Zu den Eigenzeiten des Lebens, denen der Seele, kommen auch noch jene des Miteinanders, der sozialen Welt. Auch die unterschiedlichen Formen unseres Zusammenlebens fordern, sollten sie „glücken", *ihre* Zeit. Sie kann zwar auch mit der Uhr gemessen werden, hat aber in ihr kein Maß; dieses kommt aus dem sozialen Leben selbst. Wir wissen zwar unmittelbar von ihm, einer besonderen Aufmerksamkeit wurde es aber noch nicht unterzogen. In unserer Moderne findet aus den bekannten und geschilderten Gründen eher das Gegenteil statt. Die Zeiten, die man für geglücktes Zusammenleben aufbringen will, für Partnerschaft, Freundeskreis, Familie, Kinder und Kindererziehung, für demokratische Aufgaben, Vereine, die nicht auf Gewinn ausgerichtet sind, für gute Feste und Feiertage, sind „privat", gehören nicht zur Erwerbsarbeit, sind ökonomisch „unproduktiv"; eigentlich „leere Kilometer".

Aber auch innerhalb des Arbeitsprozesses wird zwar anerkannt, daß man für das gute Klima etwas tun muß, daß es sich nicht aus dem bloßen Funktionieren ergibt, die Zeiten dafür werden aber immer kürzer, weil sie Kosten verursachen. Da werden Arbeits- und Projektteams gegründet und sofort in Zeitdruck versetzt; um sich zu finden, ein „sozialer Körper" zu werden, fehlt gleich von Anfang an die Zeit. Pausen werden gestrichen, man kann sich nicht mehr „austratschen", Kantinen geschlossen, weil sie sich nicht rechnen. Der Bereich des Informellen, das inoffizielle „Schmiermittel" aller Organisationen, wird immer kleiner. Zugleich wachsen Beschleunigung und Arbeitsdruck; man kommt nicht mehr nach und findet jede „soziale Unterbrechung" störend. Freilich weiß man auch, daß sich diese Reduktionen der „Sozialzeiten" rächen. Teams, die im Sozialen unterentwickelt sind, steuern sich schlecht und bringen oft suboptimale Ergebnisse; oder sie verheddern sich in Konflikte, Rivalitäten, Autoritätsprobleme, die sie zu lösen nicht imstande sind, weil sie es nie für sich geübt oder gelernt haben. Die Unterdrückung kommunikativer Bedürfnisse führt ebenso zu Reaktionen, die u.U. gerade jene Zeit und noch mehr von ihr kosten, die man sich zu ersparen gemeint hat. In Kommissionen, Sitzungen, Arbeitsbesprechungen macht sie sich Luft in unendlicher Diskussionsfreudigkeit, in Beschlußunfähigkeit, in Abschweifigkeit, in Selbstdarstellungsbedürfnissen. So manches „ungestillte Verlangen" flüchtet sich in Gerücht und Intrige, um wenigstens dort eine soziale Welt zu errichten.

Wir wissen also sehr gut um unsere Defizite, es gelingt uns aber nicht, aus ihnen herauszukommen. Das Gegenteil findet eher statt: Aus ökonomischem Zwang, aus bestehender Wertvorstellung heraus (Dominanz der „produktiven Erwerbsarbeit") verkürzen wir soziale Eigenzeit. Unsere Bindungen werden loser, punktueller, auch hier ist die Tugend Flexibilität. Wahrscheinlich aber auch unsere Sehn-Süchte größer und wilder, bereit zu radikaleren Ausbrüchen. So muß uns im Sinne des Prinzips der Quantität das Massenhafte zur Verfügung stellen, was wir im Kleinen und in unserer alltäglichen Umgebung zu verlieren drohen. Großveranstaltungen, „Events", volle Fußballstadien, Großkonferenzen zur Herstellung von Corporate-identity, GTI- und Harley-Davidson-Treffen usw. lassen um ein Ereignis herum die Menschen wieder dichter aneinanderrücken. Und es ist eine Dichte, die zu nichts verpflichtet; ihre Anonymität läßt leicht wieder auseinandergehen, bis zum nächsten Ereignis. Allerdings zeigt die Geschichte eine Gefahr: Man muß sich die Teilnahme an diesen Veranstaltungen leisten können, also genug Geld haben, um dazuzugehören. Fehlt es, radikalisiert sich das Defizit. In ökonomisch schlechteren Zeiten sind Massen durch Ziele, die meist von außen gesetzt werden, leicht verführbar, denn in ihnen können sie neue Identität, Gemeinschaft gewinnen.

Über soziale Eigenzeiten wissen wir noch recht wenig. Unser Wissen ist eher unmittelbar, instinktiv. Die bisherige Geschichte hat unser Verständnis hier nicht eingeübt. Für die meisten Menschen ereigneten sich Sozialstrukturen gleichsam „naturwüchsig". Dies hatte den Vorteil, daß man auf sicherem Fundament stand, ein festes Haus seine Heimat nennen konnte, Veränderungen Langzeitprogramme waren. Traditionen, Normen, Religionen, Weltanschauungen, sie alle sorgten sich um Stützung dieser Stabilitäten, bezeichneten sie als gott- oder naturgewollt, als unerschütterlich wahr und richtig. Es waren Fundamente, an denen man nicht rütteln durfte. In einen Stand hineingeboren zu sein hieß ein Leben lang ihm angehören. Familien führten ihren Ursprung auf biblische Ahnen zurück, die Ökonomie des „großen Hauses" überdauerte in ihrer weitgehenden Autarkie Jahrhunderte. Diese sozialen Gruppierungen entwickelten ihre eigene Kultur, auch ihren zeitlichen Mikrokosmos. Sie „wußten", welche Zeiteinteilung ihr Überleben sicherte, was sie in Arbeit, was sie in Feste stecken mußten. Im Mittelalter gab es zeitweise 190 Feiertage und wahrscheinlich auch noch den „blauen Montag" dazu; soviel investierte man in Gottes- und Menschendienst.

Allerdings war diese Ordnung des Gemeinwesens an strenge Hierarchien gebunden, an Denk-, Freiheits- und Veränderungsverbote. Man konnte seinen Stand nicht einfach wechseln, den

Familienclan nicht verlassen. Auch Zeit und Zeitordnungen waren vorgeschrieben und streng einzuhalten. So waren die sozialen Gebilde dieser Gesellschaften zwar als ganze kollektiv autonom, dies war aber nicht wirklich bewußt. Innerhalb ihrer Teile aber war wenig Beweglichkeit und Souveränität. Daher war auch „klar", wieviel Zeit für etwas aufgewendet werden mußte, die Strukturen des Systems schrieben ihre Zeitordnungen unaufhebbar in die Gesetzestafeln des alltäglichen Lebens. Dem Individuum war Zeit immer von außen (fremd)bestimmt. Zu sehen ist jedenfalls, daß (soziale) Zeitordnung und Gesellschaftsstruktur nicht voneinander zu trennen, aufeinander angewiesen sind.

Es waren aber nicht nur Wissenschaft, Technik, Politik, die diese Szenerie einschneidend geändert haben; nicht nur die Erfindung des „künstlichen, elektrischen Lichtes", der Import von Kaffee, Tee und anderen Wach-Haltern. Auch nicht die Zerstörung von früheren Gruppenstrukturen durch Manufaktur und Industrie (Erfindung des *Einzelnen* als „Ware Arbeitskraft" – Auflösung traditionell kollektiver Arbeitsformen). Wahrscheinlich entscheidender war die Entdeckung, vielleicht sogar besser „Erfindung" von Gewissen, Autonomie, Vernunft; das Postulat, alle fremdbestimmenden Instanzen hinter sich zu lassen, alles selbst nach bestem Wissen und Gewissen zu überprüfen. War diese Autonomiezumutung für das Individuum vielleicht bis heute eine Überforderung geblieben, zu einem hat sie zusammen mit der neuen Arbeitsorganisation jedenfalls geführt: zur Relativierung aller fremdbestimmenden sozialen Ordnung und Stabilität. Auch Zeitordnungen waren nicht mehr unerschütterlich, und der Vormarsch der „abstrakten Zeit" der Zeitmaschinen und gemessenen Zeiten tat das Seine dazu. *Innerhalb* der Zeit trat eine bisher nicht vorhandene Differenz auf. Was früher „naturwüchsige" Identität hatte, fiel auseinander: gesetzte, meßbare, willkürliche Zeitordnung (die sich aus Vernunft, Funktionalität und Ökonomie begründete) und eine fundamentlos gewordene andere Zeit (Lebens-, Sozialzeit). Eigenzeit war nicht mehr faßbar, sie war in ihrer (fremdbestimmten) Substanz vergangen, in ihrer autonomen, selbstbestimmten

Wahrnehmung aber *„noch nicht"*. Und über dieser Problemlage scheinen wir nicht hinausgekommen zu sein. Eigenzeit wird immer noch als mythologisches Kapitel unserer Existenz abgehandelt, längst scheint sie *„vorbei"* und von der gemessenen, gestaltenden, ökonomischen Zeit überholt und überrollt zu sein. Sie meldet sich eher wie ein Ausstehendes zurück, wie etwas, das wir uns nun *mit Bewußtsein* wieder zurückholen müssen. Die alte soziale Eigenzeit entspricht einer Gesellschaft, die nicht mehr ist, eine „neue" müssen wir uns erst gemeinsam erwerben. Dieser Akt kann aber nicht abstrakt, bloß *in* der Zeit geschehen: für Partnerschaft soundso viel, für Freundschaft dies – und darüber womöglich ein Gesetz. Es sind die sozialen Gebilde, *in* denen wir leben oder leben wollen, die wir uns genauer ansehen müssen und dabei uns fragen: Wieviel Zeit brauchen sie für sich, daß sie einerseits überleben, andererseits auch gut und glücklich leben können. Der Wiedererwerb sozialer Eigenzeit geschieht also über kollektive Autonomie und Selbstreflexion. Dieser Schritt könnte ein neues Kapitel Menschheitsgeschichte aufschlagen.

Wir müssen aber gar nicht so sehr im Pathos solcher „Großwetterlagen" diskutieren. Im Grunde wissen wir sehr wohl über die Bedeutung sozialer Eigenzeit. Nur können wir ihr gegenwärtig ihr volles Existenzrecht nicht gewähren. So hört man beispielsweise aus den USA, daß es ganz offiziell, anerkannt von Versicherungen und Krankenkassen, so etwas wie eine Computerkrankheit, besser -neurose gibt, die psychiatrisch und psychologisch behandelt wird. Es handelt sich um ein Phänomen, in dem Menschen, die sehr viel Umgang mit Computern haben, allmählich die Lust an einem solchen mit Menschen verlieren. Diese sind ihnen nämlich zu unklar und vor allem viel zu umständlich. Sie brauchen unerträglich lange Zeit, bis sie auf den Punkt kommen, reden ausgefranst um das Kernproblem herum, sind generell viel umwegiger und manchmal voll von unerwarteten Überraschungen. Das Problem der an diesem Phänomen Erkrankten ist allmählicher Rückzug aus Gespräch und Kommunikation, bis hin zur Isolierung und sozialer Einsamkeit. Eigenzeit ist für sie nicht mehr nachvollziehbar, sie ist ja auch verglichen mit der meßbaren Maschinenzeit höchst aufwendig und unökonomisch.

Auf der anderen Seite beobachtet man eine Explosion elektronischer Tratsch-Sucht. Wenigstens im Internet und anonym soll nachgeholt werden, was man sich im realen Leben nicht mehr gönnt, versagt oder gar nicht mehr aushält. Die virtuelle Welt ist vielleicht auch vergleichbar jener Massenveranstaltung, von der vorher die Rede war – ein einziges „Event".

Zeit- und reisesparende Videokonferenzen sind längst Manageralltag. Immerhin kann man sich hier wenigstens aus der Ferne sehen. Damit diese aber funktionieren, ist „eiserne" Disziplin vonnöten. Man kann da nicht einfach herumreden; denn erstens kostet Zeit hier Geld und zweitens wäre es sehr verwirrend, wüßte man nicht, wer gerade zu wem spricht. Funktional gelingen diese Konferenzen, so höre ich jedenfalls, immer besser. Der Informationsaustausch klappt. Disziplinierung, Entfernung, die Reduktion des Gesprächs „auf das Wesentliche" – was immer das auch sein mag – lassen die Verhandlungsgruppen aber kaum zu einem sozialen Körper zusammenwachsen. Dafür würden sie zusätzliche Zeiten brauchen. Man weiß das und arrangiert deshalb „reale" Treffen in gewissen Abständen. Die erst garantieren angeblich, daß auch die virtuellen funktionieren. In kritischen, politischen Situationen handelt man ebenso. Verstärkte Reisediplomatie beginnt. Man will Fremde und Gegner „von Angesicht zu Angesicht sehen" und opfert dafür viel Zeit. Sind wir „antiquiert"? Leben wir noch in den alten Eigenzeiten, oder werden wir auch in Zukunft darauf nicht verzichten können, uns *direkte* (auch leiblich-ganzheitliche) Kommunikation zu leisten? Vieles wissen wir hier noch nicht, um so mehr empfiehlt sich genaue Beobachtung und Erforschung, aber auch sie braucht Raum und Zeit, die ihr nicht ausreichend gewährt wird.

Das Forschungsfeld ist groß: Welche Partnerschaften wollen wir, und welche Zeit brauchen wir zu ihrer Aufrechterhaltung, wie sieht es mit der Familie aus? Jetzt geht meist alles auf Kosten des schwächeren Parts. Wer verlangt nicht von seiner Frau *mehr* Verständnis für berufsbedingte Zeitknappheit, als er dasselbe von seinem Vorgesetzten für die Familie einfordern würde. Die funktional-ökonomische Zeit und ihre Verdichtungs- und Beschleunigungsprozesse können sich auch deshalb oft so leicht durchsetzen, weil sie Not- und Sachzwang auf ihrer Seite haben, für sich reklamieren, während in der Verwendung und Gestaltung von Eigenzeit Verständigung, Großzügigkeit, Freiwilligkeit etc. in Anschlag gebracht werden. Und immer noch hat sich die Not die Freiheit unterworfen.

Wieviel Zeit brauchen Teams, um arbeitsfähig zu sein und um sich selbst steuern zu können, wieviel Organisationen für Feedback, Selbstreflexion, Identitätsbildungen? Wieviel Zeit fordert demokratisch-politische Partizipation; wieviel das Lösen von Konflikten? Gerade letzteres ist ein gutes Beispiel für die Notwendigkeit sozialer Eigenzeit. Konfliktlösung hat nämlich ihre eigene Szenerie; viele Prozesse müssen durchlaufen, Selbstdistanz miteinander erreicht werden, um fruchtbringende Analysen durchführen zu können. Gewährt man sich dafür nicht die nötige Zeit, kommt es zu halben oder Scheinlösungen, d.h., der Konflikt kommt wieder, flackert aufs neue auf, ist nicht wirklich zu Ende gebracht. Dies kostet seinerseits viel Zeit und Energie. Wieviel Zeit braucht geglückte Sexualität? Das Zueinanderkommen der unterschiedlichen Rhythmen der Geschlechter. Die Bewältigung von Enttäuschung und Veränderung von Intensität? Vielleicht alles kein Problem mehr, wir haben ja „Viagra". Sie stützt sozusagen „Langzeiterektionen", was im übrigen auch darauf hindeutet, daß man sich im normalen Leben zu wenig Zeit für sie nimmt. In jedem Fall aber kann man durch rechtzeitige Einnahme der Pille die Zeit verkürzen. Vor- und Nachspiel sind nicht mehr notwendig, und sicherer ist es auch: Unabhängig vom Partner ist man fremdgestützt „potent". Und er muß sich seinerseits auch nicht mehr „anstrengen".

Beispiele von der Notwendigkeit einerseits, der Unterlegenheit und Verletzlichkeit sozialer Eigenzeit andererseits ließen sich fast beliebig fortsetzen. Die angedeuteten wurden in der Absicht gebracht, die Aufmerksamkeit auf ein Zeitthema zu lenken, von dessen Bewältigung und Gestaltung unser zukünftiges gesellschaftlich-politisches Leben abhängen wird. Biorhythmen lassen wir bereits gelten, mit den sozialen haben wir nach wie vor große Schwierigkeiten. Räumen wir ihnen aber keine Eigenzeit ein, bleiben „Selbststeuerung", kollektive Autonomie, letztlich auch Demokratie unvollständig. Wir müssen uns daran gewöhnen, innerhalb der gemessenen Zeit viele andere Zeiten gelten zu lassen, eine andere Zeitkultur zu entwickeln, die Balancen zwischen Eigenzeitlichkeiten und gemessenen, verdichtet-beschleunigten Zeitfolgen wiederherzustellen imstande ist.

Welche Schwierigkeiten wir damit haben, auch nur den Sinn unserer eigenen Zeit entgegen der Beschleunigung wahrzunehmen, mag im nächsten Kapitel beispielhaft vorgeführt werden.

Über das „Warten“ und das Beschleunigen

„Zu einem Einsiedler kamen eines Tages Menschen. Sie fragten ihn: ‚Welchen Sinn siehst du in deinem Leben der Stille?‘ Er war gerade mit dem Schöpfen von Wasser beschäftigt, aus einer tiefen Zisterne. Er überlegte. Er sprach: ‚Schaut in die Zisterne. Was seht ihr?‘ Die Besucher blickten in die tiefe Zisterne. ‚Wir sehen nichts.‘ Nach einer Weile forderte der Einsiedler die Leute wieder auf: ‚Schaut in die Zisterne. Was seht ihr?‘ Sie blickten hinunter und sagten: ‚Jetzt sehen wir uns selbst!‘ Der Einsiedler sprach: ‚Als ich vorhin Wasser schöpfte, war das Wasser unruhig, und ihr konntet nichts sehen. Jetzt ist das Wasser ruhig, und man sieht sich selber. Das ist die Erfahrung der Stille.“

Warten ist nicht genützte Zeit

„Ich lass' mich nicht hetzen, ich bin ja nicht auf der Flucht“, diesen Hinweis las ich unlängst auf einer schön eingerahmten Tafel in einem Café in Wien über der Bar. Ein „dezenter Hinweis“ für die Kunden, ein wenig Warten in Kauf zu nehmen? Ein Hilferuf um Verständnis dafür, daß bei Kosteneinsparung und Personalreduktion die alte Redewendung der Wiener „Ober“, „bitte sehr, bitte gleich“, nicht so ganz wörtlich genommen werden darf? Das Schild hänge schon lange hier, wurde mir gesagt, bezöge sich also nicht bloß auf die gestiegene Hektik der letzten Jahre, in die das alte Wiener Café nicht mehr so ganz hineinpassen will. Ist Warten vielleicht immer schon problematisch gewesen?

Bei Umfragen, die wir öfter in Seminaren durchführen, bezeichnen in steigender Anzahl Teilnehmer die Ungeduld als ihre schlechteste Eigenschaft. Es fällt immer schwerer warten zu können, Zeit „verstreichen" zu lassen, gerade einmal nichts „voranbringen" zu können. Warten ist nicht genützte Zeit, sie geht woanders ab; Warten ist Nichts-Tun, und Nichts-Tun bringt nichts hervor, schafft nichts, ist nicht „produktiv", nicht effizient, kostet Geld. Leistung hingegen ist Arbeit pro Zeiteinheit, so lehrt es die Physik, und die Ökonomie hat sich dieser Definition angeschlossen; Warten ist keine Arbeit, man leistet also nichts, ist nicht vollwertiges Gesellschaftsmitglied. Man ist unter Druck, wenn man Zeit verstreichen läßt, fühlt sich von unsichtbaren Augen beobachtet, verachtet und angetrieben; lasterhaft und parasitär. Zeit muß produktiv genützt werden. Sie ist die einzige Reserve (Ressource), aus der man ökonomisch noch etwas „herausholen" kann. Am Markt gewinnt, wer in gleichen Zeiträumen mehr und womöglich besser produziert; er kann „billiger" sein. Also muß Zeit „verdichtet", die Prozesse in ihr beschleunigt werden, Warten hat keinen Platz mehr.

Wer von uns hat sich nicht schon darüber geärgert, wenn er am Flughafen „ewig" auf sein Gepäck warten mußte; wenn er auf das Band gestarrt hat und dieses sich nicht und nicht in Bewegung setzen wollte. Wer findet das Warten auf den Bus schön oder reiht sich gerne in die endlose Warteschlange beim Skilift ein? Wer vermag es bei Nachfragen geduldig auf Antworten zu warten, ohne neue Fragen zu stellen oder sie sich selbst zu beantworten, wer wartet gerne vor der Türe des Chefs oder ist frei von einem vorwurfsvollen Blick, wenn der Rendezvouspartner nicht zur vereinbarten Zeit kommt? Wer wird gerne aufgehalten, wenn er meint, woanders etwas zu versäumen, wer hat die Ruhe zuzusehen, wenn andere langsamer sind? Am Kennedy-Airport in New York hat man (Prinzip „Kundennähe") die Logistik umgestellt. Man läßt die Passagiere möglichst weit weg vom Gepäckband aussteigen, damit sie weit gehen, aber nicht mehr warten müssen. Denn beim Gehen tut man etwas, man steht nicht still. Und doch können wir auch beim Gehen „überlistet" werden: früher – in der griechischen Polis –, so schreibt jedenfalls Nietzsche, wurde viel im Gehen philosophiert; kam aber ein wichtiger Gedanke oder Einfall, blieb man plötzlich stehen, „erstarrte" förmlich am Ort.

Was sagt M. Kundera dazu: „Es besteht eine geheime Verbindung zwischen der Langsamkeit und dem Gedächtnis, zwischen der Geschwindigkeit und dem Vergessen. Denken wir an eine äußerst banale Situation: Ein Mann geht auf der Straße. Plötzlich will er sich etwas ins Gedächtnis rufen, doch die Erinnerung versagt. In diesem Moment verlangsamt er automatisch seine Schritte. Umgekehrt beschleunigt jemand, der versucht, einen gerade erlebten schmerzlichen Vorfall zu vergessen, unbewußt seine Gangart, als wollte er sich rasch von dem entfernen, was zeitlich noch allzu nahe bei ihm liegt."

Auch wenn wir so wenig gerne warten wollen, so zeichnet sich jedenfalls bisher der Befund ab, wir wissen ebenso genau, daß wir auf vieles warten *müssen:* wir müssen warten, bis die Äpfel im Garten reif sind, bis das Kind plötzlich einmal zu sich Ich sagt, bis wir eine Krankheit „auskuriert" haben; ob das neue Jahr Gutes bringt, das Wetter mitspielt, ob wir mit dem, was wir entschieden, auch das Richtige getan haben, ob uns gelungen ist, was wir wollten. Manchmal erfüllt uns auch ein Gefühl drängenden Wartens, ohne daß wir genauer wissen, worauf eigentlich? Wir spüren nur, irgend etwas wird kommen, irgend etwas muß sich verändern.

Wir bemerken: Warten hat viele Dimensionen, und es ist wahrscheinlich gut, sie auseinanderzudividieren; denn sonst passiert eines mit großer Wahrscheinlichkeit: Unser Ärger und negatives Gefühl beim Warten vereinigt sich mit den Beschleunigungsanforderungen der Leistungsgesellschaft. In dieser „unheiligen Alliance" wird Warten demnächst überhaupt abgeschafft.

Was alles also macht Warten so unangenehm und – gibt es auch ein angenehmes, erwünschtes Warten?

Stillstand ist Rückschritt

Unsere Arbeits- und Leistungsgesellschaft hat sich einst für eine wichtige Wertsetzung entschieden: Arbeit, Produktion sind etwas Gutes, nicht mehr bloß Mühe, Plage, Schweiß, im Gegenteil: In der Arbeit schafft sich der Mensch in seiner äußeren Welt erst wirklich neu, sie ist „Selbstverwirklichung", „Beruf(ung)". Die Arbeit vieler bringt Reichtum, ein bequemeres, schöneres Leben, der Erfolg ist Bestätigung, ja Segen göttlicher Auserwählung. Daher, „wer nicht arbeitet, soll auch nicht essen". Wir sind mit unserem „Sein" nicht mehr zufrieden, wir müssen ständig „tun". Dies ist zwar Menschenschicksal, wir sind nun einmal nicht eingebunden in die langen, sich gleichbleibenden Prozesse der Natur, für uns handeln weder Natur noch Artgesetzlichkeit, noch Instinkt. Wir müssen es selbst tun, müssen unser Überleben „produzieren", der Natur „abringen". Aber hier gibt es Unterschiede: Arbeitet man, um zu leben, oder lebt man, um zu arbeiten? Lange Zeit hielt man es eher mit dem ersteren; ja es gab sogar vielfach Arbeitsverbote, religiös begründet und deshalb noch im Mittelalter durchschnittlich weit mehr „Feiertage" als heute. (Es ist zu teuer, über Feiertage den Produktionslauf zu stoppen, und in Österreich hat man aus Erwerbsgründen am Marienfeiertag im Dezember die Geschäfte offenhalten dürfen.) Freilich, gar viel an Reichtum wurde damals nicht angehäuft; wenn, dann nur für wenige. Und die Arbeit war für viele eine wirkliche Plage. Andererseits konnte man Tun auch lassen, ohne schlechtes Gewissen und ohne Angst, Erwartungen nicht zu entsprechen; Feste wurden intensiver gefeiert, und man konnte „Zwischenzeiten" gut aushalten, angepaßt an Naturrhythmik und Schöpfungsordnung. Für den römischen Kalender in der Julianischen Reform ging, wie schon erwähnt, das Jahr im Dezember zu Ende, und man wartete auf den Frühling; er begann mit dem Fest zu Ehren des Gottes Terminus – einmal im Jahr zu Beginn einen „Termin", auf den man gerne wartete. Die Arbeitsgesellschaft hielt nicht mehr so viel von Natur- und Schöpfungsordnung und ihren „eigenzeitlichen" Rhythmen. Die Zeit wurde physikalisch, diente als Meßgröße für Arbeit und Leistung. Als solche fehlt ihr Rhythmus und Szenerie; sie wird linear, punktuell „charakterlos", ohne inneres „Maß" ist sie ablösbar von allen natürlichen, jahreszeitlichen und anderen Anbindungen. So kann sie auch leichter in Verbindung zum Geld treten; Zeit kostet ab nun etwas, sie wird zu *dem kost*baren Gut. Daher muß jede Ökonomie bestrebt sein, Prozesse zu beschleunigen, damit im Konkurrenzkampf die eigene Ware billiger und damit verkaufbarer gemacht werden kann. Handwerk wird teuer, man will nicht mehr so lange auf ein Produkt warten, und auch der Natur soll „nachgeholfen" werden; vielleicht um eine Ernte mehr, durch „Kraftfutter" schneller zum ökonomischen „Idealgewicht" von Kalb und Schwein. Arbeitsgesellschaft und „Zeitbeschleunigung" produzieren Arbeit; es muß immer mehr getan, produziert werden, man muß „wachsen"; Stillstand ist Rückschritt. Also treiben wir uns selbst in immer mehr Tun und vergessen unser Sein. Mit einer verzweifelten Ausnahme: Vieles haben inzwischen die noch Schnelleren, die Maschinen, übernommen, jetzt immer mehr die Computer, die Symbole der Gleichzeitigkeit, und viele Menschen „verlieren" ihre Arbeit. Sie „sind" nur mehr und warten – auf Arbeit; eine wertlos, entwertete Zeit, ein schlimmes Warten.

Wir leben in einer „Versäumnisgesellschaft"

Vergleichsweise zu unserer Geschichte leben wir in unermeßlichem Reichtum und Überfluß; nicht alle zwar, aber viele. Ein Überfluß an Waren, Informationen, kulturellen Angeboten, Reisemöglichkeiten usw. umgibt uns ständig. Nur weniges davon können wir wahrnehmen; ständig geht an uns etwas vorbei. Wir bemühen uns, möglichst viel zu konsumieren, unsere „freie" Zeit ganz auszufüllen, dennoch bleibt ein Defizit. Vieles rauscht an uns vorüber, berührt uns nur mehr aus der Ferne und erweckt Wunsch und Sehnsucht. Es begleitet uns das Gefühl, ständig etwas zu versäumen. Wir leben in einer „Versäumnisgesellschaft", und diese kann nicht warten. „Zeitzwischenräume" machen es nur um so bewußter; wieder versäume ich etwas, wieder bin ich irgendwo nicht dabei, wieder entgeht mir etwas. Nur – im Wahrnehmen aller Angebote verstreicht die Zeit noch schneller, wird noch knapper, und die Defizitgefühle steigen. Sie wollen in noch mehr an Ereigniskonsum befriedigt werden usw. Man verliert sich immer mehr an ein „Dauergeschehen" und findet immer schwerer zu sich zurück.

Will man das überhaupt? Zu sich zurück? Was findet man dort, und wer ist „dort"? Ist nicht „arbeiten leichter als leben" (B. Pesendorfer). Ist nicht Tun die beste Ablenkung von der Tragikomödie seines Lebens, das einmal aufhören wird und stillesteht, zum „ewigen Warten" verurteilt. Je größer und unbewältigbarer Probleme werden, um so naheliegender, vor ihrer „besetzenden Gewalt" davonzulaufen. „Als sie das Ziel aus den Augen verloren, verdoppelten sie ihre Anstrengung" (M. Twain). Hektisches Tun, Aktivismus (Nicht-warten-Können) ist also „Flucht nach vorne". Sie muß mißglücken, weil uns die Probleme immer wieder einholen, jedenfalls das letzte, der Tod. Unsere arbeitsam-arbeitsteilige Gesellschaft hat – nach der großen Pest – ein ausgeklügeltes Todesverdrängungsprogramm entworfen. Es besteht sowohl im Überwindungsversprechen (der Optimismus, der sich jetzt wieder bemüht, das „Lebensgen" zu finden) als auch im Ausschlußverfahren – man stirbt klinisch – sauber und allein. Ansonsten ist vielfach aufgeteilte Arbeit. Hochbewertet wurde sie auch schon früh, als „göttlich" verstanden, ähnlich dem Schöpfungsakt Gottes, den man als Mensch nun nachzuahmen, nachzuvollziehen aufgefordert war. Arbeit setzt Werke in die Zeit, überwindet den Fluß des Werdens und Vergehens. Sie ist daher auch immer mit Unsterblichkeits- und Todesüberwindungsvorstellungen verbunden gewesen. Die ersten todesüberwindenden Grabkammern, die Pyramiden, waren bereits dieses Symbol der Ewigkeit, und tatsächlich gibt es sie heute noch, wenngleich sie teilweise einem noch „ewigeren" Werk, dem Staudamm, weichen mußten.

Im Warten tut man „nichts"; man wird plötzlich auf sich zurückgeworfen, in einsame Stille. Man versucht es mit Ablenkungen, nimmt ein Buch, beobachtet andere, versucht zu schlafen; am wirksamsten ist aber die Ablenkung Arbeit, und sie hat den meisten Wert. Also hat man gottlob auch immer etwas mit in seinem Aktenköfferchen. Die Pause muß „gefüllt" werden. Das „Nichts", die Einsamkeit, die Stille, wir können sie schwer ertragen: Sie sind Einfallstore für ungelöste Probleme, für Fragen an sich selbst, die sonst nicht gestellt werden müssen, für „Gespenster" aus Vergangenheit und Zukunft. Letztlich für Erinnerungen an das ewige Stille bedeutende Ende. Das Tor soll geschlossen bleiben.

Ist nicht Warten ein Geschenk?

Andererseits: ist es nicht auch interessant, dem stillen Zwiegespräch in sich einmal zu lauschen, das zwar ständig spricht, selten aber Gehör findet? Ist nicht Warten ein Geschenk, in dem der Weg zu sich selbst verpackt ist? Schafft es nicht die zufällige Möglichkeit, Aufgeschobenes, Zurückgedrängtes in sich wieder aufleben zu lassen? Bedarf es nicht dieser Stille mit mir selbst, um nach lauter Aktivität und beschleunigtem Vorwärtsstürmen mich selbst wieder einzuholen, um nachzukommen? Ist dieses Zurück-geworfen-Sein nicht immer auch Erinnerung an Liegen-Gebliebenes, das sein Recht verlangt – heißt nicht „(Selbst)Reflexion" ohnehin das gleiche, nur theoretisch gesagt und rationalisiert?

Wir sehen: Warten ist nicht Warten; um es positiv anzunehmen, bedarf es einiger Voraussetzungen: Wir müssen wissen, warum es uns grundsätzlich so schwer fällt und was unsere Arbeitsgesellschaft und unsere ökonomische Eigenlogik dazu verschärfend beigetragen haben, und es scheint auch Selbstüberwindung angesagt; Annahme von Endlichkeit und Tod, ein Bremsen in der Flucht nach vorne – bei der wir schließlich, früher als gedacht und gewollt, am gleichen Ort, am gleichen Ziel anlangen. Vielleicht sind wir *allein* dazu nicht imstande; dies alles allein in grenzenauflösender Einsamkeit auszuhalten ist vielleicht eine Überforderung; zeitweise sollte man sie sich aber vielleicht doch abverlangen. Ansonsten: Man wartet ja nicht immer allein. Manchmal teilen sogar viele das gleiche Schicksal. Kann man gemeinsam warten? Natürlich nicht so jeder für sich, in nur kollektiver Einsamkeit. Wir haben es verlernt, uns in Gespräch und Gestik unbefangen aufeinander einzulassen, das Warten zum gemeinsamen Erleben zu machen. Stur starren wir vor uns hin und ärgern uns.

Die Flucht nach vorne abbremsen – es sagt sich dies leichter, als wir uns imstande sehen, es zu tun. Zuviel scheint gegenwärtig auf uns einzuströmen, das uns in Bewegung versetzt, ruhiges Betrachten erschwert. Es ist nicht nur die Angst vor dem Nichts, der Leere, der unerfüllten Offenheit, die uns Innehalten und Warten so schwer macht. Vor allem kommt der Widerspruch zwischen Aufforderung und Ohnmacht hinzu, der uns quält. Wir haben uns vor unsere eigene Geschichtsverantwortung gestellt, wissen, daß wir selbst es sind, die wir unsere Probleme lösen müssen, da wir selbst sie auch verursacht haben. Wir können sie weder an eine gütige Allmacht delegieren noch darauf hoffen, daß sich irgendwie alles von selbst regelt. Auch die Natur spielt nicht mehr mit – und wenn, indem sie uns Grenzen klarmacht. Immer mehr fallen auch gesellschaftliche Mächte aus, die früher aufgefordert und in die Pflicht genommen werden konnten. Der Ruf nach Verantwortung trifft jeden in seiner verzweifelten Ohnmacht und verhallt zugleich in kollektiver Anonymität.

Diese Diskrepanz belastet und ist Anlaß für Flucht. Ohnmacht versucht sich immer durch neue Aktivität zu überwinden, sie hält sich in ihrer lähmenden Kraftlosigkeit nicht aus. Und es ist viel verlangt, sie zur Kenntnis zu nehmen, ihren Ursachen nachzugehen, sie als Realität anzunehmen. Statt dessen fühlen wir uns individuell aufgefordert – schließlich wurde uns als Person ja zunächst Autonomie und Verantwortung zugeordnet –, und wir beginnen zu handeln, aktiv zu werden. Wir täuschen uns über unsere individuelle Machtlosigkeit hinweg.

Das können wir aber nur, wenn wir dort aktiv sind, wo wir es sein können, wo man uns läßt; d.h. in den Zusammenhängen, wo wir unseren Platz zugewiesen bekommen haben. Dort kompensieren wir allgemeine Ohnmacht, die Erhöhung unserer individuellen Leistung lenkt uns von jenen Problemen ab, für die wir auch sonst Zuständigkeit nicht mehr finden. Von dieser Leistung profitieren die eingerichteten Systeme, die uns zu weiterer Aktivität ermuntern. Sie sind es aber, die jene Probleme miterzeugt haben, die zur Lösung anstehen. Indem wir *in* ihnen aktiv sind, erhöhen wir die Aussichtslosigkeit, sie zu bewältigen.

Diese Situation bedrückt, und man will sie nicht so recht an sich heranlassen. Im Warten, in der Pause, der Stille meldet sie sich aber unabweisbar zurück. Deshalb ist „arbeiten leichter als leben", weil es ablenkt von den großen Zumutungen, die jetzt an uns herantreten. Unsere eingeordneten Arbeiten und Tätigkeiten haben uns in Gefängnisse der Einseitigkeit eingesperrt. Vielfach erkennen wir die Unvernunft des sogenannten Sachzwanges, unterwerfen uns ihm aber trotzdem. Wir haben uns Weltspiele aufgebaut, die uns als Schachfiguren hin und her schieben. Auf die Spiele selbst haben wir keinen Einfluß mehr; jedenfalls nicht als Individuum. Dennoch verlangt man Verantwortung, verlangt Problemlösungen, übersieht aber dabei, daß die Probleme nicht in den Spielen und ihren Regelkanons Bestandteil sind. Sie werden zwar erkannt, passen aber in keine Sachlogik mehr, der Sachzwang zwingt sie nach außen; dort bekommen sie einen unbestimmt „kosmologischen Charakter", werden zum Schicksal, demgegenüber es schon bisher keine tätige Macht der Menschen gab. Es ergeben anzunehmen wäre nur möglich, wenn man seinen Sinn anerkennen könnte. Dies fällt bei der gegenwärtigen Problemlage schwer. Unbefangenes, vertrauensvolles Annehmen und Warten auf gnadenvolle Fügung sind uns ebenso verwehrt, wie individuelle Erfolgschancen spärlich sind. Eine Flucht nach vorne, Aktivismus im Bestehenden, läßt uns rasch diesen Ort der Zumutung und Diskrepanz verlassen. Und wir bekommen Anerkennung für unsere ständig aktive Bemühtheit. In ihr läßt Konkurrenz auch kein Verharren zu. Gegenseitig treiben wir uns hinein und wollen uns noch übertreffen; wir flüchten um die Wette. Woher nehmen wir die Kraft für Auszeiten, die Geduld, in ihnen zu verharren?

Geduld

„Ein Mann war im Begriff, eine Beamtenstelle anzutreten. Ein guter Freund machte ihm seinen Abschiedsbesuch. ‚Es gibt etwas, was du nie vergessen darfst, wenn du Beamter geworden bist: immer Geduld zu haben.'
Der Mann versprach, den Rat zu befolgen. Sein Freund wiederholte jedoch diesen Rat dreimal, und dreimal nickte der zukünftige Beamte zustimmend. Als nun der Freund zum vierten Mal den Ratschlag vorbrachte, wurde der Mann ärgerlich. ‚Hältst du mich für einen Idioten? Wozu wiederholst du mir solche Selbstverständlichkeiten immer wieder?'
‚Siehst du', seufzte der Freund, ‚es ist nicht immer leicht, Geduld zu üben. Ich habe es nur wenige Male wiederholt, und schon verlierst du die Geduld.'"
(Geschichten von Hsüa Tao)

Geduld ist Haltung und Handlung

Um Geduld üben zu können, muß man Zeit verstreichen lassen können. Man muß überhaupt „lassen" können. Wenn wir es können, erwerben wir die Tugend der Gelassenheit, so verspricht man uns. Sie ist ein zu-lassendes In-sich-Ruhen, ein begleitendes Gewähren-Lassen, auch ein trennendes Los-Lassen und Ablassen von Verstrickung und Fixierung. Geduld als duldendes Dabeisein schafft den Weg dorthin, öffnet den Raum. Sie ist weniger Erdulden und Leiden, müde Passivität, Geduld ist Haltung und Handlung. Sie muß erworben werden und ist ein stetiger Akt der Selbstüberwindung.

Warum? Wir Europäer und Westlichen werden zur Tätigkeit gebildet. Es gilt bei uns der Macher und der Manager. Ein Aktivist ist jemand, der sich für eine Sache, eine Partei, eine Gesinnungsgemeinschaft besonders einsetzt und auszeichnet. Früh erfahren wir, daß „Müßiggang aller Laster Anfang ist", daß man heute besorgen soll, und nicht auf morgen verschieben, daß es verwerflich ist, sich auf die „faule Haut" zu legen, daß es ohne Fleiß keinen Preis gibt, daß man Gott nicht den Tag stehlen soll. Nicht tätig sein dürfen, arbeitslos zu sein führt dementsprechend zu Selbstentwertung und Depression. Nicht immer war das so; einst war man glücklich, nicht arbeiten zu müssen, und betrachtete das keineswegs als Mangel an Selbstverwirklichung. Im Gegenteil, man fand, daß Aktivismus vom eigentlich Wichtigen ablenkt, von sich, von der „Schau" Gottes, vom Lebensgenuß mit den anderen. Man bleibt kurz angebunden an die Ereigniskette endlichen Geschehens. Es ist zwar nicht zu leugnen, daß wir unserem geballten Fleiß (lat. industria) einen gewaltigen Fortschritt und Zivilisationsschub verdanken, auf den kaum jemand mehr verzichten will. Das Hamsterrad dreht sich aber immer weiter und immer schneller, obwohl wir das Tempo gar nicht mehr brauchen würden. Im Wichtigsten kommen wir nämlich anscheinend ohnehin nicht von der Stelle, auch wenn wir noch so schnell drehen, wir bleiben am Fleck. Unser Tätig-sein-Wollen(-Müssen) ist uns so in „Fleisch und Blut" übergegangen, daß wir uns auch dort Tätigkeiten suchen, wo sie weder angebracht noch vonnöten sind. Mit allem und jedem müssen wir uns „ins Benehmen" bringen, aus allem müssen Tat-sachen werden, alles muß mit uns „zu tun" bekommen. Etwas zu lassen, so wie es ist, macht uns nervös, wir müssen damit etwas an-fangen können. Fast schämen wir uns dafür und spüren Ohnmachtsgefühle.

Krankheit zwingt in einen anderen Zustand

Von den alten Ägyptern wird berichtet, daß sie die Regel hatten, bei auftretender Krankheit zunächst einmal drei Tage zuzuwarten. Erst zum Arzt zu gehen, wenn sich am vierten Tage keine Besserung einstellte. Man ließ sich also drei Tage Zeit, in denen man ohne Aufsicht und Kontrolle krank sein durfte.

Auch heute noch muß man in manchen Gegenden Europas dem Arbeitgeber erst nach dem dritten Tage eine ärztliche Krankheitsbestätigung bringen. Unsere Zeit ökonomischer Arbeitswelt kann aus ihren Gesetzen heraus diese Drei-Tages-Pause eigentlich nicht dulden; zwar gab es auch Mißbrauch, doch noch mehr Mißbrauchsverdacht. Jetzt „leistet" man sich immer weniger Krankheit, die Angst vor Arbeitslosigkeit ist zu groß. Der Statistik nach sind die Menschen plötzlich gesünder geworden. Die Medizin wird aber teurer und berichtet von anderen Entwicklungen (man wird eben mehr im Urlaub oder in der Pension, die oft früher angetreten werden muß, krank).

Für Krankheit, Leid und Leiden braucht man Zeit und oft Geduld; man braucht auch eine „andere" Zeit als die alltägliche. Gewöhnungszeit an den körperlichen und seelischen Zustandswechsel, Zeit für dessen Annahme, für ein realistisches Zulassen, aber auch Zeit für eine Beschäftigung und Aus-einander-setzung mit ihm (womöglich in Begleitung von anderen lieben Menschen, die ebensowenig aus der Alltagszeit entlassen werden). Da Tätigsein ausgezeichnet ist, auf der guten Seite der Wertskala aufgeschrieben ist, ist Leiden auf der negativen zu finden. Es „stößt uns etwas zu", es widerfährt uns etwas, wir können nichts dagegen tun. Leiden wird mit bloßem Hinnehmen, mit Passivität assoziiert. Man glaubt fast grundsätzlich, selbst nichts machen zu können, und dieses Selbst-nichts-machen-Können wird fast als Selbstaufgabe verstanden. Leiden ist der Gegensatz von Tun. Und die Geduld teilt mit ihm ihr Schicksal. Wir werden als Kranke zwar oft aufgefordert, geduldig zu sein, die Geduld läuft aber in die Leere. Sie wird zu einer sich selbst überlassenen Passivität; bekommt auch wenig Unterstützung aus der rundherum aktiven Umgebung.

Schwerer ist es offenbar, gegen seine alltägliche Aktivität aktiv zu werden. Doch gerade dies verlangen Krankheit und Leid. Man muß sich umordnen, Gewohntes verlassen, nachlassen, „nichts" tun. Zu diesem „Aus- und Umstieg" können wir gezwungen werden – es geht eben nicht anders –, aber es ist auch dieser Zwang, der uns nur allzu schnell passiv werden läßt. Tätigkeit, Arbeit ist Selbstverwirklichung, in ihr spüre ich mich und meinen Wert. In ihr erlebe ich meine konkrete Freiheit, was ich leiste und bin. Je selbstbestimmter die Arbeit, um so eindringlicher dieses emphatische Gefühl. Zwang, Abhängigkeit und Fremdbestimmung mindern dieses radikal. In ihnen wird man passiv. Krankheit zwingt in einen anderen Zustand, sie ist nicht gewollt. Sie scheint noch weniger Spielräume zuzulassen, als der Zwang am Arbeitsplatz, in der Organisation. Hinzu kommt aber, daß wir uns dennoch nicht so richtig hineinfallen lassen dürfen, wir sollen möglichst rasch wieder gesund werden. Denn Krankheit kostet doppelt Geld, durch die Zeit, die sie unproduktiv für sich braucht, und die Behandlung, die ihr zugeführt wird. Wie können wir aber gesund werden, wenn wir uns gar nicht selbst auf unsere Krankheit einlassen können, wenn wir sie nur passiv über uns ergehen lassen? Ganz offensichtlich nur mit sofort einsetzender fremder Hilfe. Der eine Zwang wird mit dem anderen auszutreiben versucht. Die schicksalhafte Fremdbestimmung wird kompensiert durch jene der „Experten". Sie sind die neue Aktivitätsbrücke zu meinem Selbst, verpflichtet, mich rasch wieder gesund zu *machen.* Zwar sprechen auch sie von der Notwendigkeit der Selbstheilungskräfte, aber wo findet sich Kraft in einem Zustand geförderter Passivität? Die Kraft, um die es hier geht, ist nicht die sonstiger Aktivität, sie ist nicht aufgabenbezogen und zielgerichtet. Selbstheilung besteht vielmehr in einem besonderen und neuen Sich-selbst-Erfassen, Zur-Geltung-Bringen, seiner Gewahr-Werden. Diese Kraft funktioniert nicht auf Knopfdruck. Sie ist die Kraft der Gewöhnung, der Übergänge, manchmal auch die einer Neubestimmung. Kranksein heißt oft Anders-werden-Müssen, passives Leiden hilft meist nur dem Krank-Bleiben, der Wiederherstellung des alten Zustandes.

Geduld ist Selbstüberwindung

Geduld ist Selbstüberwindung, so lautete zuerst die These. Leiden und Krankheit sind meist intensive Bewegungen von einem Selbst zum anderen. Überwunden werden muß aber nicht bloß das alte Tätig-sein-Wollen, das unser sonstiges Arbeitsverhalten nun auf den Krankheitszustand zu übertragen sich anschickt, sowie unsere Passivität, die sich weigert, den veränderten Zustand anzunehmen. Geduld ist also nicht passives Dulden. Sie ist vielmehr der Ort einer anderen, umfassenderen und reflexiven Aktivität.

Ungeduldig sind wir meist auch als Lehrende, vermeintlich Wissende. Wir wähnen uns schon an den Ort angelangt, wohin wir die Schüler, die Studenten hinbringen wollen. Wir treten also anscheinend auf der Stelle, während andere noch mühsam Hindernisse bewältigen müssen. Ihre Mühe werten wir oft als Widerstand, als gegen uns und unser Bestreben gerichteten Angriff. Oder wir legen als Begriffsstutzigkeit aus, was sich auf unfreiwilligen Umwegen plagt. Der schon Wissende versteht nicht mehr, wie schwer es ist, in seinen Bezirk zu kommen, für ihn ist alles so klar, so evident, so einsichtig. Seinen eigenen Weg hierher hat er vergessen und nimmt an ihm kein Maß für andere. Vielleicht will er ihnen auch eigene Plagen ersparen und den Königsweg legen. Weitergabe soll eben eine Gabe sein, der man ihr Zustandekommen, ihre Geschichte nicht mehr ansieht. Gabe erwartet Dank – eine Form davon ist schnelles Begreifen und Nachvollziehen.

Der Weg zum Wissen ist aber verschlungen, und man lernt nie in Resultaten. Zusammengepackte Einzelportionen, die so als Ende dastehen, sind nicht genießbar, und stark ist die Verführung zur Zerstreuung.

Lehren ist daher geduldiges Begleiten in ständiger Spannung zwischen Fordern und Lassen, und es muß auch unterschiedliche Geschwindigkeiten zulassen. Nicht alle Menschen sind gleich schnell, und träumerische Langsamkeit muß nicht Abwesenheit bedeuten. Nacherzählen und Auswendiglernen mag schneller gehen. Es hat dies aber wenig Bestand und ist nicht verankert im Schutz der Erinnerung.

Experten sind ungeduldig

Auch „Experten" sind ungeduldig. Sie erklären schnell, kurz und bündig, sei es, daß sie sich für klar und verständlich in ihrer Auskunft halten, sei es, daß sie der Meinung sind, die Laien verstünden ohnehin nichts. Letztere fragen auch nicht nach. Sie wollen nicht als dumm und begriffsstutzig dastehen, nicht die Zeit des vielbeschäftigt Wichtigen über Gebühr in Anspruch nehmen. Tun sie es doch, erfahren sie meist mißbilligendes Erstaunen auf gegenüberliegender Seite, erhalten die Auskunft noch einmal, meist etwas lauter oder eindringlicher. Will man nicht endgültig als aufgegeben gelten, fragt man nicht (ein drittes Mal) nach, sondern bescheidet sich mit den verstandenen Bruchstücken. Sicher, die Zeit der Experten ist kostbar, denn schon wartet der nächste. Im Grunde fördert aber Ungeduld hier Macht und Intransparenz. Expertokratie und Expertengläubigkeit bedingen sich gegenseitig. Befragung braucht Zeit und stellt die Geduld des Wissenden auf eine harte Probe.

Spezialistisch erworbenes und abgesichertes Wissen hat nämlich keine „Zwischenräume". Es hat seinen feststehenden Zusammenhang, und der ist lückenlos. Und wenn auch noch so viele Fragen kommen, es *muß* immer repetiert werden. Reißen Fragen Lücken auf, passen sie nicht hierher, sind lästig, störend, müssen überhört werden; wenn nicht, erzwingen sie ständiges Wiederholen, und die Wiederholung des stets Gleichen macht uns ungeduldig. Experten sind aber gezwungen, immer wieder dasselbe zu sagen, es geht ja um abgesichertes Wissen. Das kann sich nicht einfach auf Fragen hin ändern. Dauerhaftigkeit, ein Sich-Gleichbleiben wird ohnedies erwartet, und so scheut man sich auch als Laie weiterzufragen. Ungeduld will also Vorgänge beschleunigen, nicht bloß, weil ihre Wiederholung Langeweile macht, sondern weil sich in Raum- und Zeitzwischenräumen Unsicherheit einstellen kann, sich die Begrenztheit und Endlichkeit von Expertise zeigt.

Wiederholungen machen ungeduldig

Die alte chinesische Geschichte spricht von einer Beamtenstelle; für sie bedürfe man besonders der Geduld. Bürger, „Parteien" kommen stets mit demselben und bekommen immer dieselben (gesetzlich vorgesehenen) Antworten. Oft betrifft deren Inhalt das Leben der Vorsprechenden. Nicht immer sind Auskünfte klar und nachvollziehbar, manchmal will man sie auch so nicht, wie sie gegeben werden. Am Gesetz aber kann der Beamte nichts ändern; auch wenn er wollte und manche Ungerechtigkeit sieht. Mit den Betroffenen nun darüber zu diskutieren, ändert meist nichts am Resultat, ist also überflüssig. Es gefährdet nur die eigene Autorität sowie die des Staates, den man zu vertreten hat. Autorität erhält sich aber, so jedenfalls die traditionelle Meinung, wenn sie sich wiederholt, gleichbleibt. Wenn sie sich verändert, andere Positionen annimmt, dem Gegensatz zu sich recht gibt, gefährdet sie sich. Andererseits muß der Bürger auch wissen, was der Staat von ihm will. Seine Fragen müssen beantwortet werden. Oft nun geschieht dies schnell und unfreundlich, wie dies auch die Geschichte sagt. Die Auskunft soll nicht befragt, nicht verstanden, sondern befolgt werden. Eigentlich genügt das erste Mal. Jedes weitere vergeudet Zeit. Es muß eingehämmert, nicht erklärt werden. „Bürgernähe" will ein anderes Konzept verfolgen. Freundlichkeit, Auskunfts- und Erklärungspflicht werden propagiert; zugleich Beamte eingespart. Das Erledigungspensum wird größer. Woher die Geduld nehmen, die man für das Herstellen von „Nähe" braucht?

Das Alter zeigt sich nachfolgenden Generationen oft als starr, unbeweglich, intolerant. Es wiederholt sich immer wieder in Meinung und Ansicht, geht nicht auf Fragen, auf veränderte Situationen, auf andere Wertvorstellungen ein. Will man mit ihm auskommen, braucht man viel Geduld. Dann kann es manchmal auch gelingen, daß man verstanden wird, daß dem eigenen Eindruck nach die Alten ein klein wenig „dazugelernt" haben. Dem Älteren erscheinen die Jüngeren oft als naiv, unerfahren, bereit, in alles hineinzutappen, was nach ihren Ansichten zu Enttäuschung und Mißerfolg führen muß. Wie gern würde man ihnen dies ersparen, ihnen die eigene Erfahrung zur ihrigen machen. Denn vieles hat man erfahren und einiges gelernt. Man will nicht, daß die Jungen die eigenen Fehler wiederholen. Denn immer scheint es sich wieder um dasselbe zu handeln. Diese Wiederholungen machen ungeduldig, und es macht müde, sich selbst wiederholen zu müssen. Erfahrungen verschiedener Generationen sind, obwohl sich Inhalte gleichen mögen, nie deckungsgleich, aus einem einzigen Grund: die einen haben sie gemacht, die anderen noch nicht. Gemachte Erfahrungen haben aber einen ganz anderen Charakter als ausstehende, noch nicht erprobte und gehandelte. Je älter wir werden, um so mehr Erfahrung sammelt sich an; gute und schlechte. Nach ihnen ordnen wir aber nicht nur unser bisher gelebtes Leben, sondern auch unser zukünftiges. Nach ihnen urteilen wir, sie sind unser Vor-urteil für alles, was noch kommt. Sie haben uns geprägt und sind unsere Sicherheit für weiteres Leben. In ihm findet sich auch die nächste und übernächste Generation. Sie erhält in dieser Sammlung ihren Ort. Ist einvernommen und beurteilt. Aus dieser Erfahrung auszusteigen ist schwer und braucht viel an Geduld, nicht nur mit den Unerfahrenen, sondern vor allem mit sich selbst. Die ersteren müssen „wiederholen" dürfen, man selbst aber gerade nicht. Die eigene Erfahrung nützt den anderen nicht, man kann sie nur lassen und wohlwollend begleiten.

Warum macht Wiederholung ungeduldig? Schätzen wir es doch, wenn die Sonne morgens immer wieder aufgeht und der Frühling wiederkommt, wenn wir ein gutes Essen wieder bekommen und die Lust der Liebe genießen können. Hier wollen wir Wiederholung und wären über Veränderungen betrübt und erschrocken. Anders aber mit unseren Werken. Immer dasselbe hervorbringen läßt uns das Gefühl haben, auf der Stelle zu treten, nicht vorwärts- und weiterzukommen. Bereits das Ende erreicht zu haben, nichts mehr weiterbringen zu können. Wiederholungen bringen Grenzerfahrungen, und die letzte Grenze ist der Tod; er erscheint hier und zeigt uns unsere Ohnmacht. Wir müssen stehenbleiben, im Abschluß verharren, es gibt kein

Darüber-Hinaus. Wiederholungen sind nicht bloß langweilig (auch der Tod ist die längste Weile), sondern „nervend". Sie regen uns auf, obwohl sie von sich aus eigentlich harmlos sind. Wir kennen sie ja schon, sie können uns weder überraschen noch überwältigen. In anderen Zusammenhängen geben sie uns Sicherheit, Rahmen, Fundament. Hier aber ärgern wir uns gerade darüber: daß wir uns selbst wiederholen, nicht mehr verändern können, unser Leben damit eigentlich beschlossen ist.

In unseren Werken, unserer Produktion wollten wir seit jeher den Tod überwinden, zumindest Leben sichern und verlängern. Insbesondere unsere Neuzeit hat sich darauf konzentriert. Da aber der Tod nicht so leicht besiegbar scheint, brauchen wir immer neue Veranstaltungen gegen ihn, denn die alten haben es nicht geschafft. Sie dürfen daher auch nicht wiederholt werden. Stillstand bedeutet Resignation vor unserer letzten Grenze. Ungeduld läßt ihn nicht aufkommen, treibt ständig über ihn hinaus. Wir dulden unsere Grenze nicht, nicht unsere Abhängigkeit und Ohnmacht ihr gegenüber, gegen die sich anscheinend nichts *machen* läßt. Die Ungeduld, das laute Mit-den-Füßen-Scharren, läßt uns überhören, wem wir letztlich angehören. Der aus ihr folgende Aktionismus nimmt sich aber auch die Chance, den Widerspruch realistisch zu nehmen und in ihm zu leben. Er beschleunigt uns ins immer Neue ohne Pause, Stillstand, und den Genuß am bereits Geschaffenen. Er nimmt uns das Glück der Ruhe, eine Weile sich beim Gleichen zu befinden. Der Widerspruch aber scheint zu lauten: Wir müssen etwas tun, bestrebt sein, auch unsere letzte Grenze zu überwinden, wir werden sie nie als Menschen überwinden. Die eine Seite gewährt freies Schaffen, die andere läßt darüber nachdenklich sein.

Die Nach-denklichkeit der Erinnerung

„Ist die Zukunft die für unser Erleben aktuellste und in diesem Sinne primärste Dimension der Zeit, dann ist die Vergangenheit als Gewesensein die mächtigste. Lautlos kommt sie hinter uns drein, alles im Unantastbaren versammelnd und verwahrend."
(Bernhard Welte, Meditation über Zeit)

Was wie Stillstand aussieht, ist höchste innere Bewegung

Noch einmal Milan Kundera:

„Es besteht eine geheime Verbindung zwischen der Langsamkeit und dem Gedächtnis, zwischen der Geschwindigkeit und dem Vergessen. Denken wir an eine äußerst banale Situation: Ein Mann geht auf der Straße. Plötzlich will er sich etwas ins Gedächtnis rufen, doch die Erinnerung versagt. In diesem Moment verlangsamt er automatisch seine Schritte. Umgekehrt beschleunigt jemand, der versucht, einen gerade erlebten schmerzlichen Vorfall zu vergessen, unbewußt seine Gangart, als wollte er sich rasch von dem entfernen, was zeitlich noch allzu nahe bei ihm liegt.

In der existentiellen Mathematik bekommt diese Erfahrung die Form zweier elementarer Gleichungen: Der Grad der Langsamkeit verhält sich direkt proportional zur Intensität der Erinnerung; der Grad der Geschwindigkeit verhält sich direkt proportional zur Intensität des Vergessens."

Von den griechischen Denkern, Philosophen, wird berichtet, daß man sie zeitweise am Markt, auf der Straße stehen sah, daß sie im Gehen plötzlich innehielten und stillstanden. Sie dachten nach, waren in sich versunken. Es war das wohl auch damals nicht das Normalverhalten der Bürger, von einigen aber war man es gewohnt, und man fand es nicht weiter auffällig und erwähnenswert. Schließlich stand Denken (Theoria) in hohem Ansehen, warum sollte es nicht seine Gestik, seine körperliche Sichtbarkeit haben? Nach-denken kann nicht im Fort-bewegen entstehen, es muß stehen-bleiben, verharren, zurückblicken. Es muß sich herauslösen aus dem normalen alltäglichen Voranschreiten, muß Rück-Sicht auf das bereits Geschehene (ein)nehmen. Erlebtes, Vergangenes, Getanes werden erinnert, re-flektiert, bekommen im Denken ihren Platz. So wird wiederaufgenommen, was war, es wird aus seinem Ort in der Geschichte geholt und wieder in Bewegung gebracht; in den gegenwärtigen Augenblick hineingenommen. Was wie Stillstand aussieht, ist höchste innere Bewegung. Man bleibt stehen und läßt die Vergangenheit nachkommen. Im Nun, im Hier und Jetzt bekommt sie ihren Stellen-Wert. Das Leben wird in sich zusammengeschlossen. Es bekommt Fortlauf und Kontinuität. Im nach-denkenden Verharren gibt sich der Denker den inneren Zusammenhang seines Lebens. Und immer wieder muß dieser neu hergestellt werden; denn im Weitergehen kommt Neues dazu und, dieses aufgenommen, schreibt allemal die Vergangenheit um. Dies kann mit uns bloß geschehen, ohne daß wir wissen, was uns dabei geschieht. Denken steht im Anspruch, davon wissen, auch das Geschehen ordnen und gestalten zu wollen. In jedem Fort- und Weiterschreiten zerfällt aber diese Ordnung wiederum, und wir selbst zerfallen mit. Wir zer-streuen uns selbst und haften an Teilen. Ein Unterbrechen und Innehalten kann diese wieder zusammenfügen. So sind sie eigentlich Wiederherstellungen.

Ständig wird man zum Weiterdenken aufgefordert

Sicherlich, auch bei uns gibt es Orte des Nachdenkens, der Muße, der Stille. Sie sind sogar institutionalisiert, man kann sie extra aufsuchen. Im Alltag, in der Arbeit und der normalen Freizeit aber sind sie selten geworden; dort gehören sie nicht hin. Wie wäre es, wenn heute Menschen im Stadtgetümmel plötzlich stehen blieben und dort und da, in sich versunkene Verkehrshindernisse, zu um-gehen wären. Griechisches Verhalten wäre heute als verrückt bezeichnet, beschleunigtes Gehen ist geboten. Wir denken auch anders, schneller, auf ein Resultat bezogen, in vorgegebenen Bahnen, intelligent geschult, behende im Material. Vor-denken ist angesehener als nach-denken, bestenfalls darf man quer-denken, d.h. quer durch das hindurch, was gerade ist. Auch zum Weiter-denken wird man ständig aufgefordert, ohne oft den Standort erreicht zu haben, von dem aus es ein „Weiter" gibt. Je mehr wir aber den Verlust spüren, um so heftiger denken wir uns etwas dazu. Immer neues Wissen häuft sich aggregathaft zum alten. Das Denken produziert und läuft sich selbst davon. Es verliert sich an seine Produkte und hat nur mehr in ihnen Sinn. Ein verharrendes Heraussteigen aus der in sich verketteten Abfolge, ein in sich Versunkensein sind nicht mehr verlangt.

Freilich, die Griechen hatten es leichter. Es war ein an-fängliches Denken bei ihnen, und in ihm war noch alles. Man begann erst zu denken, und Wissensprodukte gab es noch nicht so viele. Allerdings war ein tiefer Einschnitt und Bruch zu bewältigen, nämlich der vom Mythos, der Kunstreligion ins Zeitalter des Logos, des Denkens, der Wissenschaft. Und hier war das Denken nicht mehr so anfänglich, es war von reicher Vergangenheit umgeben.

Tausend Geschichten über Götter, Göttinnen, Nymphen, Satyrn, Heroen, Halbgötter, homerische Gesänge, Tragödien, alles war da und immer noch gegenwärtig, und es begleitete tief innerlich auch das beginnende Denken. Es konnte sich noch so frei und anders finden, seine Distanzfähigkeit erfahren, es konnte über seine Macht begeistert sein, in der sich erstmals der Mensch als Maß aller Dinge der Seienden, daß sie sind, der Nicht-Seienden, daß sie nicht sind, verstand, es blieb dennoch angebunden an das, was war. Mit ihm konnte das Denken zwar sophistisch zaubern, allen bestimmten Wert in sein Gegenteil verkehren, ganz allein aus sich heraus anfangen konnte es aber nicht. So war es wohl auch nicht verwunderlich, daß es immer wieder verharrte, stehenblieb, durchzuckt von Einfällen aus der alten Welt, die es sich nun neu aneignen mußte. Anamnesis, Wiedererinnerung hieß der Vorgang, in dem man bemerken konnte, was unbewußt schon gedacht und dargestellt war, was in neuer Form, durch-dacht, mit der Gegenwart des Denkens zu verbinden war. Gerade weil der Bruch aber radikal und prinzipiell war, bedurfte es besonderer Heilung. Insofern war Nach-denken und Wiedererinnerung geboten, um Kontinuität zu ermöglichen.

Bald stellte sich wohl auch heraus, daß vom Denken zweierlei Gebrauch gemacht werden kann. Man kann um- und weiterdenken, und man kann nachdenken. Das ist nicht dasselbe. Das eine bezeichnet eher Wissenschaft, das andere Philosophie. Die Wissenschaft will bestimmtes Wissen, sei es zur Erklärung und zum Verstehen, sei es für Anwendung und Gebrauch. Die Welt und die Menschen sollen denkend erfaßt, begriffen werden. Im Begriff erfahren sie, wer oder was sie sind. Darüber wird in der Wissenschaft entschieden. Das Denken setzt sich *seine* Welt, und diese ist etwas anderes als die zunächst gegebene, vorhandene. In ihr legt sich also der Mensch aus und findet sich dort als in seinem Eigentum. Auch wenn die Griechen mehr am Verstehen interessiert waren und weniger am Gebrauch (das war Sklaventätigkeit), sie haben die Weichen gestellt, Denken als Quelle von Wissen, Wissenschaft, Technik zu verstehen. Philosophie aber hat seit Sokrates etwas mit Nicht-Wissen zu tun, also führt Denken hier zu einem anderen Resultat. Es will nicht wie Wissenschaft (Episteme) bestimmtes, brauchbares Wissen, es will sich vielmehr als Instanz einer vorerst immer leeren (nichtwissenden) Differenz festhalten. Es will Nachdenken, auch über Wissen. Wissenschaftliches Denken ist immer schon an bestimmtes Wissen angekettet und geht ihm entlang weiter. Es ist Weiterdenken. Philosophie zwingt sich auch hier zum Innehalten. Sie rät stehenzubleiben, alles zu betrachten und mit sich zu verbinden. Bei den Griechen ist sie nur mit Muße zusammen möglich; man braucht Zeit, um über alles ringsherum nachdenken zu können, und man braucht um so mehr, je mehr an Verpflichtungen und Ansprüchen, an Vorgeformtem und Bestimmtem schon besteht. Denn schließlich geht es um nichts anderes als um die jeweilige Beantwortung der Frage nach dem Guten und nach dem

Sinn. Denn wo Denken ist, muß es sich diese Frage selbst beantworten. „Am siebenten Tage aber ruhte er, sah zurück und sah, daß es gut war." Ein Mißverhältnis wird deutlich: Je mehr es an Wissen, Wissenschaft, Technik, Gebrauch von Wissen, Weiter- und Umdenken gibt, um so mehr Muße müßte eigentlich zur Verfügung stehen, um im Rückblick entscheiden zu können, was gut ist. Das Gegenteil findet statt: Es gibt immer weniger davon, unser Denken befindet sich im Wissen und meint in seiner ständigen Weiterproduktion auch schon genug nachgedacht zu haben. Diese zer-streut aber weiter, läßt uns in uns selbst zerfallen. Voll von Wissen werden wir in uns leerer, und wir bekämpfen die Leere mit einem Mehr-Desselben. Zwar sagt man, daß die Ökonomie den Fortschritt und die Wissensproduktion weitertreibt. Sie mag wohl eine Quelle sein. Die andere ist das auf Produktion reduzierte Denken selbst, das sich ohne Selbstdifferenz, ohne Innehalten und Muße aus sich selbst weitertreibt und sich am falschen Ort mit sich selbst zu versöhnen sucht.

Auch die Philosophie nimmt anderen Nach-denken ab

Auch die Philosophie scheint ihren Ursprung im Nicht-Wissen, im voraussetzungslosen Nach-Denken vergessen zu haben; auch sie produziert Wissen, gibt Antworten und verwaltet ihre eigene Tradition, sie hat sich dem Druck nicht entziehen können. Arbeitsteilig zuständig gemacht für Letztaussagen, Universalia, Wert und „Weisheit", fand sie sich in der seltsamen Pflicht, andere Menschen über ihr Wesentliches aufzuklären. Sie hat sie damit nicht zum eigenständigen Nachdenken gebracht, sondern ihnen vorgesagt, was nachzusagen war. Das erspart dem einen Zeit, dem anderen schenkt es institutionalisierte Muße, die aber leer bei sich selbst bleibt, ihren Anschluß an die umgebende Welt verliert. Die allgemein beklagte Unverständlichkeit der Philosophie liegt weniger daran, daß sie von den „höchsten Dingen" spricht („das ist mir zu hoch", hört man oft), die gingen ja alle an, sondern daß sie den anderen das Nach-denken genommen hat. Das kann man nicht in abgepackten Resultaten zurückgeben; dann erwarten, daß die beglückten Empfänger das Paket aufschnüren und froh der Gabe weise werden. Im Wissen, in der Wissenschaft, in den Denkprodukten gibt es notwendige Fremdbestimmung. Man muß zuerst viel übernehmen, aneignen, lernen, bevor man soweit ist, gegenüber dem „Gegenstand" frei zu sein, und manche erreichen diesen Zustand nie und sind dennoch wertvolle Arbeiter, Reproduzenten ihres Faches. Im Philosophieren muß trotz und gegen alles Wissen die Freiheit am Anfang stehen. Sie ist doch nur ein anderes Wort für ein Denken, das sich durch keine Vorgabe und Autorität imponieren läßt. In dieser Sichtweise ändert Philosophie allerdings ihren „klassischen" Charakter. Ihre Aufgabe ist es, nicht mehr Wissen weiterzugeben und zu vermitteln, sie besteht vielmehr in der Organisation von Muße und Nachdenken. Arbeitsteiligkeit muß wohl hier zurückgenommen werden, die Frage nach dem Guten darf nicht von einigen für alle anderen beantwortet werden.

Ohne Muße kein Nachdenken

Der verdichtete und in beschleunigter Abfolge ablaufende Alltag hat in sich keinen Anker für oben Vorgesehenes. Pausen sind längst gefüllt, Heraustreten ist Risiko; man verliert schnell den An-Schluß. Passiert dennoch einmal Unterbrechung, Stille, Nichts, tritt Nervosität oder Langeweile in den offen gewordenen Raum. Nachdenken wird verdrängt, die Leere muß wiedergefüllt werden. Muße ist uns gründlich abgewöhnt worden. Wir vertragen sie nicht mehr, fühlen uns unnütz in ihr, abgewertet, leer und ängstlich. Tätigkeit, Arbeit, Aktivität müssen sein, damit wir uns spüren, wert halten. Es zwingen uns auch keine Autoritäten oder Institutionen zum Innehalten. Es wäre richtig, so hörte man unlängst im internationalen Konkurrenzkampf, „alle Feiertage auf den Sonntag zu verlegen". Schon jetzt laufen vielerorts die Schichten durch. Die Versorgung durch die Medien erspart uns den „Feier"abend. In ihr wird vorgedacht, aus ihr nehmen wir unser Realitätsbewußtsein. Lückenlos geht es in den Schlaf. Aber auch in den Medien wird immer weniger vorgedacht, um so mehr angepaßt. Einschaltquoten und ihre steigende Bedeutung für die kommerzielle Seite werden als Wunsch-Erfüllungs-Demokratie ausgegeben. Längere Pausen im Rundfunk- oder Fernsehprogramm lösen Panik aus, in den Betrieben selbst die höchste Alarmstufe. Man kommt nicht mehr „hinein" in die verdichtete, gefüllte Zeit. Es gibt in ihrem Ablauf keine Unterbrechung, die nicht als störend empfunden wird. Aber ohne Muße kein Nach-denken, ohne Nachdenken keine Lebenskontinuität. Die Frage nach dem Guten wird nicht mehr gestellt.

Wir haben viel an Wissen angehäuft und brauchen dafür ein gutes Gedächtnis

Unsere Gesellschaft hat in letzter Zeit sehr viele Titel bekommen, einer davon lautet „Informationsgesellschaft". Informationen, Wissen sind also die erhaltende Substanz unserer Gesellschaft, was einer wissenschaftlich bestimmten Welt plausibel klingt. Informationstechnologien werden zu *dem* Handwerkszeug, sogenanntes Wissensmanagement zur ersten Tugend. Tatsächlich kann wohl unsere weltgesellschaftliche Zivilisation ohne diese Technologien nicht Bestand haben, und es kann auch nicht schaden, Wissen besser zu bündeln, transparenter, austauschbarer zu machen; es soll effizient sein, d. h. besser und schneller an dem Ort sein, wo man es braucht. Für ökonomische Zusammenhänge jedenfalls ein großer Konkurrenzvorteil.

Wir haben viel an Wissen angehäuft und brauchen dafür ein gutes Gedächtnis. Lexika, Nachschlagewerke, Enzyklopädien, Fachbücher sind nicht mehr ausreichend. Wir benötigen Datenbanken, Speicherkapazitäten, CD-ROMs, und für den Austausch und den Abruf funktionierende Datennetze (on-line, Internet, e-mail etc.). Sie sorgen aber nicht nur für einen unverlierbaren Bestand (manche bezeichnen ihn zwar als Informationsmüll, dennoch ist beachtenswert, was Menschen heute alles gespeichert haben), sie halten alles ständig zur Verfügung. Man hängt mit seinem Computer, wenn man ihn technisch beherrscht, sozusagen am Dauertropf des menschlichen Gesamtgedächtnisses. Diese Tatsache hat narkotisierende Wirkung und schaltet streckenweise das eigene Gedächtnis aus. Der Weg zu ihm zurück dauert auch zu lange, und wer weiß, ob er erfolgreich zurückgelegt werden kann. Aus dem „Netz" aber bekomme ich alles sofort, ohne Umweg und Zeitverlust.

Eigentlich hat die Informationstechnologie unseren individuellen Kopf, unser Denken entlastet. Früher mußten wir mehr im Gedächtnis behalten, was heute nach außen verlagert werden kann. Es müßte eigentlich mehr Kapazität zum Nach-denken vorhanden sein. Sie scheint aber nicht genützt; lieber spielen wir mit dem Computer und füllen unsere Zeiten mit Selektion und Ordnung von Informationen. Sicher, es gibt eine neue Art von Entdeckerfreude am Kontinent der virtuellen Welt, die uns jene ersetzt, die in einer bekannten alten Welt nicht mehr befriedigt werden kann, was wir aber entdecken können, ist schon vorgedacht und in eine abgerundete Informationsgestalt (bit) gegossen. Diese erlaubt wenig Bewegungsfreiheit. Das scheinen wir zu spüren, was einen gebräuchlichen Ausweg nahelegt: Wir steigern die Quantität. Mehr Informationen vermitteln das Gefühl größerer Beweglichkeit. Es stellt sich dieses Gefühl aber nur ein, wenn sie rasch zur Verfügung stehen, uns förmlich überschwemmen. Auf diese Weise beschleunigen wir den Umlauf der Informationen und letztlich uns selbst. Die Überfülle kann einen Dauerdruck produzieren, aus dem schwer auszusteigen ist, weil man ihn nur auf der gleichen Ebene meint überwinden zu können, indem man eben noch mehr Informationen glaubt abrufen zu müssen.

Geschwindigkeit erhöht Vergessensintensität, so war die Aussage Kunderas. Was aber vergessen wir? Natürlich wiederum die vielen Informationen, die einmal durch unser Leben gezuckt sind. Wir können die Überfülle nicht behalten. Damit gehen sie aber nicht verloren. Es beruhigt, daß sie gespeichert, prinzipiell vorhanden bleiben. Wir müssen sie nicht mehr in uns halten, wir haben sie greifbar archiviert. Neben dem Wort Gedächtnis gibt es aber noch das Wort Erinnerung. Könnte es sein, daß wir auf sie vergessen?

Erinnerung richtet sich zwar auch auf etwas, das im Gedächtnis geblieben ist, sie übernimmt es aber nicht einfach, sie denkt es nach. Er-innerung ist so ein Prozeß der Ver-innerlichung, in dem ich etwas, das war, mit meinem ganzen Inneren zu verbinden suche. Und dies ist kein Vorgang der Speicherung, der Ablage. Im Gegenteil: Abgelegtes wird reaktiviert, neu benützt, fruchtbar gemacht, verändert. Erinnerung ist so immer eine Umformung dessen, was war, niemals bloß Gedächtnis. Sie verbindet Vergangenes mit Gegenwärtigem und stellt es in ein neues Licht. Oft bekommt es einen anderen Sinn als der im ursprünglich Erlebten vorhandene. Oft sogar den gegenteiligen. Informationen produzieren nie ihr Gegenteil; sie sind, was sie sind. Nicht immer ist erinnern angenehm; manchmal führt es in einen Trümmerhaufen, auf dem wir unverbunden stehen; jedenfalls kann es anstrengend sein. Mit Information und Gedächtnis können wir Erinnerungen zuschütten, aufs Erinnern vergessen. Verdichten und Beschleunigen nehmen dem Erinnern Platz; sollen wir uns nur mehr im Gedächtnis bewegen? In der Welt vorgedachter Informationen? Die Informationen sind „draußen" vernetzt, nicht mehr „in uns". Sie brauchen uns nicht mehr, wir müssen sie auch nicht mehr verinnerlichen, nur mehr aneinanderknüpfen; das hat mit uns und unserer Geschichte wenig zu tun. Flüchten wir vor uns selbst? Oder findet ein großes Abschied-Nehmen statt? Ein Abschied von individueller Eigenständigkeit, von Besonderheit und Innerlichkeit? Müssen wir deshalb vor uns davonlaufen, weil es uns so wie bisher demnächst gar nicht mehr geben wird?

Erinnerung bremst Fort-schritt, Geschwindigkeit erhöht die Selbstvergessenheit. Machen vielleicht Vergessen und Geschwindigkeit auch glücklich?

Das Glück der Geschwindigkeit

„Die Geschwindigkeit ist die Form der Ekstase, mit der die technische Revolution den Menschen beschenkt hat."
(Milan Kundera)

Geschwindigkeitsrausch: Ist er Zuflucht?

Mythen, Märchen, Gleichnisse sprechen seit alters her von Menschenträumen: Fliegen können, mit Siebenmeilenstiefeln rasch große Entfernungen zu überwinden, mit der Drehung eines Ringes unsichtbar zu werden, und der Traum aller Träume, jemanden bei sich zu haben, der alle Wünsche, die man hat, prompt in Erfüllung gehen läßt. Das eine sind die Wünsche, das andere ihre Erfüllung. In vielen Geschichten zeigt sich, daß es nicht zum Glück geführt hat, wenn ein Wunsch in Erfüllung ging. Eine ambivalente Haltung gegenüber unseren Wunschträumen wird sichtbar: Einerseits wünschen wir uns vieles, bis hin zum Menschenunmöglichen – wir können anscheinend gar nicht anders; andererseits wird Wünschen ent-täuscht, wenn es erreicht, was es will. Einmal wird gezeigt, daß man zu dumm ist, sich das Rechte zu wünschen, so daß der letzte Wunsch der Wiederherstellung des alten Zustandes dient, dann wünscht man das Falsche und verhungert, weil alles, was man berührt, zu Gold wird, schließlich wird man für seinen Übermut bestraft; wer der Sonne entgegen zu fliegen wagt, stürzt ab. „Der Mensch versuche die Götter nicht", dieser Spruch wird uns entgegengeschleudert, wenn wir anscheinend Menschenunmögliches wollen. Unser Übermut wird gewarnt und in die Schranken gewiesen. Doch einige Augenblicke lang gab es ein „Hochgefühl". Man konnte spüren, wie es wäre, wenn ..., „denn einmal lebte ich wie Götter und mehr bedarf's nicht".

Immer wieder wurde etwas für menschenunmöglich gehalten und immer wieder auch das Gegenteil bewiesen. Die Warnungen haben nichts genützt. Die Wünsche lassen uns nicht los, sind ständig begleitende Herausforderung. Von Geburt an sind wir grenzüberschreitende Wesen, unfähig, es längere Zeit im gleichen Zustand auszuhalten. Zwar redet man uns von Zufriedenheit und meint damit Bescheidung in dem, was ist. Bei uns selbst aber bemerken wir, daß erst ein „erfülltes" Leben zufrieden macht, und dieses wird uns nicht von dem, „was ist", geschenkt. Ebenso wissen und erfahren wir von klein auf die Freude, Probleme gelöst, zunächst fast unübersteigbare Hürden genommen zu haben. Unser Zutrauen zu uns wächst mit bewältigten Gefahren und mutigen, gelungenen Selbsterprobungen. Wir überschreiten zwar nicht alle Grenzen, von denen wir eingeschränkt werden – der Wunsch, dies zu tun, wird pathologischer Symptomatik zugeordnet –, der Wunsch aber, von seiner Freiheit einen möglichst umfassenden Gebrauch zu machen, ist uns Modernen in die Wiege gelegt. Vielleicht ist sogar die Umkehr wahr: Je enger die Grenzen, in die wir eingefangen sind, um so größer der Wunsch nach Befreiung; sogar nach Befreiung von sich selbst, seiner gefangenen Seele. Rausch, Sucht, Ekstase sind in allen Kulturen Zufluchtsorte von Grenzüberschreitung. Sie sind dort auch am besten „kultiviert", wo man auch im „normalen" Leben über seine Grenzen und deren Berechtigung gut Bescheid weiß und sie anerkennen kann. Wo sich aber allenthalben ein Widerspruch auftut zwischen Grenzenlosigkeit, Willkür, Beliebigkeit auf der einen, starren Grenzen, uneinsehbaren Geboten, unvernünftigen Sachzwängen auf der anderen Seite, dort gerät der Rausch aus der Kultur, wird selbst unmäßig und unsteuerbar. Wir sprechen vom „Geschwindigkeitsrausch". Ist er Zuflucht? Ist er noch Kultur, oder dominiert er bereits eine Kultur, aus der man sich so rasch wie möglich und immer wieder entfernen muß, will?

„Ich weiß zwar nicht, wo ich hinfahr', dafür bin ich schneller dort", singt Qualtinger in seinem berühmten Lied „Der Wilde mit seiner Maschin'" (seinem Motorrad). Im Geschwindigkeitsrausch geht es hier nicht mehr um irgendeine Art Zielerreichung. Wo man hinkommt, ist eigentlich egal, wichtig sind Schnelligkeit, Geschwindigkeit. Sie für sich genommen bringen den Genuß, die dauernde Grenzüberschreitung bringt das Hochgefühl. Wenn nun unsere Zeit und unsere Gesellschaft ständig weiter beschleunigt und Geschwindigkeiten erhöht, kann es sein, daß sie dem gleichen Rausch verfallen ist? Daß wir in einer Zeit schneller Veränderungen leben, wird gegenwärtig von allen Zeitdiagnostikern bestätigt. Daß wir zugleich in fatalen Sachzwängen stecken, die uns unüberschreitbare Grenzen zu setzen scheinen, die ein von uns nicht mehr steuerbares Eigenleben führen (Zauberlehrlingssyndrom), wird schon weniger oft und gern zugegeben; ebenso daß wir unsere Weltgesellschaft auf großartiger Einseitigkeit (technologisch-ökonomisch) aufzubauen beginnen, die alles gleichschaltet und denselben Prinzipien zu unterwerfen versucht. Man könnte also sagen, noch nie war der Widerspruch so groß wie heute. Noch bis vor kurzem unfaßbare Grenzüberschreitungen gehen Hand in Hand mit selbstverschuldeten Grenzsetzungen, die unserer Welt nur wenig Spielraum lassen, nur einen, „der sich rechnet". Vordergründig ist klar, daß allein dieser Zustand Beweglichkeit fordert; daß man den ständigen Veränderungen nur mit *schneller* Anpassung folgen kann, sonst aber zurückbleibt. Den Flexiblen, Schnellen gehört die Welt, die wenigsten von ihnen merken aber, daß sie den Veränderungen nur hinterherlaufen, daß man nur mehr ihre Anpassungsfähigkeit überprüft. Zwar überschreiten auch sie Grenzen. Sie müssen ständig „dazulernen", ständig auch vergessen und verlernen. Es sind aber ihre eigenen individuellen Grenzen, die partiell überschritten werden; *was* zu lernen ist, ist meist bereits vorgegeben. Wenige gestalten wirklich.

Kann es sein, daß dieser Widerspruch es ist, der zum Rausch reizt? Daß wir einerseits bemerken müssen, daß wir uns selbst eingekerkert haben, daß wir gegenüber dem, was uns betrifft, immer ohnmächtiger, immer mehr zum Zuschauer werden? Daß wir andererseits aber dauernd zur Grenzüberschreitung veranlaßt, gezwungen, aufgefordert werden? Am Ende schließlich bemerken müssen, daß wir trotz aller Überschreitung wieder am selben Fleck landen? Daß wir am Ort laufen? Wird hier aufs neue die Weisheit der Mythen und Gleichnisse bewußt, die uns bei aller Grenzüberschreitung auf unsere Endlichkeit zurückverweist? Ein Tag voller Aktivität und Hektik geht zu Ende, und wir fragen uns spätabends, was wir eigentlich getan haben; wir können uns zwar an Verschiedenes erinnern und aufzählen, die Bilanz ist aber ernüchternd: Eigentlich war es „nichts", zumindest nichts Wichtiges. Wenn wir uns aber vor dem Dilemma befinden, trotz aller Anstrengung und Geschwindigkeit nur wieder dort zu landen, wo wir ohnehin schon waren, dann wird der Inhalt seiner Tätigkeit unwichtig. Übrig bleibt die Form. Es geht nicht mehr darum, wo wir hinkommen, es geht um die Geschwindigkeit dorthin. Geschwindigkeit für sich genommen ist das Glück, sich zwischen allen Inhalten, Grenzen, Orten *schnell* bewegen zu können, nicht mehr faßbar zu sein, seine Freiheit zu spüren – wie dies ein bekannter deutscher Chansonnier gesungen hat, „über den Wolken muß die Freiheit grenzenlos sein".

Der unkultivierte Rausch neigt zur Süchtigkeit

Eine Form ohne Inhalt und Ritual kann aber zu einer gefährlichen Droge werden. Weil es *in ihr* selbst anscheinend keine bestimmten Grenzen mehr gibt – diese werden ja gerade durch sie überwunden –, muß sie sich selbst steigern, erhöhen, öfter stattfinden. Der leere, unkultivierte Rausch neigt zur Süchtigkeit. So soll es laut Bericht in den USA, wie erwähnt, bereits so etwas wie eine „Computerkrankheit" geben, die auch medizinisch anerkannt ist. Männer, aber auch Frauen, die sehr viel nur mit Computern arbeiten und sich an seine Geschwindigkeit gewöhnt haben, werden gegenüber ihrer „normalen" familiären Umgebung rasch ungeduldig. Die umständliche Sprechweise macht sie nervös, umschweifendes Reden nervt sie. Allmählich vermeiden sie Kommunikation. Dies mag man als computerverursachte Neurose betrachten, wie aber ist es sonst? Im alltäglichen Arbeitsleben eilen wir aneinander vorbei, und die Abende sind müde und kurz. Wir knüpfen viele kurzlebige Bekanntschaften und müssen ihren dahinrauschenden Wert durch besondere „Freundlichkeit" erhöhen. Wir sammeln „Zufallsbekanntschaften", die uns der Zufall auch wieder nimmt. Wir leisten uns schnell einmal ein Wochenendseminar zur tieferen persönlichen Einkehr und zur intensiveren Begegnung. Der Geschwindigkeitsrausch zwingt uns zur Flüchtigkeit, die übersteigerte Form zur ständigen Flucht. Wir überschreiten damit aber keine Grenzen mehr, wir fliehen vor ihrer zupackenden Realität. Der alte Menschheitstraum der schnellen Streckenüberwindung bleibt „auf der Strecke"; wir können die Siebenmeilenstiefel nicht mehr ausziehen, weil unser Gehen kein Ziel mehr braucht (hat).

Und wieder kommt Sehn-Sucht auf

Andererseits: Müssen wir nicht auch die Form genießen können, um uns unser grenzüberschreitendes Wesen in Erinnerung zu halten? Hat dieses Festhalten an der Erinnerung nicht auch immer dazu geführt, neue Versuche zu wagen, ins anscheinend Menschenunmögliche vorzustoßen? In gewisser Weise haben sich alle Generationen der Menschheitsgeschichte ihre Träume erfüllt, nur in ganz verschiedener Form. Daß aber Erfüllung immer wieder in wechselnder Spielart möglich war, verdanken wir wahrscheinlich dem Widerspruch, der sich im Verhältnis von Traum und Wirklichkeit immer wieder einstellt. Wünsche und Träume haben immer so etwas wie eine „ideale Unendlichkeit" an sich, sonst wären sie nicht, was sie sind. Verwirklichungen sind aber von der konkreten Endlichkeit geplagt und durchdrungen und nicht nur Freude, sondern auch Enttäuschung. „Soll das alles gewesen sein", „war es das, was wir uns vorgestellt haben", gibt es jetzt völlige Zufriedenheit? Eine gewisse Zeit können wir sicher Erfüllung genießen, uns eine Zeit beruhigen, dann aber stellen sich Zweifel und Fragen wieder ein; neue Träume beginnen, die alten Lösungen bleiben zurück. Verwirklichung heißt nämlich immer auch Handlung, Entscheidung, Bestimmung. Im Entscheiden müssen Möglichkeiten ausgeschlossen werden. Sie können auch verboten, vernichtet, tabuisiert werden. So wird ihre Realisierung versagt. Aus den Gedanken und Träumen können sie aber nie verbannt werden. Dort begleiten sie uns, beschäftigen unsere Phantasie und formen sich zu neuen Wünschen. Verwirklichte Träume machen nüchtern und entfernen uns von unserem grenzüberschreitenden Wesen. Ihr Realismus entfremdet. Es entsteht das Gefühl, nur unvollkommen entsprochen zu haben. Und wieder kommt Sehn-Sucht auf. Man kann auch sie als Sucht sehen wollen, als die Grundstimmung der ewig Unzufriedenen. Man kann sie aber auch als Antwort der Träume verstehen, die sich zurückmelden, nie ausgeträumt sind.

Unser Zeitalter hat eine besonders realistisch-produktive Wunscherfüllung zur Verfügung gestellt. Sie unterscheidet sich von aller vergangenen Wunscherfüllung durch ihren „Materialcharakter". Ich erwähnte schon: Auch alle Zeiten vorher hatten ihre spezifische Form der Antwort auf unsere Träume. Sie wurden z.B. in Sagen, Heldenliedern, Märchen usw. zum Ausdruck gebracht und dort künstlerisch kultiviert. Oder man bediente sich besonderer Rituale, kollektiver Techniken, die Zugang zu den Träumen verschafften und ihnen einen Ort in Kult und Feier gaben. Ekstase, Rausch und andere Formen der Selbsttranszendenz waren Wege der Grenzüberschreitung, Wege zum Menschenunmöglichen. Auch Gott und die Götter ließ man seine Träume agieren und konnte sich komplex in die Erörterung dieser Themen – sogar theologisch – verbreitern. Der Däumling begab sich mit Siebenmeilenstiefeln auf die Reise, der Schamane spirituell auf die Wanderung durch die unendlichen Räume, der Mystiker verschaffte sich durch das Erlebnis einer Gottesnähe die Erfahrung einer Raum und Zeit übersteigenden Gleichzeitigkeit. All dies waren spezifische Wunscherfüllungen. Sie waren Antworten, freilich von einem Charakter, der, wenn nicht Verbote mit ihnen verbunden wurden, die Sehnsucht weiterblühen ließ. Ihr verdanken wir schließlich große Kunst, hohe Theologie und bunteste Mythen. Doch auch hier war endgültige Antwort nicht möglich; auch ihre Grenzen mußten überschritten werden.

Wir haben demgegenüber den höchsten Realismus eingeführt. Wir bieten Waren und Produkte. Unsere Träume bekommen laufend Verwirklichungsangebote; davon leben unsere Wirtschaft, unsere Industrie und unsere Dienstleistungen. Für jeden Traum ein Angebot, wir müssen uns nicht mehr mit ihm weiterquälen. In jedem Kaufakt kann er ausgeträumt werden. Endlich haben wir Greifbares in der Hand, und in den vielen Variationen, dem Reichtum des Konsumierbaren wird auch unsere Phantasie zur Ruhe gebracht. Wir müssen uns nicht mehr mit Göttern und Helden zufriedengeben, nicht mehr ekstatische Traumreisen absolvieren. Unsere Träume liegen konkret vor uns, haben äußere Gestalt, stehen für Verwendung und Gebrauch zur Verfügung. Sie sind „materialisiert". Die Konsequenz war imponierend. Kein weißer Fleck sollte bleiben; es gibt keinen unerfüllbaren Wunsch, für jeden steht ein Produkt zur Verfügung. Auch „Geistiges" wird als Produkt gehandelt; so kann man sich auch Schamanen kaufen, Sektenangebote konsumieren, und letztlich hörte ich sogar die Kirche von „Kunden" sprechen, den „Gläubigen" und Kirchensteuerzahlern. In dieser Konsequenz erfüllten sich die Menschen zugleich einen alten Traum. Sie ist nicht bloß Antwort auf die vielen Wünsche im einzelnen. Ein Gesamttraum scheint in Erfüllung zu gehen. Er hängt mit dem Thema Macht und Machbarkeit zusammen, abgehandelt früher in der göttlichen Allmacht. Man kann immer etwas machen, etwas herstellen und damit Wünsche befriedigen. Grenzüberschreitung ist nicht bloß Vorstellung, Träumerei, Phantasie, sie ist konkretes Tun. Der Mensch hat sein Schicksal in die Hand genommen, sich selbst zur Antwort verpflichtet. Keine andere Instanz tut mehr etwas für ihn. Er muß sich alles selbst schaffen. Viel wurde über diese „Allmachtsphantasie" geschrieben, viel auch kritisch angemerkt. Man kann sie aber auch nüchterner fassen: Das grenzüberschreitende Produktionsprogramm unserer Neuzeit hat als grandioser Versuch, unendliche Widersprüche materiell zu lösen, schlicht den Nachweis erbracht, daß allein der

Mensch über sich mächtig ist; daß er damit auch tätige Verantwortung über sich hat. Dann ist Allmachtsphantasie nicht mehr eine pathologische Neurose, sondern die einfache Erkenntnis, daß es sonst keine Macht mehr gibt, die etwas mit uns tut, sondern daß wir selbst zu dieser geworden sind.

Unsere Träume gehen in den Produkten nicht zu Ende

Aber auch diese Erkenntnis rettet uns nicht aus unseren Widersprüchen. Unsere Träume gehen in den Produkten nicht zu Ende; sie bleiben und wechseln die Ebene. Die Sehnsucht bleibt. Zunächst versuchen wir sie noch durch Vielfalt, Variationsreichtum und Akkumulation zu lösen. Warenreichtum und Besitz sind dafür äußeres Zeichen. Dennoch bleibt ein Rest. Wir scheinen eben nicht nur Wünsche zu haben, die sich nicht durch Produkte beantworten lassen, es sind sie vielmehr selbst, die ihre Unvollendetheit und ihre Unvollständigkeit an sich haben. Dies läßt uns zunächst nicht resignieren. Es treibt uns weiter zu immer besseren Lösungen, und tatsächlich werden auch die Produkte stets besser, technisch perfekter. Es gibt aber keine Vollendung in ihnen, und so können wir ihr dauernd weiter nachlaufen. Das scheint die eine Lösung unseres Dilemmas zu sein: Wir bieten Mehr-Desselben und immer anscheinend Neues, Besseres. Die Produktantwort steht unter dem Prinzip der zu vermehrenden Quantität. Weil aber mit Quantität niemals die unruhige Qualität der Träume einholbar ist, wird man immer *schneller.* Beschleunigung und Erhöhung der Geschwindigkeit sind naheliegende Kompensationsversuche. Sie bieten nicht nur Ablenkung, sie unterstützen die Illusionsbildung. Je öfter und schneller Wünsche befriedigt werden, um so eher werden sie erfüllt. Das Angebot ist riesig, eine Innovation jagt die nächste, der Innovator ist der neue Held. Leider beginnen wir aber schon zu stolpern, kommen den Neuerungen, der nächsten „Generation" an Waren nicht mehr nach und bemerken mit Verwunderung, daß wir zur Wunscherfüllung gezwungen werden, wollen wir nicht blöd dastehen. Das große, vielfältige Angebot macht auch sonst noch nervös; man muß vermuten, ständig etwas zu versäumen, was vielleicht seinen Wünschen vollkommener entspricht. Diese Defizitempfindungen lassen uns dann immer mehr an unserer Wunscherfüllungsmaschinerie zweifeln, manche sprechen von Konsummüdigkeit, manche steigen aus und propagieren wieder einmal das einfache Leben. Auch wenn diese alle heute noch den Außenseitern zuzuzählen sind, sie bezeugen die uns längst bekannte Tatsache: Auch die Materialisierung unserer Träume ist endlich und läßt viel offen; will man diesen Befund durch Beschleunigung bewältigen, wird man nichts erreichen. Glück und Zufriedenheit können sich deshalb nicht einstellen. Sie sind, wie wir meinten, an eine unaufhebbare Dialektik gebunden. Glücksstreben muß einerseits zur größtmöglichen Wunscherfüllung drängen, gleichzeitig geht es in ihr nicht auf. Denn die Träume haben den Charakter „idealer Unendlichkeit". So gibt es materiell gesehen nur punktuelles Glück, und es wird nicht größer, wenn man mehr Punkte dichter aneinanderreiht. Es gelingt wohl Ablenkung, weil man auch mit Geschwindigkeit grenzüberschreitende Wunscherfüllung verbindet, da aber mit dieser Beschleunigung das Eigentliche nicht erreicht wird, geht sie ins Leere. Diese Leere macht sich trotz aller Überfülle auch im Glück bemerkbar. Kinder mit vollgeräumten Spielzeugkasten, erfreut mit immer neuen Geschenken, sind nicht glücklicher. Fragen wir deshalb heute so viel nach dem Glück, weil es „produktiv" seiner Inhalte beraubt wurde?

Auch der Geschwindigkeitswunsch hat seine Produkte hervorgebracht

Auch unsere Träume von Beweglichkeit und Geschwindigkeit (Allgegenwart) haben die verschiedensten Produktantworten erfahren. Fahrrad, Motorrad, Auto, Bahn, Flugzeug, raketenbetriebene Shuttles etc.; wir können Strecken immer schneller überwinden, immer öfter woanders sein. Aber auch das Fernsehen und das Internet befriedigen Allgegenwartswünsche. Hier sind wir „real-time", also tatsächlich gleichzeitig dabei.

Und Gleichzeitigkeit gehört ebenso zum Repertoire der grenzüberschreitenden Wunschträume. Wer kann daran zweifeln, daß wir uns Träume erfüllt haben, die früher für nicht menschenmöglich gehalten wurden? Und wer kann nicht auch die Geschwindigkeit genießen bzw. das Wohlgefühl, an geschütztem Ort überall dabei zu sein? Auto und Fernseher sind Top-Produkte unserer Zeit und repräsentieren in idealer Weise die durch Produkte mögliche Wunscherfüllung; in den letzten Jahren ist das Flugzeug noch dazugekommen, und je weiter weg man auf Urlaub war, einer um so größeren Bewunderung seiner Umgebung konnte man sicher sein. Zwar werden auch hier Grenzen immer deutlicher. Die Steigerung der Quantität kostet Qualität. Man kann z.B. die Geschwindigkeit nicht mehr auskosten. Immer wieder steckt man in einem Stau, und überbelegte Autobahnen sorgen von sich aus für Geschwindigkeitsbeschränkungen. Aber auch in der Luft beginnt der Platz Mangelware zu werden. Überlasteter Luftraum zwingt uns in Warteschleifen, die wiederum das Anschlußflugzeug versäumen lassen. Da hängt man dann in Flughäfen herum oder muß unfreiwillig übernachten. Aber auch in der fernsehenden Allgegenwart fühlen wir Enttäuschung. Wir *sehen* zwar überall hin, wo Kameras aufgestellt sind, wirklich *dabei* sind wir aber nicht. Wir merken dies an unserer emotionellen Gleichgültigkeit, mit der wir Katastrophen über uns ergehen lassen und wiederum vergessen, und einer sich herausbildenden voyeuristischen Haltung, die uns zurückgelehnt im bequemen Stuhl das erhabene Schauspiel der Welt genießen läßt. Für diesen Genuß werden immer neue Anreize geboten, die Dosis gesteigert, bis hin zu den gefilmten Gewaltszenen, die sich angeblich auch in Wirklichkeit so ereignen.

Deshalb lieben wir die Katastrophen

Vor allem zeigt aber das Produktangebot eine gleichbleibende Verläßlichkeit, eine unbeirrbare Gegenständlichkeit, eine tote Kontur, die als solche dem Wesen der Träume und Wünsche nie gerecht werden kann. In ihnen ging und geht es ja um

Grenzüberschreitung, um ein Austesten menschlicher Möglichkeiten, zumindest um Grenzgängertum. Der biedere Mittelklassewagen, der omnibusartige Air-„Bus" vermitteln diese Erlebnisse nicht. Erst der ICE, der an einen Brückenpfeiler kracht, erinnert an die wahre Geschwindigkeit und an ihre Grenzen. Erst Katastrophen machen deutlich, daß das Produkt so verläßlich, wie angenommen, nicht ist, daß feste Gegenständlichkeit zerbricht. Sie rufen Sicherheitsexperten auf den Plan, und in Kürze wird uns wieder versichert, daß alles wieder sicher ist, das Produkt zu seiner festen Form zurückgefunden hat. Nur, ist es das, was wir insgeheim wollen? Gut, in Grenzerfahrungen gleich zugrunde zu gehen, wollen wir nicht, insofern wollen wir auch Sicherheit. Wir wollen sie uns aber auch nicht nehmen lassen, der Verdacht liegt nahe: Deshalb „lieben" wir die Katastrophen, als Unbeteiligte allerdings und können uns der Faszination nicht entziehen. Das Fernsehen läßt uns daher so viel wie möglich dabei sein. Die Crashs bei Autorennen werden zwanzigmal wiederholt, der Sturz des allzuschnellen Skiläufers ebenso. Das Challengerunglück flimmerte Wochen, ja Monate über unsere Bildschirme, und wie man hört, warten förmlich viele Zuseher von Geschwindigkeitsspektakeln auf den Unfall. Auch wenn es sich nur um stellvertretende Grenzerfahrung handelt, unsere Neugierde, unsere Erwartungen sprechen dafür, daß wir sie uns nicht nehmen lassen wollen, daß die Unendlichkeit des Traumes sich nicht durch ein endliches Produkt befriedigen lassen will. Sicherlich spielt in all diesen Zusammenhängen auch ein altes Verhaltensmuster eine Rolle. Die „Freude" an der Katastrophe, die andere trifft, kann wohl Mitleid sein, eher steht sie aber in der Opfertradition. Bei Gefahr muß den Göttern geopfert werden; das eigene Unglück soll so vermieden, das Schicksal besänftigt werden. „Karl, du bist es nicht", sagt Qualtinger und meint damit dieses Gefühl, durch das Opfer anderer in seiner Existenz bestätigt worden zu sein. Wir alle wissen uns im Grunde in ständiger Gefahr. Sie steigert sich durch die Erhöhung von Geschwindigkeiten. Die Straßen heißen „Verkehrsadern", weil auf ihnen so viel Blut fließt, hörte ich einmal sagen. In Katastrophen schwebt die Gefahr nicht mehr über uns, sie ist bereits eingetreten, und das nimmt Angst; besonders wenn sie andere betrifft, die sich sozusagen für die Sicherheit der anderen aufgeopfert haben. In Katastrophen ballt sich daher so einiges zusammen: Grenzerleben, Opfer, Auflösung der starren Objektivität der Produkte, Wiedererweckung der alten Träume. Kein Wunder, daß sie uns so wichtig sind.

Es ist paradox, daß wir erst durch diese Katastrophen Grenzerfahrung erleben. Eigentlich hätten es ja die Produkte selbst zustande bringen sollen. Ihre Geschwindigkeitssteigerung sollte uns den Traum erfüllen. Das tut sie aber nicht oder nur sehr partiell. Eher ist das Umgekehrte der Fall. In den Produkten gehen unsere Träume und Wünsche zugrunde. Es gibt immer weniger Grenzerfahrung. Also muß sich der Traum aus den Produkten wieder zurückholen; Geschwindigkeit muß wieder fühlbar werden. Das tut sie zunächst in Rausch und reiner Form. Es kommt weder auf Produkte an noch auf Ziele, die man mit der Erhöhung der Geschwindigkeit schneller erreichen kann. Die Geschwindigkeit selbst, der unendliche Traum muß ausgekostet werden, egal wo und mit welchem Mittel. Man kann auf dem Dach sitzend U-Bahn-Surfen, private Autorennen veranstalten, sich an Seilen hängend Brücken hinunterstürzen, immer schneller laufen, um sich den „Flow" zu geben; vielleicht genügt es sogar, etwas besonders schnell zu „er-ledigen", den Konkurrenten zu überholen, schneller zu denken, zu lesen, zu rechnen. Was in allen Formen der Rückeroberung von Geschwindigkeit zum Zwecke, Grenzerfahrungen zu machen, auffällt, ist vielleicht eine eigentümliche Wendung vom Produkt zu seinem Leib. An ihm soll erprobt werden, was an Geschwindigkeit er inszenieren, was er aushalten kann. In ihm muß Grenzerfahrung spürbar werden. Und tatsächlich wird viel von „Glücksgefühlen" berichtet. Für mich durchaus nachvollziehbar: Ich kann es durchaus genießen, so schnell wie möglich die Skiabfahrt hinunter zu fahren, und wider alle Vernunft und Verantwortlichkeit kenne ich auch das wolkenhafte Dahinschweben im schnellen Auto. Wenn schnelle Beschleunigung im Flugzeug uns an die Sitzlehne drückt, wenn eine größere Windstärke unser Segelboot dahinflitzen läßt und wir uns mit den Elementen „anlegen", es wäre, glaube ich, Heuchelei zu behaupten, daß uns dies alles unbeeindruckt läßt. Der abgeklärte Weise wird zwar zu bedenken geben, daß Glück wohl auch noch etwas anderes ist, ein gewisses Glücksgefühl wird aber auch er nicht leugnen können. Kinder z. B. schreien und kreischen vor Lust, wenn es schneller wird (beim Schaukeln, Rodeln etc.), sie sind da noch ganz unbefangen. Wir Erwachsene wissen zwar um die Unvernunft des Austestenwollens von Grenzen, auch des eigenen Körpers, unattraktiv ist es dennoch nicht. Geschwindigkeit und ihre Steigerung macht Grenzerfahrungen möglich. Die Frage ist: Braucht man sie zu seinem Glück? Die davon berichten, meinen schon, andere glauben darauf verzichten zu können. Holen sich diese aber nicht woandersher diese Erfahrungen? Es muß ja nicht nur mit der Geschwindigkeit gehen, R. Messner, der berühmte Bergsteiger, stellt andere Grenzen in Frage. Was aber ist, wenn man tatsächlich keine Grenzerfahrungen macht oder machen will, wenn man die Träume ins „Übermenschliche" hin nicht zuläßt oder abwehrt? Wenn man sicherheitshalber seine Grenzen in seinen „vier Wänden", seinem „Alltagsstundentakt", seinen unbeirrbaren Gewohnheiten setzt? Ist das Glück? Oder braucht Glück Grenzerfahrung und manchmal auch -überschreitung, um in aller Fülle erlebt werden zu können?

Die Schwierigkeit liegt in der Widersprüchlichkeit dessen, was Glück ist

Die Frage scheint rhetorisch gestellt und legt die Antwort nahe. Doch so einfach ist es nicht. Nicht nur, weil Menschen eben verschieden sind, manche mehr „Thrill" brauchen, manche weniger. Die Schwierigkeit liegt in der Widersprüchlichkeit dessen, was Glück ist, und von ihr aus läßt sich die oben gestellte Frage eben nicht eindeutig beantworten. Wir empfinden Glücksgefühle nämlich, wenn wir mit Erfolg Grenzen überschreiten, ebenso aber, wenn wir in vertrauter Umgebung einheimisch in deren Grenzen leben.

Im ersten akzeptieren wir unsere Unbestimmtheit, unsere „Unendlichkeit", unsere Offenheit. Wir wissen nicht, wer wir sind, was „endgültig" aus uns wird, was die Richtung ist, in die hin wir uns bewegen. Hier ist der Ort der Träume, Wünsche und Herausforderungen. Als „freie" Menschen sind wir uns immer vorausliegend. Kein Menschheitstraum muß nun vergeblich geträumt werden. Wir können nicht wissen, was aus ihm einst Wirklichkeit wird. Vieles, was in der Geschichte als Utopie bezeichnet wurde, ist längst Realität geworden. Insofern sind es die Träume selbst, die uns versteckte Befehle in die Zukunft geben. Unser Glück besteht hier darin, träumen zu können und zu dürfen, des weiteren wahrzunehmen, wozu man immer wieder auch imstande ist. Es ist das Glück des Bewußtseins von Freiheit, von der an uns ständig ergehenden Aufforderung, von ihr tätigen Gebrauch zu machen. Was den Menschen betrifft, ist das Schöpfungswerk unabgeschlossen.

Im zweiten akzeptieren wir unsere Endlichkeit, Bestimmtheit, Abhängigkeit, unser Entscheiden-Müssen – ausgeträumte Träume. Freiheit für sich genommen ist leer, erst über konkretes Handeln und Entscheiden (auch Lassen und Nichts-Tun ist entschieden worden) wird sie faßbar, bekommt sie Ausdruck und Gestalt. In den hohen Worten von Selbstbestimmung und Selbstverwirklichung fassen wir das Glück auf dieser Seite zusammen. Aber auch hier ist die Dialektik bemerkbar. Selbstbestimmung (Autonomie) betont Freiheit und Bestimmung zugleich. So könnte Glück hier heißen, von der Freiheit einen guten Gebrauch zu machen. Dafür ist aber notwendig, daß ich davon weiß. Akzeptanz seiner Endlichkeit passiert nicht einfach so. Und wenn, dann meistens nicht als Glück. Es ist wichtig, seiner Freiheit zuzuschauen, ihren Handlungen nachzudenken, sie zu betrachten, zu bewerten, danach zu sehen, ob sie gut waren. „Glück heißt, bei sich selbst anzukommen, ohne zu erschrecken", formuliert so ähnlich W. Benjamin als Voraussetzung für die „Heiterkeit des Gemüts", die „Windstille und Ruhe der Seele". Das hierfür notwendige innehaltende Betrachten läßt sich nicht von Aufgabe und Herausforderung treiben, es erträgt und läßt Unabgeschlossenheit, kann drängende Träume zum Schweigen bringen. Es ist ein ständiges Abschließen und Vollenden, Abrunden und Sinn-Geben. Der neuerliche Widerspruch stört nicht mehr, daß es nämlich kein endgültiges Vollenden gibt, daß selbst dieses ein ständig sich erneuernder Versuch bleiben muß. So setzt sich hier auch das erste Moment durch, die Unbestimmtheit (Freiheit, Offenheit) bleibt, nur in rückwärtsgewandter, versöhnender Geste. Unglück ist, wenn diese Aussöhnung nicht gelingt, wenn uns die Vergangenheit in Bruchstücke unverbunden auseinanderfällt, wir in unserer Selbstbestimmtheit keinen Sinn mehr finden; kein Gutes mehr in unseren Entscheidungen entdecken können. Im alten Griechenland haben sich Philosophen und „Weise" intensiv und ausführlich mit der Frage nach dem Guten und dem Glück beschäftigt und eigentlich alle Antworten gegeben, die noch heute gültig sind. Da wurde in aller Ausführlichkeit das Thema der Glücks*güter* (Reichtum, Besitz, Gesundheit etc.) abgehandelt – also die verwirklichten Träume –, aber auch die andere Seite mitbedacht. Eudaimonia war das Wort dafür, meist mit Glückseligkeit übersetzt. Hier ging es den Griechen um das höchste Gut, das Menschen ihrer Meinung nach „besitzen", um ihre Seele, sie soll ein „guter Dämon" sein, der uns begleitet, und sie wird zu einer solchen, wenn wir von ihr den spezifisch menschlichen Gebrauch machen, nämlich einen „vernünftigen". Vernünftig hat hier nichts zu tun mit rational, rechnend, kalkulierend. Von der Vernunft Gebrauch zu machen heißt viel schlichter: zu überlegen, zu reflektieren, nachzudenken. Weder dem unmittelbaren Antrieb blind zu folgen noch sich fremd bestimmen zu lassen.

Eine glückliche Seele „besitzt" also jemand, der sein Handeln überlegt, zu ihm in betrachtender Differenz sich stellt. Dies mag für viele eine abstrakte, typisch philosophische Antwort sein; m.E. trifft sie aber den Kern. Glück *ist* nämlich nicht, ist auch nicht bloß an Güter und Produkte zu binden, es entsteht vielmehr und vergeht dauernd dort, wo der Mensch sich als das beschrieben widersprüchliche Wesen wahrnimmt. Zwar mag uns Glück auch zufällig (an)treffen, uns dort und da unvorhergesehen überwältigen, uns „in den Schoß fallen". Dieses Glück ist aber weder von Dauer noch vorhersehbar, es ist Schicksal, Geschenk, Gnade. „Glückseligkeit" zu erreichen ist aber nach dem Vorschlag der griechischen Weisen eine Sache unserer eigenen Möglichkeiten im rechten Gebrauch unserer Seele. Zu dieser zweiten Seite des Glücks fand ich eine schöne Geschichte von den „Kleinen Ferien" (aus: Laß dir Zeit, hrsg. von Rudolf Walter):

Die kleinen Ferien

„Aufhören – so erklärt sich das Wort – besagt: ‚aufhorchend von etwas ablassen'. Damit kann auch ein Unterbrechen gemeint sein, welches seine eigene Ehre hat. Das ‚aufhorchende Ablassen' kann einem Ereignis gelten, das mich plötzlich herausruft. Solchen wichtigen ‚Gehorsam' meine ich jetzt nicht, sondern nur dieses Aufhören, das sich von selbst ‚terminiert', das sich mir gibt, weil ich eben mit etwas fertig bin. Und die ganz Schlauen wissen ihre Arbeit in besonders viele Rundungen abzuteilen.

Dieses luftige Vergnügen kann man haben oder nicht. Man kann es ‚unterdrücken', einfach indem man es nicht wahrnimmt. Denn bei diesem Aufhören gibt es nichts zu vernehmen, nichts zu hören, und ein Vergnügen ist es doch. Ein Vergnügen, das einfacher nicht sein könnte, durchaus konkret abhüpfend vom Sprungbrett und doch selber aus nichts gemacht.

Es fühlt sich an, aber wie? Keiner der fünf Sinne ist zuständig. Wie ein Luftzug sich anfühlt, wie ein Abheben vom Boden. Aber damit habe ich es nicht beschrieben, eher versteckt. Das kommt, weil es immer *dazwischen* ist. Ich wollte es gerne hervorholen und anpreisen als ein Vergnügen, das sich jeder alle Tage leisten kann, aber es ist verschwindend klein und leicht zwischen den beleibten Dingen.

Immerhin, dieses nichtsnutzige Dazwischen ist gratis zu haben, nicht einmal Zeit fürs Nichtstun kostet es.

Nichtstun kostet die Großen Ferien, den Urlaub, und was ist es dann? Eine andere, erfreuliche Beschäftigung, kurzweiliger oder gleichförmiger, ein ausgedehntes Ausruhen? Das Nichtstun, das ich listigerweise tagein, tagaus zwischen Arbeitsbergen haben kann, ist nichts als ein vergnüglicher Sprung. Ich nehme wahr, daß es keine ununterbrochene Dauer gibt, auch nicht der Arbeit, die angeblich ‚nicht abreißt'. Sondern daß die Wolkendecke sich immer wieder wolkig lockert, daß immer wieder etwas Bestimmtes rund und fertig wird, und wäre es nur das Tagwerk am Abend. Zwischen diesen ‚Quanten' gibt es also die

Sprünge. Im Moment eines Aufhörens komme ich los – ein losgelassener, ausgelassener Moment, wo man ausrufen könnte: Fangt mich doch! ... Lebenslust hat sich noch immer gern in Luftsprüngen geäußert.

Auch wenn man das Glück hatte, daß es eine befriedigende, fesselnde Arbeit war, mit der man aufhört, und auch wenn das nächste Stück gar nicht abschreckt, der Moment dazwischen ist unersetzlich. Er verlöre indes seine Sprungfederkraft, wenn er bloß ein Entkommen wäre. Er wäre kein Dazwischen mehr, wenn nachher nicht wieder etwas anfinge. Die Kleinen Ferien wissen nichts davon, sie scheinen vom Aufhören zu leben. Aber davon wären sie keineswegs heiter. Das Ende von etwas, und wäre es von Not und Pein, verschenkt nicht Heiterkeit. Auch das Ende der Nacht macht nicht heiter, sondern der Anfang des Tages macht es. Die Kleinen Ferien, zeitlos und gewichtlos wie sie sind, verfliegen in ein neues Tun hinein, das ihretwegen sich nicht an das vorige anschließt, sondern soeben zur Welt kommt.

Das leichtmütige Vergnügen der Kleinen Ferien, das zwischen den Tätigkeiten herumflattert, hält die Dinge auseinander, schiebt sich dazwischen, ein Luftkissen für Gesichter. Wie sehr alle Dinge Luft zwischen sich brauchen, um sich abzuheben und nicht trübe ineinanderzufließen, wird man vor eitel Drinstecken in der Arbeit nicht immer gewahr; manchmal vielleicht doch, wenn die vergessene Luft zum Bruder Wind wird, der einen leicht spöttisch an die Stirn tippt" *(Maria Otto, Aufhören).*

Geschwindigkeit kann Glücksgefühle vermitteln; davon haben wir berichtet. Sie kann sie aber auch verhindern. Daran erinnert die zweite Seite des Glücks, die langsame, verharrende rück-sichtig zurückblickende. Diejenige, die an Überlegen, Nachdenken und Sinngeben gebunden ist; die Grenzen nicht ständig überschreiten muß, sondern den Zweck hat, sich in ihnen einzuhausen.

Es herrscht eine Hysterie der Veränderung

Wenn aber beides zum Glück gehört, bleibt nur mehr die Frage offen, wie es heute um beide Seiten steht? Hier könnte wahrscheinlich ein Mißverhältnis diagnostiziert werden. Unsere „produktive Antwort" auf Wünsche, Träume und Bedürfniswidersprüche hat uns in einen Geschwindigkeitsrausch abheben lassen, der in Verharren und Nachdenklichkeit nur Bremsen und Aufhalten sieht. Es herrscht eine Hysterie der Veränderung und ein Fetisch Innovation. Man kann gar nicht mehr über Gehandeltes, Entschiedenes nachdenken, es hätte auch keinen Zweck, weil es in seiner Bedeutung schon überholt ist.

Immer kürzer trägt ihr Sinn, wenn er überhaupt noch reflektiert wird. Unsere ständige Überschreitung einer „Gegenwartsgrenze", unser Auslöschen von Ausdauer, unser hektisches Ausgerichtetsein auf das, was kommt, auf Zukunft, entwertet im Grunde alles, was bereits getan wurde. Daher müssen Museologen als Spezialisten des Vergangenheitswertes auftreten, die aus immer jüngeren Zeiten Museen machen. Museen haben nämlich trotz aller vordergründigen Gegenteiligkeit immer auch den Zweck, den lebendigen Sinn von Vergangenheit zu vernichten. Den Sinn aber ausschließlich aus Veränderung („das einzig Fixe, Bleibende ist Veränderung", bekommen wir zu hören) und Zukunft holen zu wollen, hat letztlich, wie die Geschichte zeigt, immer etwas Tyrannisches an sich gehabt. Denn eigentlich bekommt alles „Ausstehende" nur Inhalt, wenn es Mächtige oder Machtsysteme gibt, die ihn setzen, verkünden und durchsetzen. Was aber für uns von unmittelbarer Wirkung ist: Wir werden sukzessive um Genuß und Glück gebracht. Nicht bloß deshalb, weil wir nach griechischem Vorbild nicht mehr überlegen, nachdenken können, also um unsere Eudaimonia gebracht werden, sondern weil wir uns schlicht nicht mehr „auf unseren Lorbeeren ausruhen können". Bereits der Wunsch, so etwas in Erwägung ziehen zu wollen, hat etwas Anrüchiges an sich; „wer rastet, der rostet", so sagt man uns, als wären wir „aus Eisen". Feiertage werden zur Disposition gestellt, und Feierabende beginnen immer später. Wir nehmen uns unsere „kleinen Ferien" und stehen in den großen dann dumm da. Hier fallen wir in ein großes Loch, weil wir uns die kleinen Pausen längst abgewöhnt haben. Wir müssen es zuschütten, es gibt ja Events und Animateure.

Sich Sinn und Glück immer nur aus einer „besseren" Zukunft holen zu wollen, vergißt deren wahren Charakter. Sie ist nämlich leer und unbestimmt, wie wir wissen, Ort der Träume und Wünsche. Sinn und Glück werden damit selbst leer, immer mehr zum aufgeschobenen, aufschiebenden Traum. Es geht mit ihnen wie mit der Geschwindigkeit, die zur Form wird, weil sie sich nicht mehr in den Produkten zum Ausdruck bringen kann. Wenn Glück aber leer wird, immer nur vor uns liegt, werden Vergangenheit und Gegenwart ebenso sinnentleert. Wir finden in ihnen keine Zufriedenheit mehr, müssen andauernd dem immer noch ausstehenden Glück nachjagen. Dafür haben wir auch das geeignete Rezept in der Geschwindigkeit, die selbst zur bloßen Form geworden ist. Wir laufen immer schneller hinterher, es wird alles „flüchtiger" und verschwindet unbedacht in der Vergangenheit. Vielleicht hat sich dort bereits einiges Zukunftsweisende angesammelt, das uns schicksalhafter bestimmen wird, als wir mit unserer ungetrübten Zukunftshoffnung meinen. Vielleicht scheuen wir daher auch den Blick zurück und wollen nicht an unsere Entscheidungen, Taten erinnert werden. Geschwindigkeit dient dann der beschleunigten Flucht und nicht mehr dem Glücksgefühl gelungener Grenzüberschreitung.

Höchste Geschwindigkeit scheint Zeit auszusetzen. Im Geschwindigkeitsrausch ziehen wir sie zusammen in ein Augenblickserlebnis. Fast gleich-zeitig sind wir an verschiedenem Ort. Unser Bewegen wird zum berührungslosen Schweben, und manchmal wissen wir nicht mehr, wo wir sind.

In der Kommunikationstechnologie, der Informationsübertragung, haben wir ohnehin bereits Gleichzeitigkeit erreicht. Damit beginnt Zeit als ökonomische Ressource immer mehr auszufallen. Hier kann niemand mehr Zeitvorteile lukrieren. Zeit ist dann nicht mehr Geld, wenn sie in Gleichzeitigkeit verschwunden ist. War diese „Selbstaufhebung" denn Ziel der Ökonomie? Oder ist auch sie nur Erfüllungsgehilfin eines Menschheitstraumes, nämlich dem nach Gleichzeitigkeit?

Gleichzeitigkeit als Ewigkeitserfahrung

„Mein sind die Jahre nicht, die mir die Zeit genommen;
Mein sind die Tage nicht, die etwa möchten kommen;
Der Augenblick ist mein, und nehm' ich den in acht,
So ist der mein, der Jahr und Ewigkeit gemacht."
(Andreas Gryphius)

Gleichzeitigkeit war immer etwas Faszinierendes

Theoretisch stimmt es: wenn alles in der gleichen Zeit ist, gleichzeitig, ist zugleich die Ewigkeit angebrochen. Allerdings ist auch hier die Frage noch zu beantworten, welche Zeiteinheit die gleiche Zeit darstellt, also wie lange sie dauert. Die Theorie führt in eine unlösbare Aporie oder in eine Tautologie; gleiche Zeit und Ewigkeit sind zwei Wörter für dasselbe.

Mit der Theorie kommen wir also nicht weiter, und dennoch: Gleichzeitigkeit war immer etwas Faszinierendes, wieso? Die Mystik spricht vom ewigen Jetzt, von der ewigen Gegenwart, in Glückssituationen wollen wir dem Augenblick Dauer verleihen, und dem Glücklichen „schlägt keine Stunde". „Jedes Glück will Ewigkeit", d.h. Herausgehobensein aus seiner Vergänglichkeit, angesiedelt in einer ewig dauernden, sich selbst gleichen Zeit. Transzendenz- und Gotteserlebnisse können auch schlecht im endlichen Ablauf der Zeit stattfinden, sie würden sonst nicht ihrem „Gegenstand", seiner Ewigkeit und Unendlichkeit entsprechen. Mystische Erlebnisse, Versenkungen, Annäherungen ans Absolute bedürfen einer anderen Zeit. Aber auch der banale Alltag kennt Facetten der Gleichzeitigkeit; manchmal möchten wir vieles zugleich tun, erledigen, manchmal auch vieles zur gleichen Zeit haben, genießen, empfinden. Wenn vieles zugleich geschieht, sich ereignet, viel an Tätigkeit und Erlebnis in die gleiche Zeitspanne hineinverpackt werden kann, spricht man von einem erfüllten Leben, in dem viel passiert ist. Unser Leben ist nämlich ein endliches, ein befristetes. Wir wissen zwar nicht, wann es endet, daß es aber endet, ist uns klar. Ein langes Leben verspricht mehr Erleben, mehr Erfahrung, mehr Chancen, vielleicht auch mehr Genuß und Glück. Was aber ist, wenn es kürzer währt? Und ist nicht jedes Leben zu kurz? Was kann man zu Lebzeiten dem Tod entreißen? Wenn wir mehr oder womöglich alles tun und erleben, was lebensmöglich ist, dann verliert er seine Schärfe, seine einschneidend, beendende, eingreifende, abrupte, zerstörende Gewalt. Aus Fülle heraus werden wir gleichsam unsterblich, auch wenn wir letztlich sterben müssen. Um aber diesen Zustand der Fülle zu erreichen, muß vieles gleichzeitig geschehen; die Zeiteinheiten müssen verdichtet werden. Zeitverdichtung schafft ein längeres Leben, wie kurz es auch sei. Verdichtung gelingt aber nur über Beschleunigung; man muß den einzelnen Obliegenheiten weniger Zeit einräumen, sie schneller erledigen. Das befristete Leben kann auf diese Weise vollgepackt werden; mit Quantität erschlagen wir die Qualität des Endes unseres Daseins. Die quantitative Lösung ist auch Prinzip unserer neuzeitlichen Gesellschaft: In ständig kürzerer Zeit soll immer mehr geschehen, so lange, bis man die Gleichzeitigkeit erreicht hat. Unsere Maschine dafür ist der Computer; er läßt uns gleichzeitig überall sein (Allgegenwart), verschafft uns Macht über alle Informationen (Allwissenheit, Allmächtigkeit im „Wissensmanagement) und rechnet für uns so schnell, daß Eingabe und Ergebnis fast gleichzeitig sind; man sieht es deutlich: Durch Beschleunigung wird Gleichzeitigkeit erreicht, diese ist immer schon das Bild für Ewigkeit, Todesüberwindung, Unsterblichkeit, Glücks- und Gotteserfahrung gewesen. Liegt in diesen Wünschen und Projektionen eine der tiefer liegenden Fundamente von Beschleunigung? Transzendenzerfahrung, Todesüberwindung und Glücksverlängerung?

So formuliert für diesen Zusammenhang die „Süddeutsche Zeitung" vom 27. November 1995 etwas ironisch und polemisch unter dem Titel „Selige Ruhe im Internet":

„Die Toten haben seit dem November 1995 eine Adresse. Sie lautet http://rsls8. sprachlit. uni-regensburg, de/-c305/Memopolis. Diese Formel eröffnet der Menschheit endlich das, wonach sie seit Tausenden von Jahren sucht: den endgültigen Zugang zur Ewigkeit. Memopolis ist eine virtuelle Totenstadt, ein digitaler Friedhof. Die Unsterblichkeit ist ganz einfach erreichbar: PC starten, Modem einschalten und mit der Maus ins ewige Leben einklicken.

Wer also die Internet-Adresse http… usw… Memopolis anwählt, landet auf dem ersten Friedhof auf rein elektronisch-kommunikativer Ebene. Eingerichtet hat ihn die Künstlergruppe ‚Gesellschaft für Untertagebau' mit wissenschaftlicher Hilfe der Uni Regensburg. Diese computergestützten Beerdigungsunternehmer halten das World Wide Web für den idealen Ort, an dem sich Sterbliche schon im Diesseits verewigen können. Denn das weltweite Computernetz sei, wie die digitalen Totengräber meinen, ein kollektiver, ständig wachsender Gedächtnisapparat, der individuelle Erinnerungen speichern und abrufbar halten kann. Das Internet ist dem Tod tatsächlich sehr ähnlich, es ist eine virtuelle und immaterielle Angelegenheit, eine Scheinwelt, in der Menschen als Phantome, scheinbar unabhängig von Zeit und Raum, durch die Gegend geistern.

In *Memopolis* kann sich der Besucher sein eigenes Memorial errichten, ganz ohne Bauvorschriften. Erinnerungsstücke in Form von Graphiken, Texten, Videos, Stimmen oder Musik, sollen den Geist des Friedhofsbesuchers für immer konservieren. Eine Art virtueller Trauergemeinde kann in den beiden Informationsecken des E-Friedhofes Materialien, Überlegungen, Kommentare hinterlassen, die sich im weiteren Sinne mit der Unsterblichkeit befassen. Das ganze virtuelle Gebilde soll sich zu einer ‚Erinnerungsgemeinschaft' auswachsen, die für jeden zugänglich und abrufbar ist.

Das Internet regelt also auch die Letzten Dinge. In der Konsequenz heißt das: Nur wer einen Internet-Zugang hat, hat auch einen Zugang zum ewigen Leben. Nur der *User* ist auch ein Mensch, der es verdient, unvergessen zu bleiben."

Auch wenn man vordergründig über die Skurrilität eines solchen Unternehmens lächeln mag, es wird dennoch ein tieferer Zusammenhang sichtbar. Der Computer, die „Gleichzeitigkeitsmaschine", läßt uns im Internet ins Reich der Toten eintreten und uns damit der Unsterblichkeit teilhaftig werden. Gleichzeitigkeit als Todesüberwindung wird hier aber nicht mehr bloß durch Steigerung von Beschleunigung (durch die Schnelligkeit der Rechenvorgänge des Computers) erreicht, sondern durch ein Hereinholen der ganzen Vergangenheit, durch den „ständig wachsenden kollektiven Gedächtnisapparat". In ihm wird sozusagen alle Vergangenheit als solche aufgehoben und zur virtuellen Gegenwart gemacht. Es handelt sich nicht mehr um ein Wachstum in die Zukunft, sondern um ein solches nach hinten. Alles, was war, ist Gegenwart, und weil es ständig mehr wird, nimmt es der Zukunft ihren Raum. Das quantitative Wachstum in die Vergangenheit stellt Gleichzeitigkeit her, weil es allmählich die Zukunft überflüssig macht.

Einst diente es fortschrittsorientierten Ideologien, den Ahnenkult zu desavouieren, ihn überflüssig zu machen. Vorher bestimmten die unsterblich anwesenden Ahnen (ihr Geist) unser Tun und Handeln. Sie waren eine Macht, und wir konnten uns nicht unbefangen in eine offene Zukunft hineinbegeben. Wir mußten ihnen dienen, sie verehren und anerkennen. Rückwärts gerichtet hatten wir unsere Gegenwart, unser Tun und Lassen war in ihnen zu rechtfertigen.

Unsere Neuzeit war an den Ahnen nicht interessiert. Überhaupt galt es, die „finstere" Vergangenheit (des Mittelalters) zu überwinden und „in die Morgenröte einer neuen Zukunft" einzusteigen. Sie zu gestalten, große Werke zu schaffen, das sollte unsterblich machen; etwas Unvergängliches für die zukünftigen Generationen ins Leben zu rufen, das rechtfertigte jedes Tun. Dem Anschein nach liegt hier eine Richtungsumkehrung im Thema Unsterblichkeit vor. Sie wird in die Zukunft verlegt, zum Verdienst gegenwärtig Handelnder, die sie über große

Taten und Werke „erwerben". Die Alten haben keinen Einfluß darauf. Im Gegenteil, sie stören, müssen unbedankt zurückgelassen werden.

Dennoch, der Anschein trügt. In veränderter Form treffen wir auf das gleiche Modell. Durch unsere Werke und Taten wollen wir den Nachfolgenden unvergeßlich bleiben, auf diese Weise eine realgeschichtliche Unsterblichkeit erlangen. Dies setzt voraus, daß sie sich an uns erinnern, daß wir ihnen nicht aus dem Gedächtnis kommen. Wir wollen uns so zu wirksamen Vorgängern, Ahnen machen. Da unsere Gesellschaft aber auf die Zukunft hin programmiert ist, erzogen zu ständiger Weiterführung und zum Gegensatz gegen die Altvordern, ist es nicht leicht, auf die (alte) Art wieder unsterblich sein zu wollen; denn die Werke sprechen für sich und lassen ihre Schöpfer nur allzuleicht in Vergessenheit geraten. Zum Ende der Entwicklung wird aber doch jene Maschine (jenes Werk) erfunden, die anscheinend allen Teilen gerecht wird. Sie ist selbst ein unsterbliches Werk und für alle Zukunft nicht mehr wegzudenken, ausgestattet mit enormer Gestaltungswirkung. Es schafft für alle Vergangenheit (die Ahnen in Person, Wort und Tat) ewige Gegenwart (Gleichzeitigkeit) und damit reale Unsterblichkeit, einen unendlichen Erinnerungsspeicher, und sie schafft für jedes einzelne Individuum schon bei Lebzeiten die Möglichkeit, sich „einzuklicken", entweder um dieser bereits bestehenden Unsterblichkeit teilhaft zu werden oder sich selbst in ihr zu „verewigen". Die Fülle der angereicherten Unsterblichkeit, die wachsende Quantität ist allerdings in der Lage, Zukunft zu erschlagen; ihr Spielraum, Offenheit und Alternative zu nehmen. Es handelt sich nämlich um den radikalsten Fakten(Ahnen)kult, der in der Geschichte je möglich war. Es wird verboten zu vergessen, man muß, bevor man etwas tut, zuerst nachsehen, was es schon gibt. Damit sind die Weichen oft schon gestellt. Wir haben keine Zukunft mehr, unsere Entwicklung besteht nur mehr aus Facetten der Vergangenheit. Ist dies eine der illusionierenden Antworten auf unsere Gleichzeitigkeits- und Unsterblichkeitswünsche? Lautet sie ganz ungeschminkt: Unsterblichkeit gibt es nur in der Vergangenheit, und die gehört den Toten? Kann Gleichzeitigkeit nur dadurch hergestellt werden, daß man Gegenwart und Zukunft mit Vergangenheit quantitativ auffüllt? Unsterblich wäre man dann aber nur, weil man schon gestorben ist und ewig bleibt. Auch wenn der zitierte Artikel keine solchen Konsequenzen ausspricht, er legt sie doch nahe.

Unsterblichkeit gibt es nur im Umgang mit Toten

Er gibt noch einen weiteren Hinweis: Er spricht vom todähnlichen Internet, in dem die Menschen wie Gespenster, Phantome herumgeistern, unabhängig von Raum und Zeit. Daß der Tod und die Unsterblichkeit unabhängig von Raum und Zeit machen, ist gesichertes Traditionsgut. Daß das Surfen im Internet damit in Zusammenhang gebracht wird, ist zunächst überraschend. Er wird über eine Analogie zwischen virtueller Scheinwelt und Tod hergestellt. Die weiterführende Aussage wäre dann: Als leiblich, sinnlich wirkliche Person „sterbe" ich im Internet, und dort angelangt kommuniziere ich ebenso nur mit Toten. Die virtuelle Welt ist von ihren Inhalten, ihren gespeicherten Daten her vergangen (tot im Sinne von „erstarrt", unveränderbar), und die Personen, Menschen „hinter" ihnen sind eher Gespenster als lebendige Individuen. Könnte sich hier eine zweite Aussage über unsere Unsterblichkeitshoffnungen verbergen? Unsterblichkeit gibt es nur im Umgang mit Toten, und in diesen verliert man selbst seine lebendige Gestalt, wird entsinnlicht, depersonalisiert. Die Hoffnung auf individuelle Unsterblichkeit, für die man all dies in Szene gesetzt hat, erweist sich gerade durch das Angebot als vergeblich. Im Eintritt in das Internet muß das Individuum draußen bleiben, mit anderen zum Gespenst werden; es wird desubstantialisiert, etwas anderes, ein letzter Hauch seiner selbst.

Wie immer wir also auch Unsterblichkeit erhoffen, wenn wir die Hoffnung realisieren, kommt Totes, der Tod heraus. Gleichzeitigkeit heißt hier: Vernichtung der Zukunft durch Vergegenwärtigung alles Vergangenen. Sonst stellen wir uns Vernichtung immer aus der Zukunft kommend vor. Auch der

Tod ist uns individuell etwas Ausstehend-Zukünftiges. Aus der Zukunft kommen auch alle Schicksalsschläge, das Unerwartete und Überraschende, sie erscheint als Grenze aller gegenwärtigen Erstreckung und Dauerhaftigkeit. Immer schon haben wir daher versucht, diese Grenze hinauszuschieben, Gegenwart so weit wie möglich in die Zukunft hinein zu erstrecken. Zukunft soll aus ihr beherrschbar werden; Prognosen, Prophetien sollen uns Sicherheit geben, uns sagen, wie es sein wird, damit wir *jetzt* schon vorbereitet sind, Maßnahmen treffen können. Die Wirksamste haben wir beschrieben. Sie besteht darin, die Vergangenheit zur Zukunft zu machen. Gleichzeitigkeit herstellen hieße daher die Gegenwart nach rückwärts richten. Gerade dagegen ist aber unsere Neuzeit angetreten. Jetzt, an ihrem Ende, da Zukunft wieder unsicherer wird, die Aufbruchsstimmung sich unbefangen und voller Mut, sich in sie hineinzubegeben, vorbei ist, wird Zukunftssicherung wieder relevant, auf neuer Ebene. Das Seltsame ist nur, daß wir es mit Vergangenheit versuchen. Mit Speichern und Gedächtnisaufbewahrung. Wollen wir damit das Erreichte schützen? Wollen wir ein wenig Ruhe im Fortschritt? Es wird uns der Computer als *die* Fortschrittstechnologie angepriesen, und tatsächlich wird Erstaunliches mit ihr weltweit möglich, zumindest erheblich erleichtert. Unsere Argumentation versucht eine andere Seite ins Bild zu bringen. Dem Inhalt nach könnte der Computer die „konservativste" Maschine sein, weil sie eben konserviert.

In-sich-Gehen stellt uns dem alltäglichen Zeitablauf

Transzendenzerfahrung war, wie schon erwähnt, ebenso an Gleichzeitigkeitsvorstellungen gebunden. Insbesondere die Mystik bringt hier viele Beispiele und Hinweise. Ist es bloß der Tribut, den man hier dem „Gegenstand" seiner Erfahrung zu zollen hat? Gott steht jenseits der bestimmten Zeit, er ist Alpha und Omega, Anfang und Ende, keinem Werden und Vergehen unterworfen. In Zeitkategorien vorgestellt ist er unendliche Gegenwart, ewige Dauer. Es wäre naheliegend zu behaupten, daß man Gott nur erfährt, wenn man ein wenig von dieser Zeit erlebt. Gleichzeitigkeit ist nun sicher eine Metapher der unendlichen Gegenwart.

Sicher geht es im mystischen Erleben, in der Anstrengung, sich Gott anzunähern, um ein Verlassen bestimmter Zeitabläufe; um ein Heraustreten aus alltäglich vorbestimmten Abläufen. Verbunden damit ist das Herstellen einer Selbstdistanz, das Aufrichten einer Differenz in sich selbst. „Inscende te et transzende" forderte schon Augustinus als Vorbereitung für adäquate Gotteserfahrung. Also, „gehe in dich, und transzendiere dich dabei, dadurch". Transzendenzerfahrung hängt also an einem In-sich-Gehen, Sich-Entfernen, Sich-Zurückziehen aus der äußeren Welt und ihren Bedingungszusammenhängen, an einem Aufrichten einer Differenz. Unserer ich-betonten Neuzeit, einer durch die verschiedenen individualistischen Weltanschauungen hindurchgegangenen Gesinnungs- und Gewissensethik mag diese augustinische Forderung als selbstverständlich erscheinen. Aufgrund äußerer Zersplitterung und Zerstreuung, vielfacher Mitgliedschaften sind wir weiters ständig hinter uns her, auf eigener Identitätssuche. Wir glauben also sehr gut zu verstehen, was In-sich-Gehen, Selbstreflexion heißen mag und bedürfen anscheinend keiner besonderen Aufforderung dazu. Ist es wirklich so? Jedenfalls verbinden wir selten Selbstreflexion mit Gotteserfahrung. Wir scheinen immer nur beim eigenen, endlichen Ich anzukommen.

In kollektiveren heteronomeren Zeiten, als Gesellschaft, Stände, Religion und ihre Institutionen, Arbeitsabläufe und Feste den Zeitverlauf bestimmten, hatte die Forderung wohl noch eine andere Qualität. Mystiker waren nicht zufällig allen Kirchen seit jeher verdächtig. Sie entzogen sich nämlich auch ihren Anordnungen, ihrem Gemeinschaftsleben und wollten zeitweise für sich sein. Zu manchen Zeiten war dies Gehorsamsverweigerung und damit Ketzerei. Denn die Mystiker legten eine Gottesauffassung nahe, die auf Institutionen wie Sprengstoff wirken konnte. Sie besagt nämlich nicht mehr und nicht weniger, daß Gotteserleben an *eigenes* Differenzerleben gebunden ist. Und dieses kann nicht von außen verfügt oder anbefohlen werden. Ich muß es selbst arrangieren. Damit hängt

Gott mit dem autonomen Individuum mehr zusammen als mit der heteronomisierenden Institution. Das konnte sie nicht so ohne weiteres gestatten.

In unseren vorneuzeitlichen Gesellschaften war also das Heraustreten und In-sich-Gehen keine so einfache, selbstverständliche Sache, mit viel Verzicht und persönlicher Energie verbunden. Schon von der Ausgangssituation her waren mystische Erlebnisse emotionell „überdeterminiert", zugleich aber Hinweise auf einen Gottesbegriff, der zutiefst mit der Erlebnismöglichkeit „autonomer" Personen zusammengebracht werden kann, ein Gott, der nicht mehr „von außen" kommt. Gott als das Absolute, das von allen Abgelöste, die reine Transzendenz, die Negation alles Endlichen und Bestimmten, als reine Differenz kann nur erlebt werden, wenn sich das Ich selbst in diese Differenz stellt. Dabei erreicht es so etwas wie eine Identität, Verbindung mit Gott. Das Ich selbst löst sich von sich ab, entleert sich seiner endlichen Bestimmungen, transzendiert sich; damit ist es in Gottesnähe, der diese Transzendenz ist. Es ist nie Gott selbst, das Absolute, weil es nicht immer und ewig *in* dieser Differenz zu sich selbst bleiben kann; aber es ist in seiner Nähe. Voraussetzung dafür ist allerdings, daß Gott selbst unendliche Transzendenz bleibt, nicht bestimmt wird, die reine Aufforderung zur Selbsttranszendenz der Individuen repräsentiert.

Daß sich für die Selbstdifferenz das Individuum aus alltäglicher Bestimmung den „normalen" Zeitabläufen herausstellen muß, wurde schon gesagt. Damit wird auch das Bild der Gleichzeitigkeit für diese Zusammenhänge hier klarer. Das In-sich-Gehen eröffnet neue Zeiträume, es ist ein innehaltendes Vergegenwärtigen von Vergangenem, zukünftig Möglichem und Gegenwärtigem. In ihm werden die sonst getrennten Zeitdimensionen zusammengebündelt. Alles wird in einen Jetztraum hereingenommen, die früheren Abläufe verdichtet, in eins genommen, in gleichzeitige Vorstellung überführt. „Draußen" mag inzwischen nach der Uhr mehr oder weniger Zeit vergehen, sie ist nicht relevant. In der Herstellung der Selbstdifferenz wird sie ausgesetzt, es entsteht eine „Auszeit". Diese ist aber nicht leer. Sie zieht alle Inhalte in ein Moment zusammen, macht sie gleichzeitig. Und sie ist in ihrer sich stets gleichbleibenden Differenz- und Transzendenzfunktion doch immer auch leer, unbestimmt, unendlich, ohne Inhalte, also in jeder Zeit gleich. Wir erkennen eine doppelte Gleichzeitigkeit, und in dieser Form wurde sie immer schon Gott zugerechnet. Transzendenzerfahrung bleibt daher an eine Zeitdifferenz gebunden.

Es ist nicht so einfach mit der Differenz in sich selbst

Selbstdifferenz, Selbstreflexion sind für uns gängige Begriffe geworden. Also müßte ja auch mit Transzendenzerfahrung alles in Ordnung sein. Daran aber zweifeln wir zu Recht. Gott, das Absolute, kommt hier gar nicht mehr vor, wir scheinen „selbstgenügsam" geworden zu sein, dabei aber keine Ruhe zu finden. Was ist passiert? Was die Mystiker bereits wußten, ist uns zur Gewißheit geworden; es ist nicht so einfach mit der Selbstdifferenz, Selbstreflexion. Zwei Gründe mögen dafür maßgebend sein. Einmal gibt es viel Ablenkung und Zerstreuung, selbst die Herstellung von Selbstdifferenzen wird in diversen Angeboten als Weekendzerstreuung annonciert. Zum anderen ist es nicht immer so angenehm, in sich zu gehen. Denn was findet man dort? „Glück heißt, bei sich selbst anzukommen, ohne zu erschrecken", sagte, wie wir bereits hörten, W. Benjamin und weist damit darauf hin, daß es gar nicht so schön sein muß, bei sich selbst Gleichzeitigkeit herzustellen, seinen bisherigen Lebensweg vor sich selbst zu bündeln, das Wesentliche zu fokussieren. So manches verdrängen und vergessen wir auch, was hier wiederauferstehen kann. Zudem kann es ein recht einsames Geschäft sein, das unsere Kraft überfordert. Und schließlich erleben wir oft Ohnmacht, erfahren, daß wir wenig verändern und ausrichten können.

All dies zusammen läßt uns wohl auch vor Selbstreflexion, vor einem innehaltenden In-sich-Gehen flüchten, Auszeiten vermeiden. Autonome Transzendenzerfahrungen sind damit seltener geworden. Vielleicht hatten es die Mystiker in gewisser

Weise noch leichter; sie hatten meist doch ihre Gemeinschaften, und sie hatten Gott, letztlich auch eine Instanz der Selbstrelativierung: Vielleicht waren sie weniger „einsam", als wir es in unseren Selbstreflexionen sind.

Diese Art Gleichzeitigkeit, erreichbar über Auszeit, Selbstdifferenz, ist nicht immer erwünscht. Aber sie läßt sich substituieren. Und pikanterweise gerade durch Strategien, sie zu vermeiden. Die andere Gleichzeitigkeit versucht man durch quantitative „Vergleichzeitigung" zu erreichen. Ereignisse, Erlebnisse müssen in ihrer Abfolge beschleunigt werden. Immer mehr muß sich in den gleichen Zeiträumen abspielen. Jede mögliche Auszeit ist eigentlich Zeitverschwendung, gerade ein Mangel erfüllter Gleichzeitigkeit. Nun läßt sich Denken nicht permanent ablenken und zerstreuen. Hin und wieder tritt es in die Zeit und richtet eine Differenz auf. Dann gibt es oft Besorgnis und Erschrecken. Neuer Anlaß, die Differenz durch „Fülle" sofort unschädlich zu machen.

Gleichzeitigkeit kann also, wie es scheint, auf unterschiedlichem Weg angestrebt werden, durch das Herstellen von Differenzen (Auszeiten, Innehalten), durch Vermeidung derselben (Beschleunigung, Zeitverdichtung). Letzteres entspricht eher unserem neuzeitlichen Vorwärtsstürmen. Kann sein, daß wir dabei individuell und kollektiv unsere Selbsttranszendenz verlieren, „kurz angebunden an den Pflock des Augenblicks" (Nietzsche), von dem wir einen kurz hinter dem anderen in den Zeitverlauf einschlagen, damit ja keine Abstände entstehen.

Glück will Ewigkeit

„Das Glück ist ein Vogerl", heißt es in einem bekannten Wiener Lied, es ist da und fliegt gleich wieder weg; es ist nicht dauerhaft, hat keine Kontinuität. Gerade das verlangen aber Glückszustände; sie wollen „Ewigkeit". Es soll immer so sein wie jetzt. Der gegenwärtige Zustand soll so lange wie möglich andauern und in die Zukunft erstreckt werden. Die Zeit soll eigentlich stillstehen, im Augenblick verweilen und ihn nicht vergehen lassen. Der Wunsch nach der Dauerhaftigkeit von Glück entwickelt sich an der Vorstellung von Gleichzeitigkeit. Es soll sich immer um die gleiche Zeit handeln, denn nur sie gewährt ein sich gleichbleibendes, nicht veränderndes Glück.

Wir wissen aber zugleich, daß Glück nicht ewig währt. Wir wissen es aus Lebenserfahrung, können es aber auch theoretisch nachvollziehen. Glück ohne sein Gegenteil, Unglück oder zumindest sein Abflauen ist nicht als solches erfaßbar. Dauerndes, gegensatzloses Glück wäre in seiner Einförmigkeit, seiner Gewöhnung nichts Besonderes mehr, eher selbstverständlich, langweilig. So produzieren sich glückliche Tage oft selbst ihre Einbrüche, um dann wieder mit aller Kraft und Empfindungsintensität glücklich sein zu können. Im übrigen sorgen aber der Alltag und das Leben selbst dafür, daß Störungen auftreten. Und selbst glückhafte Erlebnisse neigen, um sich fortsetzen zu können, zu einer Übersteigerung, zur Erhöhung der Raffinesse, können also nicht an sich selbst in gleicher Form festhalten. Verstehen läßt sich also zwar wohl das Bedürfnis, Glück auf Dauer stellen zu wollen, es gleichzeitig werden zu lassen, Erfahrung und Überlegung sagen uns aber, daß dies nicht geht. Oder gibt es noch einen anderen Sinn von Gleichzeitigkeit?

Diese Frage ist nur beantwortbar, wenn man so einigermaßen weiß, was Glücklichsein und gut leben eigentlich heißt. Viel wurde darüber schon spekuliert, im wesentlichen gab es immer zwei Positionen. Die einen verbanden Glück und gutes Leben mit materiellen Gütern, Voraussetzungen der Lebenssicherung, bis hin zu deren Luxurierung. Die anderen meinten zu wissen, daß man in allem materiellen Glück auch durchaus unglücklich sein kann, und setzten Glück in Zusammenhang mit Einstellungen, Haltungen und einer Erfüllung immaterieller Wünsche. Ich vermute, daß in bestimmtem Maß beide Seiten für Glück zuständig sind, daß man den Menschen nicht so ohne weiteres in sich auseinanderreißen kann. Es ist banal zu sagen, daß es sowohl glückliche Arme wie unglückliche Reiche gibt, wie auch umgekehrt. Im Aufzählen und Aufwiegen kommen wir damit nicht weiter. Bei den Griechen bekam

Glück den Namen Eudaimonia, der später vielfach mit Glückseligkeit übersetzt wurde. Zum Glück kommt also die Seele dazu, und für Platon und Aristoteles war klar, was es heißt, einen guten Dämon sein eigen zu nennen. Gut leben heißt nämlich von seinem Lebenszweck den besten Gebrauch zu machen, und der Lebenszweck der Menschen ist, überlegen zu können, von seiner Überlegung, Vernunft den besten Gebrauch zu machen. Das sagt zwar auch nicht sehr viel inhaltlich aus zur Frage, was denn Glück eigentlich sei, es gibt aber einen Hinweis, der uns bereits bekannt vorkommen muß. Glück wird in Zusammenhang gebracht mit überlegen, d.h. nachdenken, heraustreten, reflektieren; das Aufrichten einer Differenz im Ablauf unseres Alltags und unseres Lebens.

Erst durch und in dieser Differenz wissen wir, was gutes, was schlechtes Leben ist. Glück mag zwar eine Sache von Zuständen, Gefühlen und Ergebnis von Ereignissen sein, dieses Glück aber vergeht, hat keine Dauer. Eine Glücksmöglichkeit begleitet uns aber immer, ist unser „guter Dämon": die Möglichkeit, unser Leben zu überprüfen, nachzusehen, was uns glücklich macht, was uns schadet. Diese Möglichkeit ist unser dauerhaftes Glück. Aus dem vorhergehenden Abschnitt wissen wir, daß die Wahrnehmung dieser Differenz eine andere Zeitstruktur fordert, eine, die wir am Bild der Gleichzeitigkeit vorstellen. Hier gibt es den einen Berührungspunkt von Glück und Gleichzeitigkeit. Wir kennen aber auch den anderen, den quantitativen: möglichst viele Glückserlebnisse („events") in der Zeit anzusammeln; sie aufeinanderzuhäufen und in ihrer Dauer zu verkürzen, zu beschleunigen. Unsere Welt besteht aus einem Angebot vieler Glücksversprechen; zum Teil soll man sie auch einkaufen können. Ob sich mit dem Erwerb auch Glück einstellt, wissen wir nicht. Es ist anzunehmen, daß es sich nur allzu punktuell zur Verfügung stellt, da es für das nächste Platz machen muß. Punktualität ist aber gerade das nicht, was wir mit Glück wollen, das Defizitgefühl will Kompensation. Man braucht immer schneller neues Glück. Wenn nach Dafürhalten der Griechen Glück aber etwas zu tun hat mit Überlegung, Bewertung, Sinngebung und wenn diese aufgrund der beschleunigten Anhäufung von Glückserlebnissen nicht mehr möglich sind, dann könnte es sein, daß dem Glück etwas fehlt und dies gerade das ist, das in immer schneller nacheinander erfolgende Neubefriedigung drängt. Sie kann nicht zufrieden machen, weil man nicht die Ruhe hat, Frieden mit sich selbst zu schließen.

Feiern und Feste helfen uns, den Alltag zu unterbrechen. Sie sind Orte der Differenz, wo Selbsttranszendenz Aufenthalt finden könnte. Immer waren sie daher auch schon mit Selbstüberhöhung, -überschreitung verbunden, in der Transzendenz des endlich ablaufenden Lebens angesiedelt. Auch in ihnen war immer die gleiche Zeit, und zur gleichen Zeit wiederholten sie sich; und dies über Jahrhunderte hinweg. Trotz aller geschichtlichen Veränderungen blieben sie sich lange gleich, in Inhalt und Form gebunden an etwas unverlierbar Zeiten-Überdauerndes. Dies ist alles, was nicht in der Kette der Ereignisse kommt und geht, es ist das Unverrückbare unserer widersprüchlichen Existenz zwischen Glück, Erfüllung und Ende, Tod. Wir feiern nicht nur das Beste, Große, Gelungene, wir feiern auch Abschied, Trauer, Verlust. Schnell aufeinanderfolgendes Glück, schnelle und flüchtige Glückserlebnisse und Angebote haben uns gemeinsame Feste feiern verlernen lassen. Wir wollen ihren Widerspruch anscheinend nicht mehr, nur mehr die heile Seite. Dafür sind sie aber ungeeignet, weil sie immer beides sind. Ein Beispiel: Jubiläen.

Von Zeit zu Zeit ein Jubiläum

„Denn wir leben wahrhaftig in Figuren.
Und mit kleinen Schritten gehen die Uhren
neben unserm eigentlichen Tag."
(Rainer Maria Rilke)

Jubiläen erinnern an eine andere Ordnung der Zeit

Jubiläen unterbrechen als freudiges Ereignis den alltäglichen Ablauf der Zeit. Meist werden sie an runde Zahlen gebunden, wobei die Null eine ganz besondere Rolle spielt. Warum werden hier Zeitläufe unterbrochen, warum werden Zeitabschnitte besonders hervorgehoben, wo doch Zeit als kontinuierlicher Fluß, nach dem Bilde des gleichförmigen Dahingleitens begriffen wird? Ist dieses Bild nicht brauchbar, soll es uns dort Kontinuität vorspiegeln, wo Diskontinuität genauso wirklich ist? Das eine ist die Zeit, das andere ist Lebenszeit zwischen Geburt und Tod, Geschichtszeit zwischen bedeutenden Ereignissen, Entscheidungszeit, die ein- und ausschließt. Jubiläen erinnern im Strom der Zeit an diese, an Klippen, Sandbänke, Wasserfälle, an eine andere Ordnung der Zeit. Die gemessene Zeit kennt weder Höhen noch Tiefen; sie zeichnet keinen Zeitpunkt aus, sie verharrt nicht, sie geht ihren kalten, unbeeinflußten Gang.

Durch die Uhr bekommen wir keine Auskunft über unsere Lebenszeit. Sie schlägt auch nicht im Takt besonderer Ereignisse. Sie hat keinen Rhythmus und mißt eigentlich nur sich selbst, d.h. das, was ihr durch ihre Mechanik oder Elektronik eingegeben ist. Die „exakt" gehenden Uhren sind ein Wunderwerk der Uhrmacherkunst gewesen, und unsere gegenwärtige Technik und Industrie hat es noch perfektioniert. Woran nimmt die Uhr ihr Zeitmaß? Derzeit, wie wir wissen, an den Schwingungen des Caesium-Atoms, und dieses schwingt unter gleichen Laborbedingungen überall gleich. Unsere Zeitordnung und -messung wird vom Atom her bestimmt, wie es sich für ein „Atomzeitalter" eben gehört. Man konnte sich weltweit auf diese Art der Zeitmessung einigen. Das ist sicher eine wichtige und notwendige Weltkulturleistung. Damit sind Verkehr und Kommunikation wesentlich erleichtert worden, Grundvoraussetzungen der werdenden Weltgesellschaft. Die Einigung aber hat ihren Preis in der genannten Abstraktion. Die weltweite Zeitordnung und Zeitmessung darf an keine besondere Kultur, keine Tradition und keine lokale Geschichte gebunden bleiben. Dies würden andere Kulturen weder dulden noch verstehen. Auch die Bindung an Naturrhythmik war aufzuheben, denn nicht überall sind Klima, Jahreszeiten, Tag und Nacht gleich. Man mußte sich also auf einen kleinsten gemeinsamen Nenner einigen, und ein solcher kann nur in einer über alle besonderen Ordnungen hinausgehenden Abstraktion liegen. Nebenher, dahinter usw. mögen ja noch andere Zeitordnungen existieren, allgemein geltend ist aber nur die eine.

Man könnte nun davon ausgehen, daß die abstrakte Zeitordnung, weil abgelöst von jeder bestimmten Kultur, „neutral" ist, rücksichtslos, aber auch unbestechlich. In ihr kann alles Platz bekommen, sie hat für alles ihre Zeit in Stunden, Minuten, Sekunden und kann alles „verorten". Was aber leicht unterschätzt wird, ist die Macht der Abstraktion, in der sich Neutralität in Bestimmung übersetzt. Die Uhrzeit dient nicht mehr nur der Messung und Datierung von Abläufen und Ereignissen, sie beginnt sie zu beeinflussen. Wir essen nicht unbedingt dann, wenn wir Hunger haben, sondern weil es 12 Uhr 30 ist und da die Mittagspause angesetzt ist; wir lassen uns täglich durch den Wecker aus dem Bett rütteln, weil der Tag eben um 6 Uhr früh beginnt und nicht, wenn wir ausgeschlafen sind. Und wir müssen am 1. April noch eine Stunde früher aufstehen, weil Sommerzeit angesagt ist. Freilich, es muß wohl so sein, weil sonst sich zwischen verschiedenen Menschen nichts mehr koordinieren und organisieren ließe; unsere Arbeitswelt braucht trotz aller Gleitzeiten einen gemeinsamen Takt. Damit erhält man aber eine klare Auskunft über die Macht der Abstraktion: Sie bestimmt jene Zeitordnung, der wir uns als Individuen, Gruppen, Völker schon aus organisatorischen Gründen zu unterwerfen haben.

Ereignisse des Lebens und der Geschichte lassen sich aber mit dieser Abstraktion nicht fassen; Sie haben in der Uhr keine Zeit. Jede Geburt hat zwar ihr Datum und ebenso jeder Tod; es läßt sich aber zeitlich nicht messen, daß hier etwas *in* die Zeit tritt oder aus der Zeit geht. Ebensowenig läßt sich aus der Uhr die Kraft und Gewalt des „Kairos", des richtigen Zeitpunktes, der „Fülle der Zeit", bestimmen oder gar voraussagen, und Gründungen geschehen zwar immer zu einem meßbaren Zeit-Punkt, dieser sagt aber über ihre Qualität, ihre zukunftsbestimmende Absicht nichts aus.

So müssen wir die Zeit zwar messen, die gemessene abstrakte Ordnung ist uns für sich genommen aber bedeutungslos. Wir müssen in ihr Zeit auszeichnen, besondere Daten festhalten, den Reichtum des Lebens und der Geschichte in sie aufnehmen. Zum Reichtum gehört aber auch der Widerspruch. Im anscheinend gleichmäßigen Ablauf der Zeit gibt es Brüche, Diskontinuitäten, Ende und Anfang, Werden und Vergehen; auch diese Unterbrechungen müssen in der getakteten Zeit vorkommen. Daher erhalten „neutrale" Daten plötzlich eine besondere Würde. Sie sollen „bleiben", in Erinnerung behalten werden, gegen den weiteren Ablauf der Zeit. Auch Jubiläen entstammen wohl diesem Bestreben und sind Erinnerung an andere Zeitordnungen.

Warum spielen „runde" Zahlen eine so große Rolle?

Warum spielen hier „runde" Zahlen und vor allem die Null eine so große Rolle? Man könnte hier viel spekulieren. Zweierlei erscheint aber vielleicht plausibel: „Runde Zahlen" symbolisieren Abrundung; es schließt sich eine Gestalt. Es geht nicht sofort weiter. Man hat gleichsam einen Platz erreicht, wo man ein wenig stehenbleiben, verharren kann, bevor man sich ins neue Jahrzehnt entschließt. Vielleicht soll man selbst auch „abrunden", die größeren und kleineren Voll-Endungen der

Vergangenheit betrachten und genießen; denn immer wieder kommt etwas zu seinem glücklichen Ende.

Ende wird daher auch stets gegenwärtig gehalten; denn unsere Zeit endet einmal endgültig, während die andere Zeit unbekümmert weitergeht. Vielleicht ist für dieses Zu-Ende-Gehen, dieses Nicht-mehr-weiter-Sein, die Null das naheliegendste Zeichen; das Symbol für das Nichts; das Verschwinden von jeder Bestimmtheit. Rein rechnerisch gelangen wir mit der Null ins unendlich Kleine, bis auch dieses verschwindet, und ins unendlich Große, bis auch dieses im Unendlichen aufgeht. Von da her ist die Null schon geeignet, das Verschwinden und das Überhöhen zu repräsentieren, einen Widerspruch damit in sich zu haben, der sich bestens für Jubiläen eignet. In ihnen wird Großes gefeiert und sein Zu-Ende-Kommen, Verschwinden gegenwärtig gehalten. Je nachdem können sie mehr dem einen oder mehr dem anderen dienen: Jubiläen als Versuche, das Verschwinden, Verflachen, Zu-Ende-Gehen zu bekämpfen, den Sinn zu erneuern, das Ereignis dem Vergessen immer wieder zu entreißen, Jubiläen als Vorbereitung auf das Ende, als ein Akt liebevoller Annahme des Unausweichlichen; vielleicht auch vorweggenommener Trauer und gegenwärtiger „Arbeit“ am noch ausstehenden Verlust.

Im Folgenden will ich versuchen, diese Widersprüchlichkeit zu durchleuchten; vorher aber noch ein längeres Zitat Thomas H. Macho, der zur Null meint:

„Bis zur Neuzeit blieb die Null – das signifizierte Nichts – ein unheimliches Zeichen, dessen Benutzung häufig verboten wurde. Sie wurde noch im 15. Jahrhundert als *umbre et encombre,* ‚dunkel und unklar‘, angesehen, und ihr Name Null kommt daher, daß sie *nulla figura,* ‚kein Zeichen‘, ist. Als Element von Jahreszahlen und Daten unterstreicht sie geradezu die Kontingenz der indizierten Ereignisse. Denn jedes Datum kodiert ein Hier und Jetzt, um zugleich dessen konkrete Bestimmungen zu verschlucken. Auf den meisten Friedhöfen stehen Erinnerungssteine, die an nichts mehr erinnern: Beschriftet mit Eigennamen, Geburts- und Sterbedaten, verweigern sie alle Kommentare. ‚Das Datum ist ein Zeuge‘, versichert Jacques

Derrida. Aber es zeugt von nichts; von jenem ,Nichts vielleicht, aus dem die Menschen – wie alles Seiende – hervorgehen, um irgendwann wieder in ihm zu verschwinden. Auch der Tod ist nur ein Datum, als Datum stets verwechselbar mit dem Datum der Geburt. Lebensdaten, Geburtsdaten, Sterbedaten. Im Geschichtsunterricht müssen sie auswendig gelernt werden: Kein Datum unterhält per se dechiffrierbare Beziehungen zu den Ereignissen, die es bezeichnet. Aus 333 erschließt sich keine Keilerei. Das Datum zerstört, was es zu bewahren scheint. ,Indem es die Vernichtung dessen, was es dem Vergessen entreißt, riskiert, kann es jederzeit das Datum von nichts und niemandem werden, ein Wesen ohne das Wesen der Asche, wobei man eines Tages nicht einmal mehr darum weiß, was ein einziges Mal unter einem aufgebrauchten Namen da war.'

Das Datum erinnert an die Gewalten des Vergessens. Vor solcher Wahrnehmung schützt allein die Mythisierung des Datums, seine kabbalistische Aufladung. Zahlen werden in Geheimschriften umgedeutet, in Buchstaben und Texte konvertiert. Die Erscheinungen der Null werden als Hinweise auf besondere Zeiten, Indizien und Festtage und *Jubiläen* gelesen; und plötzlich wirken die unheimlichen, ,runden' Zahlen wie apotropäische Zeichen gegen die Signifikation des Vergessens. Lebenszeit und Geschichtszeit lassen sich wieder aufeinander beziehen; im Augenblick des Jubiläums wird die Allianz zwischen vergangenen und gegenwärtigen Generationen neu gebildet und bekräftigt. Hochkulturen entspringen ihren Chroniken. Bis zum heutigen Tag erlaubt uns das System der Universalchronik, jedes Datum – inzwischen auch auf CD-Rom – einer Serie von (mehr oder weniger) ,runden' Geburts- und Todestagen, historisch-politischen Ereignissen, nationalen Feiertagen und Jubiläen zuzuordnen – in getreuer Nachahmung des römisch-katholischen Kirchenkalenders, der in vergangenen Jahrhunderten die aktuelle Synchronisation von Lebens- und Heilsgeschichte bewirken sollte; jeder Tag war als Namenstag an einen bestimmten Heiligen adressiert. ,Subjektiv' erlebte Zeit ließ sich so der ,objektiven' Zeit des jeweiligen Weltalters und Äons inkorporieren; die chronologische Sukzession der verrinnenden Jahre konnte im *Kairos* – Augenblick der Erfüllung und Ewigkeit, Ursprung und Ziel zugleich – aufgehoben werden."

Der Grundwiderspruch von Jubiläen

Jubiläen werden meist nur von ihrer positiven Seite her gesehen: Sie sind Feiern, Feste, sie dienen dem Andenken und der erinnernden Verehrung von Leistungen, Tugenden, Vorbildern; sie halten fest, was gut war und gut ist, sie bestätigen Vergangenheit und erneuern der Gegenwart ihren Sinn. Über das Negative soll geschwiegen werden, Kritik und Selbstkritik sind selten. Man soll ehrfürchtig sein können, was einem „heilig" ist, soll nicht „zerstört", „beschmutzt" werden.

Diese Betonung der positiven Seite verbirgt den zwiespältigen und widersprüchlichen Charakter von Jubiläen; fast gewaltsam wird verhindert, über Anlaß, Charakter, Konsequenz und eigentlicher „Aufgabe" solcher Feiern nachzudenken: Man soll feiern und nicht denken; denn letzteres bricht in Stimmungen ernüchternd ein und läßt uns so froh nicht werden, als es angebracht erscheint. Im Feiern geht es um Gemeinschaft, um Zugehörigkeit, um Selbstidentifikation; das Denken steht immer irgendwie jenseits und verweigert Heimat. Was also zu tun ist, in Reden, Festansprachen, Musikdarbietungen, Lesungen, Gedenkgottesdiensten, Weihen usw., gibt der Zweck vor:

Wenn das Denken Zugehörigkeit eher verweigert, muß *gegen* seine relativierende Kraft Identifikation geschaffen werden; es geht um Symbole, Rituale, um ein *Tun*, das Dabei-Sein ermöglicht und befestigt, bei dem Mit-Tun das Wichtige ist. Man will sich wieder als Gemeinschaft „spüren" und jeder an seinem Platz; Reden nach intelligenter Qualität zu überprüfen ist ebenso sinnlos, wie das Kirchenlatein nach seiner Relevanz für das unkundige Volk zu befragen. Deshalb ähneln sich die offiziellen Ansprachen bis zur formelhaften Gleichheit: Es geht weniger um den Inhalt – zumal der ohnehin im großen und ganzen bekannt ist –, es geht mehr um die Melodie, die uns im Gleichschritt marschieren läßt. Hier gibt es begabtere Redner, die Wunsch und Gefühl besser zu bündeln verstehen; die gleichsam die kollektive Identifikation repräsentativ zu fassen vermögen und weniger begabte, die im Formelhaften untergehen. Den ersteren geht es meist um die Schaffung neuer Zugehörigkeiten, um neues Leben, neue Sinnbestimmungen, wie immer die auch aussehen mögen; letztere sind es meist schon gewohnt, Traditionen zu vertreten und stets zu erneuern, sie zeigen Routine und Selbstverständlichkeit; ihrer Sicherheit fehlt aber das manchmal notwendige „Feuer".

Wenn so viel für das Positive getan wird, wenn Distanz, Kritik, Reflexion fast als Beleidigung verstanden werden, wenn Feste eine Stimmung vermitteln, der man nur ganz oder gar nicht angehören kann, darf die Frage gestellt werden, warum dies alles nötig ist: Was soll vermieden, unterdrückt, verdrängt werden?

Die Antwort auf diese Frage macht uns die Widersprüche deutlich, die mit jedem Jubiläum verbunden sind, ja, die es geradezu hervorbringt. Vor allem weist sie auf die Brüchigkeit hin, der die Kontinuität unseres Daseins und unserer Geschichte ausgeliefert ist. Der Grundwiderspruch von Jubiläen besteht also darin, daß sie über die Selbstversicherung von Gemeinschaft und Zugehörigkeit Lebens- und Geschichtskontinuität aufzeigen wollen, aber gerade dadurch, *daß* sie notwendig zu sein scheinen, auf Veränderungen, Brüche, Diskontinuitäten hinweisen. Nun gibt es zweifellos Kontinuität, und sie soll auch als Tradition gefeiert werden können; mächtiger vielleicht und bedrohlicher ist aber die andere Seite; der Aufwand, sie zu verdrängen, ist verständlich.

Wer persönlich Jubiläen erlebt hat, runde Geburtstage, Dienstjubiläen, Auszeichnungen für langjährige „treue Dienste", hat auch ihre Ambivalenz erlebt: Auf der einen Seite sind sie Feste der Gemeinschaft, Anerkennung der Person und ihrer Verdienste, und man freut sich darüber; auf der anderen Seite glaubt man als noch Lebender bereits seine Leichenrede zu hören und schämt sich fast, noch am Leben zu sein; eigentlich gehörte man schon in den Bestand eingereiht; jedenfalls hat man das lähmende Gefühl, sich eigentlich nicht mehr sehr verändern zu dürfen.

Jubiläen, die an politische Ereignisse und damit an Geschichte gebunden sind, erhöhen die Dimension der Widersprüchlichkeit vom Individuellen ins Kollektive; dort herrscht „Starkstrom"; um so größer die Anstrengung, das (angeblich) Negative, die andere Seite der Kontinuität, nicht zum Vorschein kommen zu lassen. Dies kann aber nie ganz gelingen, weil Jubiläen schon durch ihre notwendige Existenz etwas beweisen: nämlich, daß sich Kontinuität, Tradition, bruchlose Zugehörigkeiten nicht von selbst herstellen, sondern vielfältiger unterstützender Maßnahmen bedürfen.

Die Feste der einen sind die Niederlagen der anderen

Politisch-historische Ereignisse bedürfen dieser Unterstützung insbesondere, was allein die Anzahl und Häufigkeit der Jubiläen zeigt. Zunächst ganz schlicht schon aus der Tatsache heraus, daß meist die Feste der einen die Niederlagen der anderen waren; beides läßt sich nicht im Sinne gleicher Positivität feiern; das eine stört das andere. Was den einen Gemeinschaft und Zugehörigkeit schafft, schließt die anderen aus oder vernichtet sie gar. Nun kann es aber sein, daß die Verlierer von damals neben den Siegern von damals leben; daß das Jubiläum für sie die Niederlage immer wieder ins Gedächtnis ruft und alte Schmerzen erneuert. Es ist wohl viel verlangt, von ihnen positive Feststimmung einzufordern. Daher: Jubiläen dieser Art lassen sich nur unbeschwert feiern, wenn es die anderen Unterlegenen nicht mehr gibt oder wenn sie die neue Gemeinschaft in sich assimiliert hat. Ansonsten werden die Widersprüche der Vergangenheit erneuert und Unterschiede deutlich, die auf Einheit, Einigkeit störend wirken.

Politisch-historische Jubiläen müssen daher besonders sensibel und störanfällig sein, und sie sind es dann insbesondere, wenn das Selbstbewußtsein der Feiernden nicht besonders hoch ausgeprägt sich ganz besonders auf ein „Gründungsereignis" und die damit verbundenen Feiern beziehen muß. Man kann nun die Störanfälligkeit bedauern und verdrängen, man könnte sie auch zur Tugend machen: Sie würde nämlich deutlich und bewußtmachen, was alles in der historischen Tradition noch Unaufgearbeitetes miteinander ringt und streitet, was dem einen an Selbstbewußtsein fehlt, warum der andere wirklich zu trauern hat. Solche Auseinandersetzungen und „klare" Unterschiedenheit widersprechen aber offensichtlich zutiefst dem positiven Zweck der Maßnahmen. Natürlich können in demokratischen Staaten „Gegen"veranstaltungen, Proteste usw. nicht mehr so ohne weiteres unterdrückt werden. Der Gefühlszustand, der mit Jubiläen verbunden ist, verhindert aber Auseinandersetzungen, in denen selbstrelativierende Unterschiede deutlich werden. Es geht wie einst um Sieg und Niederlage, um Gutes und Böses, um die „Unsrigen" und die Anderen.

„Negative" Jubiläen

An den Jubiläen der letzten Jahre ist noch eine andere Problematik deutlich geworden; zweifellos waren historische Daten zu erinnern: die Eingliederung Österreichs ins Hitler-Deutschland, Kriegsbeginn usw. Auf Grund seiner positiven Besetzung war das Wort Jubiläum für diese Wiedererinnerung nicht so recht tauglich; man erfand Begriffe, wie Bedenk-, Gedenkjahr, um die negative Bedeutung dieser Ereignisse zum Thema erheben zu können. Damit war zwar ein Anfang für „negative Jubiläen" getan, unsere Art des Umgangs mit ihnen offenbarte aber zugleich unsere Verlegenheiten: Wie soll man Negatives „feiern", nachdem bisher Feste, Jubiläen, eben das bedenkende, darstellende, rituelle Inne-Halten in der Zeit positiven Gefühlen vorbehalten blieb. Negatives läßt sich eben nicht feiern, man muß es „bedenken", hier soll das Denken wieder in sein Recht eingesetzt werden. Aber offenbar reicht es nicht aus: Es ist zu dünn, zu intellektuell, zu wenig anrührend, entbehrt der gewohnten emotionellen Dichte; es ist zu nüchtern, um das Gewohnte, mit Jubiläen sonst Verbundene zu ersetzen.

Das Bedürfnis, auch den negativen Jubiläen Bedeutsamkeit zu verleihen, führt zu Kompensationshandlungen, die so recht unsere Unfähigkeit zeigen, sich mit dem „abgespaltenen" Negativen zu befassen. Die bewährteste Form der Emotionalisierung ist vordergründige Moralisierung. Moral kennt Gutes und Böses, kann eifern, verurteilen, anklagen, Besserung versprechen. Sie gestattet eindeutige Zuordnungen, und damit wird in Umkehrung erreichbar, was positive Jubiläen von sich aus versprechen. Kritische Einschätzung und Beurteilung historischer Ereignisse genügt nicht mehr, Bekenntnise werden verlangt und Verurteilungen. Der Anlaß für die „Jubiläen" tritt als solcher in den Hintergrund, verstehendes Ursachenforschen ist schon ein halbes Eingeständnis, der falschen Partei anzugehören. Das historische Ereignis dient dazu, *heute* die Menschen zu teilen, sich die in „Massengesellschaften" so schwierigen und wichtigen Zuordnungen und Zugehörigkeiten zu verschaffen. Das „heimatlose" Denken mag vielleicht den „Weltbürger" auszeichnen, Zugehörigkeiten verlangen lokale Dichte und diese muß, wenn sie geographisch nicht mehr möglich ist, im „Geist" eingerichtet werden. Daß Moralisieren und Ideologisieren den Gang der Geschichte bisher wenig beeindruckt hat, ist sekundär; es geht nicht um ihn, es geht um unsere (fehlenden) Heimaten.

So kann man mit „negativen" Jubiläen keine Freude haben: denn entweder „verkümmern" sie in bedenkender Reflexion oder wissenschaftlichen Symposien, oder sie werden eingepfercht zwischen Moralität und Verdrängung. Letztere zeigt verdichtet nur den üblichen Umgang mit den Anderen, Ausgeschlossenen, in historischen Ereignissen „Vernachlässigten". „Warum immer wieder längst Vergangenes aufwärmen", die Zeiten sind anders und auch wir; laßt die Toten bei den Toten ruhen. Es ist nicht unbedingt so, daß die Mehrheitsgruppe die Vergangenheit deshalb positiv sehen muß oder den „Ewig-Gestrigen" zugerechnet werden muß. Sie repräsentiert viel mehr eine Haltung, die in uns allen individuell steckt, aus der wir auch Systeme machen: Jede individuelle, noch mehr jede kollektive Entscheidung ist eine Entscheidung für etwas und schließt anderes aus. Das eine wird positiv gesehen, sonst würde man ja die Entscheidung nicht treffen, das andere negativ und schnell vergessen. Denn nur das Vergessene erlaubt unbefangen motiviertes Handeln; würde man sich ständig von nichtverwirklichten Möglichkeiten „ankränkeln" lassen, bliebe man „am Ort".

Mit dieser Verallgemeinerung einer Haltung, die zutiefst mit der Entscheidungs*not* des Menschen verbunden ist, soll nicht einer anderen Form der Emotionalisierung das Wort geredet werden, die ebenso eine Gemeinschaft eröffnet: Ungefährdet von Konsequenzen zeigt jeder mit dem Finger auf sich und entdeckt plötzlich das Negative in sich: „Wir alle sind ..." Auch wenn diese Bekenntnisse so allgemein bleiben, daß sie richtig sein müssen, sie sind in ihrer Folgenlosigkeit risikolos und billig. Offensichtlich genügen sie aber zur Erstellung einer Gemeinschaft der Schuldigen und Sündigen; hier sind große Vorbilder greifbar: Als sich in der Zugehörigkeit zur Kirche Sprünge auftaten, scheute sie sich nicht, sich als ganze Institution zu beschuldigen.

Gibt es die Möglichkeit „kollektiven Irreseins"

Verwirrung entsteht durch rasche Vorzeichenänderung. Eigentlich hätte sich der Anschluß Österreichs an Hitler-Deutschland z.B. für den Anfang einer positiven Jubiläumstradition angeboten. Die absolute Mehrheit der Österreicher war mit Freuden dabei und war durchaus positiv motiviert. Kleine Gruppen von Oppositionellen gibt es immer, die den Zug der Zeit ungenützt vorbeifahren lassen, die irgendwelchen Ideen nachhängen oder „verblendet" sind. Wäre der Krieg „gewonnen" worden oder hätte Hitler rechtzeitig „aufgehört", so vernimmt man allenthalben, würde der Anschluß noch heute gefeiert werden. Die Greueltaten des Faschismus, nun gut, schließlich waren die westlichen Kolonialmächte vor Ort auch nicht zimperlich. Die „Niederlage" also hat die Umwertung der Werte besiegelt und aus möglichen Jubiläen Gedenkfeiern gemacht. Können Mehrheiten derart „verblendet" sein? War nicht Hitler „demokratisch“ zur Macht gekommen? Gibt es demnach kollektive Fehlentscheidungen? Gibt es die Möglichkeit „kollektiven Irreseins“, und wenn ja, wo finden wir Korrektur und Maß?

Die Erschütterungen um den Zweiten Weltkrieg, die Kehrtwendungen von Kollektiven haben unsere bisherigen politisch-historischen Jubiläumstraditionen im Kern getroffen. Waren nicht Faschismus und Nationalsozialismus das große Heimatversprechen? Die Proklamation unverbrüchlicher und unerschütterbarer Zugehörigkeit? Verbrieft durch Rasse, Blut, die Macht der „Natur“? Hat nicht der Faschismus es bisher in der Geschichte am besten verstanden, historisch-politische Ereignisse zu feiern? Ohne Respekt vor der geschichtlichen „Würdelosigkeit“ von Kurzzeit-Jubiläen (einjährige, zweijährige bis maximal zehnjährige ...), hat er eine Feier- und Festästhetik entwickelt, die auch heute noch Gegner zugegebenermaßen beeindruckt, wenn sie alte Wochenschauen sehen.

Wenn Jubiläen in ihrer positiven Bedeutung der Identifikation, der Bestätigung von Zugehörigkeit dienen, wenn sie notwendig sind, zur Errichtung von „guter“ Tradition, von Kontinuität und bruchlosem Selbstbewußtsein in ihr, so hat von diesem Sinn das Dritte Reich in extremer Form Gebrauch gemacht und ihn damit in seiner Einseitigkeit bewiesen. Wie man heute weiß, ist Stalin hier Hitler nicht viel nachgestanden, und für den gesamten Sozialismus gibt es diesbezüglich heute ein böses Erwachen. Nach diesen Erfahrungen fällt es schwer, politisch-historische Ereignisse in ungebrochener Positivität zu feiern; nicht, weil die Wünsche nach Kontinuität und Zugehörigkeit nicht berechtigt sein mögen, nicht, weil feiern nicht schön wäre, sondern, weil wir zur Kenntnis bekommen haben, was sich mit diesen Wünschen alles machen läßt. Daß die wachsenden Defizite in Zugehörigkeiten und Kontinuitäten die Gefühle der Menschen verwirren und überlasten mögen, daß es ein Charakterzug unserer neuzeitlichen massenhaften Fortschrittsgesellschaft ist, diese Defizite zu verstärken und Sehnsüchte bis zu ihrer Mißbrauchbarkeit zu steigern, steht auf einem anderen Blatt.

Obwohl wir aber durch den Nationalsozialismus, den Stalinismus etc. ernüchtert wurden und skeptischer an die Dinge herantreten, eine adäquatere Form zu feiern scheinen wir auch noch nicht gefunden zu haben; so stehen sich nach wie vor gegenüber: die skeptisch kritischen Denker und „Aufarbeiter" der Vergangenheit, bei denen so recht keine Feierstimmung aufkommen will und die „Naiven", die es so recht und schlecht auf die alte Art versuchen, und wo sie merken, daß sie auch nicht mehr taugt, eher dazu neigen, sie als das Heiligste zu verteidigen. Hinter dieser Polarität steht natürlich der unbewältigte Widerspruch im Menschen selbst: Jubiläen, Feste sollen jene Kontinuität und Zugehörigkeit sichern, die es in der Wirklichkeit, zumal der politischen, nicht gibt. Letzteres muß verdrängt werden, und dies führt immer wieder in jene Festgestalten, die uns geschichtlich eigentlich schon verleidet wurden. Die Geschichte scheint bisher Zugehörigkeiten nur über den Ausschluß anderer (des anderen Stammes, des anderen Volkes, der anderen Nation, Religion, der anderen Partei etc.) gesichert zu haben. Diese Sicherung war oft mit Gewalt, mit Sieg und Niederlage, mit dem Streben nach Hegemonie und Vorherrschaft verbunden; damit teilte man auch die Menschen in bessere, schlechtere, moralische und unmoralischere, höherstehende und niedere usw. ein. Historisch-politische Jubiläen emotionalisieren auch heute noch sehr oft durch die Ritualisierung des Gleichen. Sie dulden in sich nicht den Widerspruch. Ein Sieg über andere hat in der Vergangenheit zusammengeführt und „Gemeinschaft" geschaffen; dieser muß immer wiederholbar sein.

Unsere Zeit verlangt anscheinend „Wendehälse"

Seit man im Gefolge der Französischen Revolution es mit einer neuen Zeitrechnung versuchte, werden die Etappen gleichbezüglicher Jubiläen immer kürzer. Erstreckten sich Jubiläen, Traditionen von Festtagen früher über Generationen, passierte es unseren Vätergenerationen, daß sie höchst Unterschiedliches „jubilieren" mußten; manchmal auch Gegenteiliges. Unsere Zeit verlangt offensichtlich „Flexibilität" oder „Wendehälse", wie ein neuer Begriff die Sache bestens trifft. Würde es nur um Zugehörigkeiten gehen, wäre dies wohl nicht so schlimm, Symbole und Rituale sind austauschbar, Hauptsache, „wir sind zusammen". Aber was ist mit der Kontinuität? Man kann doch nicht so ohne weiteres ohne „Knacks" in sich heute dem abschwören, worauf man gestern noch vertraut, gehofft hat! Im Umbruch der sozialistischen Länder der Gegenwart macht sich diese Problematik eben besonders bemerkbar: Worauf sollen sie „schwören", nachdem die „Illusion" vom marxistischen Humanismus einer Weltgesellschaft gescheitert ist? Auf den kapitalistischen Westen und den Konsum? Auf alte nationale Traditionen? Auf das alte Königshaus? Auf Anarchie? Will man nicht in ausweglose geschichtliche Sackgassen zurückfallen, wird man eine neue „Festtradition" beginnen müssen und sehen, was man aus der Geschichte brauchen kann. Andererseits verlangen Neuaufbau, Abspaltungen von bisheriger zentralistischer Macht usw. einen Einsatz und eine Kraft, für die man Identifikation und ausgeprägte Zugehörigkeitsgefühle braucht (um nicht in den „goldenen Westen" abzuwandern). Woher nehmen? Rückfälle in alte Schemen liegen nahe. Dennoch wird Verwirrung bleiben; auch bei uns im „Westen", denn uns fehlt plötzlich, wie Reagan es noch nennen konnte, das „Reich des Bösen", das Zuordnungen allemal erleichterte.

Auch hier wird der Widerspruch deutlich; trotz aller vertuschenden Versuche: Wir stehen vor einem nicht mehr zu leugnenden Kontinuitätsbruch unserer abendländischen Geschichte, wahrscheinlich der Weltgeschichte überhaupt, über den kaum mehr politisch-historische Jubiläen hinwegtäuschen können. Damit bekommen diese Jubiläen etwas gewaltsam Historisches. Geschichte wird mehr beschworen, als sie wirklich existiert, alte Trachten und alte Gewehre sorgen für den äußeren Schein. Die Frage ist immer schwerer zu beantworten, welche politisch-historischen Ereignisse man feiern soll, an denen Kontinuität in unsere Zeit hinein sichtbar wird und deutlich zu machen ist. Dynastische Feiern sind vorbei. Thronbesteigungen nicht mehr gefragt; Staatengründungen werden zwar noch gerne gefeiert, zugleich deren marginale Bedeutung im Weltverband immer deutlicher; Nationen spielen trotz schlechter Erfahrung immer noch eine bedeutsame emotionelle Rolle, obwohl langsam klar wird, daß sie ursprünglich ein neuzeitliches Macht- und Verwaltungskonstrukt gewesen sind mit recht großzügiger Auslegung von Zugehörigkeiten. Was übrigbleibt, wären Feiern anläßlich des Beginns demokratischer Ordnungen, des Einsetzens von Grundrechten, vielleicht einmal die Schaffung eines Grundgehalts etc. Diese Anlässe sind nicht nur jung und vielfach ungeübt, haben damit noch keine ausgewiesene Kontinuität, sie offenbaren einen anderen Mangel: Sie sind „abstrakter", unsinnlicher und weniger geeignet für gemeinschaftstiftende Rituale. Hinzu kommt etwas historisch unerhört Fatales: Es gibt zu wenig Eindeutigkeit in ihnen, zuviel Widersprüchliches. Es ist leichter, eine Partei und eine Zugehörigkeit zu ihr zu feiern, als eine Demokratie, in der es nicht nur verschiedene Parteien gibt, sondern sogar widersprüchliche. Wie kann man emotionell einem System von Widersprüchen zugehören? Unsere politischen Rechts- und Staatsformen machen lineare und bloß emotionelle Zuordnungen schwierig. Wie kann ich einer Partei zugehören und trotzdem eine Demokratie feiern, in der gerade die Opposition regiert? Heute wird von uns mehr verlangt als Jubiläen im alten Sinn: Wir müßten „aus Vernunft" feiern lernen, d.h. Ordnungen und Systeme anerkennen, die unsere Wünsche nach dominanten Zugehörigkeiten relativieren, die dafür sorgen, daß verschiedene Zugehörigkeiten nebeneinander gleichberechtigt existieren können. Minderheitenrechte z.B. müssen der Mehrheit immer abgerungen werden; sie selbst denkt nicht daran, aus der Emotionalität dominanter Zugehörigkeit her.

Vom modernen Menschen werden viele unterschiedliche Zugehörigkeiten verlangt

Vom „modernen" Menschen werden trotz seiner Sehnsucht nach *einer* Heimat, „wo man zu Hause ist", *viele* unterschiedliche Zugehörigkeiten verlangt; diese können sich auch untereinander widersprechen. Politische Jubiläen sollen ihm nicht die *eine* Heimat, das Land seiner Sehnsucht vorspiegeln wollen. Es ist ein antiquierter romantischer Traum, dem ein Erwachen im Kater folgt – bleibt dieses aus, folgt ein Realitätsverlust, in dem Träumereien mit Wirklichkeit verwechselt werden.

Systemtheoretiker zweifeln überhaupt daran, ob es heute noch hierarchische Ordnungen zwischen den einzelnen gesellschaftlichen Subsystemen gibt; ob man durch große politisch-historische Feiern – so hieße das für unseren Zusammenhang – überhaupt noch gemeinsame Identität oder eine alles andere dominierende Zugehörigkeit leisten kann.

Existiert z. B. überhaupt ein „einig Kärnten", das sich an die Volksabstimmung bruchlos anschließen läßt? Oder handelt es sich um Restposten im Gefühlshaushalt, die sich zwar jederzeit aktivieren lassen, aber ebenso diffus sind? Wird Kärnten im Inneren nicht eher durch die Zugehörigkeit zum dominanten System Fremdenverkehr zusammengehalten? Auffallend und dem alten Schema gehorchend erscheint die folgende beobachtbare Erscheinung: Kärntner sind jedenfalls Kärntner im Ausland (auch in Vorarlberg), sie sind es gegen die Wiener und die Fremden, und sie sind es gegen die eigene Minderheit. Natürlich entsteht Zugehörigkeit immer auch *gegen* einen „Außenfeind", einen Fremden. Vergleichsweise im Übermaß haben die Kärntner diese aber im „eigenen" Land. Zu einem Teil müssen sie erwerbsmäßig freundlich sein; vielleicht bekommt der andere dafür die Rechnung präsentiert. Von der Schweiz sagt man, daß sie – immer schon vor solche und ähnliche Probleme gestellt – einen großzügig toleranteren Umgang gefunden hat. Auf der anderen Seite hört man doch auch von subtilen Grabenkämpfen. Zumindest ist auffällig, welche Volksgruppe eher für die EU gestimmt hat, welche nicht.

Das politisch-historische Jubiläum bekommt aus dieser Situation heraus über das allgemein Bemerkte hinaus besondere Bedeutung: Die Einheit Kärntens, die Zugehörigkeit zu einem „Volk" muß deshalb besonders „beschworen" werden, weil sie im *Inneren* ständig gefährdet wird und nicht von außen, dem „feindlichen" Nachbarn, der für die Volksabstimmung bedeutsam war. Ob allerdings dieses Ereignis ausreicht, die unterschiedlichen Systeme, in denen Kärnten lebt, tatsächlich zu einen, und ob dies überhaupt erstrebenswert ist, daran kann gezweifelt werden. (Seit dem Fall der Mauer hat Deutschland dieses Problem in noch eminenterer Weise; was zunächst ein so erfreuliches Ereignis war, hat viel an Glanz verloren. Beide Seiten wissen nicht so recht, was sie jetzt eigentlich noch feiern sollen. Es muß wohl einiges an „übergeordneten Idealen" aktiviert werden, um „Wessis" und „Ossis" in Stimmung zu bringen.)

Worin besteht aber der besondere „Gefährdungsgrund" für mehrheitliche Identitäten? Natürlich muß traditionell gesehen das Jubiläum „gegen" die „unbelehrbare" Minderheit gerichtet sein, die immer wieder verdächtigt wird, das Land heute noch aufteilen zu wollen. Hier geht es aber weniger um reale politische Geographie, sondern eher um eine des „Herzens". Minderheiten beschreiben und repräsentieren den Identitätsmangel der Mehrheit. Mehrheiten haben es immer schwerer, Gemeinsamkeiten und Zugehörigkeiten zu entwickeln, einfach weil sie viele sind. Massengesellschaften entwickeln kaum eine innere verbindliche Identität. Minderheiten müssen sie entwickeln, sonst gehen sie unter. Dem Gefühl des anderen treten sie daher stärker gegenüber, als sie es wirklich sind. Sie werden damit zum Projektionsfeld verschiedenster eigener Sehnsüchte und zum Anlaß, *gegen* sie eigene Identität zu versuchen. Jubiläen, in denen es gerade um eine „Trennungsgeschichte" geht, sind der geeignetste Boden dafür. Allerdings wird klar, warum sie, vielleicht auch ohne es zu wollen, in „Feindlichkeit" und neuem Ausschluß kulminieren.

Wie steht es um die Sicherheit von kollektiven Entscheidungen?

Relativität und Kurzlebigkeit mögen historisch auf unsere jüngere Geschichte bzw. auf Umbruchszeiten beschränkt bleiben. Sie verweisen aber auf eine grundsätzlichere Ebene: Individuen, Kollektive, Völker, Nationen usw. sind ständig gezwungen, Entscheidungen zu fällen; ob sie dies bewußt tun oder unbewußt vollziehen, macht hier wenig Unterschied. Entscheidungen sind wie schon gesagt immer Trennungen, Festlegungen, die andere Möglichkeiten, Motivkomplexe ausschließen. Nun mögen wir auch immer nach bestem Wissen und Gewissen entscheiden oder auch stringente Vernunftgründe ins Treffen führen, genau können wir nie wissen, ob es richtig und gut war, sich so oder so zu entscheiden; erst die Zukunft bringt Antworten, und über diese verfügen wir nicht, trotz vieler Versuche, sie vorwegnehmend zu bestimmen. Aus unserem eigenen Leben wissen wir, wie oft wir uns geirrt haben, nachträglich korrigieren müssen oder Zuflucht nehmen zu einer „Lebenslüge", die gut sein läßt, was längst nicht mehr annehmbar sein dürfte. Wie aber verhält es sich mit Gruppen, Kollektiven, Völkern, ja der Menschheit insgesamt?

Auch wenn es problematisch ist, von kollektiven Entscheidungen zu sprechen – der Begriff ist eher einzelnen Individuen und ihrer Verantwortlichkeit vorbehalten –, gerade bei politisch-historischen Ereignissen läßt sich sehr wohl von Entscheidungen sprechen. Immerhin entscheidet sich bei einer Volksabstimmung ein Volk und nicht nur einzelne. Wie steht es mit der Sicherheit in diesen Entscheidungen? Genügt es, daß es viele sind, die entschieden haben oder die Entscheidung mittragen, entsteht aus Quantität die richtige Qualität? Die Fragen müssen beunruhigen; nicht bloß, weil sie formaldemokratische Usancen bedenken lassen, sondern weil ihre Tragweite plötzlich bewußt wird. Offensichtlich war die Mehrheit nicht unbedingt gut beraten, als sie sich für Hitler und den Nationalsozialismus entschied, und man kann heute noch viel globaler fragen, ob die weltweite Entscheidung, Wirtschaftswachstum weiter voranzutreiben, für unser Weiterleben gesund ist. Wenn aber auch kollektive Entscheidungen der gleichen Irrtumsmöglichkeit unterliegen wie die der Individuen, potenziert sich dann nicht das Problem? Individuen mögen an ihrem „selbstverschuldeten" Schicksal zugrunde gehen, aber ganze Völker, Nationen, heute sogar die „Gattung"?

Die Menschen haben in ihrer Geschichte eine Reihe wichtiger weichenstellender Entscheidungen getroffen; sie verließen ihr Jäger- und Sammlerdasein und begannen mit nomadischer Viehzucht und Vorratswirtschaft, sie verließen diese Lebensform und wurden seßhaft. Sie überschritten die Stammesorganisation und gründeten Staaten und Reiche; sie entschieden sich für Kapitalismus, Industrie, Wissenschaft und Technik und gegen das feudal-religiös-agrarische System – zumindest und zunächst in Europa. Es waren zwar diese Entscheidungen alle gut begründ- und argumentierbar – über Nebenfolgen wurde entweder geschwiegen, oder sie wurden meist zugunsten von irgend etwas Zukünftigem gerechtfertigt – Entwicklung und Fort-Schritt sind keine leeren Begriffe, heute wird aber an vielem gezweifelt und gefragt, ob entscheidende Weichenstellungen richtig waren. Wäre es für das Gleichgewicht von Mensch und Natur nicht besser gewesen, er hätte sich nie aus der „Steinzeit" herausbegeben, zumindest die radikale Anwendung von Technik und Wissenschaft unterlassen? Ist nicht unser Fortschrittsprogramm mehr ein Selbstmord denn ein Heilsprogramm geworden? Es geht hier nicht um Pessimismus oder Optimismus, um Fortschrittsgläubigkeit oder Steinzeitkonservativismus; es geht vielmehr um das Bewußtwerden globaler Unsicherheiten in kollektiven Entscheidungen. Heute wird in aller Radikalität klar, daß wir „allein gelassen" sind mit unseren Entscheidungen, für die wir kollektiv die Verantwortung zu übernehmen haben. Daran sind wir noch nicht so recht gewöhnt: Wie früher spekulieren wir noch im geheimen auf einen ordnenden Gott oder Weltgeist, oder eine gnädige Natur, die alle uns nicht im Stich lassen werden, wenn es darauf ankommt; die „Aufgeklärteren" reden von Vernunft und Sachzwang und meinen aber letztlich dasselbe.

Jubiläen bestätigen, daß es gut war

Die heute bewußt werdende Unsicherheit und Ratlosigkeit gab es natürlich immer schon, wenn auch nicht in dieser Globalität. Menschen waren sich nie sicher, ob es gut ist, erprobte

Lebensformen zu verlassen und neues „Glück" zu wagen. Gerade entscheidende Weichenstellungen waren von dieser Unsicherheit ständig begleitet, und es bedurfte eines großen Aufwandes, den Schritt überzeugend sein zu lassen. Man hat daher auch lange Zeit gar nicht mit den Menschen und seiner Vernunft argumentiert, sondern gleich Gott oder andere transzendente Mächte als „Auftraggeber" herangezogen. Damit war der Grund für die Veränderung tabuisiert, auch wenn er Zeugen und Märtyrer zu seiner Vermittlung in Anspruch nahm. Dennoch hat die Unsicherheit bei kollektiven Entscheidungen die Menschen nie verlassen; sie wurde mannigfach zum Ausdruck gebracht. Sie assoziierten Schuld und Sünde damit (die Usurpation göttlicher Macht und Fähigkeiten: Hybris), sie weinten verlorenen Paradiesen nach, goldenen Zeitaltern; sie bauten ganze Kathedralen an Rechtfertigung um ihre Entscheidungen, und sie erfanden Systeme, die nur dazu da waren, zu beweisen, daß nicht sie, sondern eigentlich andere entschieden. Ebenso hielten sie bis zur Globalkatastrophe der beiden Weltkriege an „heilsgeschichtlichen" Konzepten fest, egal, wie sie deren „Träger" benannten (Gott, Volksgeist, Vernunft, Weltgeist, klassenlose Gesellschaft ...). Und – damit kommen wir zu unserem Thema zurück – sie feierten Festtage, Jubiläen, anläßlich deren sie sich bestätigten, „daß es gut war". Daher auch die Neigung, diese auf ihren positiven Bedeutungsteil einzuschränken: Die kollektive Entscheidung und ihre Konsequenzen allein genügen nicht. Erstere muß ständig erneuert, bestätigt, verlebendigt werden; man muß sich stets wieder bekennen und daraus neuen Mut schöpfen können. Man muß erleben können, daß auch die anderen die Entscheidung tragen und mitvollziehen, daß sie durch Leib und Seele beweisen, daß alles seine Richtigkeit hat. Hier wird ständig Gemeinschaft, Kollektivität erneuert, der ursprüngliche „Beschluß" nachvollzogen und immer wieder verbindlich gemacht. Dabei wird jene Zugehörigkeit geschaffen, die der Mensch sowohl emotionell braucht, als sie für das Forttragen der Entscheidung notwendig ist.

Die modernere Fortschrittsgläubigkeit hat die positive Bedeutungsseite dieser Feste und Jubiläen noch verstärkt; offensichtlich hatten die Menschen zunächst auf Grund des „handgreiflichen" Fortschritts, der Auflösung von früheren Abhängigkeiten von Mensch und Natur tatsächlich den Eindruck, den „Stein der Weisen" gefunden zu haben. Frühere Zeiten ließen auch in den Festen die Ambivalenz gelten: Zum einen gab es Feste des „Anderen", Negativen (Schwarze Messen, offiziell verbotene Kulte, Satansmessen ...), zum anderen wurde versucht, in allem Positiven seine Endlichkeit und Beschränktheit nicht zu vergessen: Das hochbarocke Prunkfest hat immer auch sein „memento mori".

Hängt es aber nur am Fortschrittsoptimismus, daß bei Feiern und Jubiläen Negatives fast verboten ist? (z.B. „die Minderheit soll froh sein, daß sie mehrheitlich für uns gestimmt hat; sie soll nur ins Nachbarland schauen, wie schlecht es denen geht!") Oder bekommen wir noch weitere Hinweise?

In drei Richtungen müßte weiter überlegt werden:

Positives muß immer dann besonders hervorgekehrt werden, wenn das Negative augenscheinlicher, stärker wird. Es geht eine stille Aufforderung durch die Länder, „man solle doch positiv denken" und sich nicht von Warnern und Kritikern den Kopf scheu machen lassen; es geht uns doch gut. Andererseits sind die Probleme nicht mehr wegzuleugnen, die uns unser Fort-schreiten gebracht hat. Es gibt wenige Brücken zwischen diesen „feindlichen Ufern".

Von der Kurzlebigkeit von Ereigniswirkungen und deren Traditionen war schon die Rede; es wird immer schwieriger, Positives gleichlautend über längere Zeiten zu bewahren; es überschlägt sich der Fortschritt in sich, und zusammen mit dem Subsystem Wirtschaft verändert er ständig alte Überlieferungen, Normen, Werte.

Was aber als drittes, vielleicht wichtigstes Motiv verfolgt werden sollte, ist die wachsende Sehnsucht nach Zugehörigkeit auf Grund ihrer Zerstörung durch die Entwicklung der europäischen Zivilisation; es war schön, „Weltbürger" zu werden, nicht aber als heimatloses Massenindividuum.

Ein Fest, in dem Freude und Traurigkeit nicht eng beieinander wohnen, ist eine halbe Sache

Schließen wir an unsere persönliche Jubiläumserfahrung an, und überlegen wir, ob nicht auch kollektive Feste ähnliche Charakterzüge haben. Als individuell Gefeierte ist uns die Ambivalenz wohl bewußt: jeder Geburtstag, jedes Betriebszugehörigkeitsjubiläum anerkennt uns, gibt uns Zugehörigkeit in verstärktem Maße und „bestattet" uns zugleich. Ein Fest, in dem Freude und Traurigkeit nicht eng beieinander wohnen, ist eine halbe Sache. Der Katzenjammer am nächsten Tag holt ein, was am Fest versäumt wurde. Als Jubilar erfahre ich meine positive Bedeutsamkeit, zugleich aber mein „Vergehen", letztlich meine Bedeutungslosigkeit. Bei Lebzeiten wird mir mitgeteilt, daß Zugehörigkeit nicht ewig währt; daß Kontinuität ein abruptes Ende nimmt. Eigentlich soll auf die „unsterblichen Verdienste" des Jubilars verwiesen werden, zugleich wird aber dezent darauf hingewiesen, daß man nur durch den Tod unsterblich wird.

Politisch-historische Jubiläen, denen es in verstärktem Maße um Kontinuität, um Errichtung und Bewahrung und kollektive Zugehörigkeiten geht, tun sich mit der Seite des Negativen, der Trauer verständlich schwerer; also versuchen sie, sie zu verdrängen, zu vergessen. Damit schlagen sie aber einen gefährlichen Pfad ein: Er heißt Realitätsverlust. Von Jubiläum zu Jubiläum werden mehr oder weniger gewaltsam abstrakte Zugehörigkeiten wieder aufgerichtet in der Hoffnung, daß sich einiges davon in die Wirklichkeit hinüberretten läßt. Und das Abstrakte hängt immer am „positiven" Anfang: Das Ereignis wird zum Absoluten und nicht das, was inzwischen aus ihm geworden ist; es wird ständig zitiert, herbeibemüht und totgefeiert. Die alten Veteranen oder ihre nachfolgenden „Traditionsträger" treten auf und vermitteln den Eindruck, als wäre man noch ganz dort, in der Zeit des Anfangs. Es wird konstruiert und rekonstruiert und eine Welt geschaffen, die längst nicht mehr existiert. Auf Probleme, die gegenwärtig und wichtiger sind, antwortet man mit den alten Leidenschaften und Frontbildungen; sie taugen aber nur für damals, nicht für heute.

Die Feier des nur Positiven täuscht und provoziert nicht bloß die Verlierer der Vergangenheit und ihre gegenwärtigen Nachfolger; sie täuscht im Grunde alle; sie macht dicht vor jenen Problemen, deren Lösungen eigentlich anstehen, wo der Versuch gemacht wird, durch Pseudozugehörigkeiten sich eine Kontinuität vorzuspiegeln, die es längst nicht mehr gibt.

In Europa wird der Nationbegriff allmählich obsolet, obwohl viele noch immer mit irrationaler Gewalt daran festhalten; man spricht vom „gemeinsamen Haus Euorpa". Auf der anderen Seite wird die Zentralbürokratie in Brüssel als Gefahr gesehen. Was wird ihr entgegenzustellen sein? Nationalstaaten, Regionen, Sprachgruppen, Bundesländer? Das letzte Wort hier ist noch nicht gesprochen; jedenfalls scheinen sich ganz andere Ordnungen anzudeuten, die vielleicht auch wieder mehr unmittelbare Möglichkeiten für Zugehörigkeit verschaffen. Was aber immer unnötiger werden wird, sind Jubiläen, die historisch-politische Ereignisse feiern, die mit Sieger und Besiegten assoziiert werden müssen.

Jubiläen feiern Ereignisse und geben Entscheidungen Sicherheit und Kontinuität; sie dienen der Selbstidentifikation und vermitteln Zugehörigkeit. Wir meinen dies alles durch besondere Hervorkehrung von Positivität, Erfolg und Verdienst erreichen zu können. Das Negative, Eingeschränkte, Ausgeschlossene ist aber nicht wegzuschaffen, es begleitet uns. Zugehörigkeiten, die nur über Positivität laufen, sind brüchig und kurzlebig. Ein „modernes" Jubiläum müßte immer auch das Negative, Widersprüchliche bedenken. Es muß freudig, aber auch traurig machen. Jubiläen müßten daher immer auch „Gedenk"- oder Bedenkereignisse" sein.

Milan Kundera schreibt über ein solches Jubiläum, ein Volksfest, bei dem viel gesungen wird: „Mir schien, als sei ich in diesen Liedern zu Hause, als sei ich aus ihnen hervorgegangen, als sei ihre Welt mein ursprüngliches Wesen, mein Zuhause, dem ich untreu geworden war, das aber um so mehr mein Zuhause war (denn die flehentlichste Stimme hat das

Zuhause, dem gegenüber wir uns schuldig gemacht haben); sogleich wurde mir aber klar, daß dieses Zuhause nicht zu dieser Welt gehörte (was für ein Zuhause war es denn, wenn es nicht zu dieser Welt gehörte?), daß das, was wir hier sangen und spielten, nur Erinnerung war, Andenken, bildhaftes Aufbewahren von etwas, das es nicht mehr gab, und ich fühlte, wie das Festland dieses Zuhauses unter meinen Füßen einbrach, wie ich versank, wie ich die Klarinette an meinen Mund preßte und in der Tiefe der Jahrhunderte versank, in einer bodenlosen Tiefe (in der die Liebe Liebe, der Schmerz Schmerz war), und ich sagte mir erstaunt, daß mein einziges Zuhause gerade dieses Versinken war, dieser suchende, sehnsüchtige Sturz, und ich gab mich ihm hin und empfand einen süßen Taumel."

Kundera versinkt in die Tiefe der Jahrhunderte, und alle Jubiläen holen aus ihr ihren „Stoff". Er soll uns über unsere Entscheidungsunsicherheiten hinweghelfen, die erst aus jeweils ausstehender Zukunft Antwort bekommen. Über diese verfügen wir aber nicht. Sie ist jene Seite der Zeit, vor der wir die meiste Angst haben. Wir wissen nicht, was kommt, und diese Ungewißheit schwebt über uns wie ein Damoklesschwert. Andererseits was wäre, wenn unsere Versuche, Zukunft zu bestimmen, von Erfolg gekrönt wären? Wenn wir immer schon genau voraussagen könnten, was kommt, und warum etwas kommt? Es wäre wahrscheinlich noch unerträglicher. Jubiläen wollen nicht nur Vergangenheit, Gründungsakte wiederholend bestätigen, sie wollen auch für die Zukunft Linien zeichnen. In diesem Charakter zeigen sie eine wesentliche Form, wie wir mit dem Thema Zukunft umgehen können: indem wir innehaltend den Widerspruch feierlich zulassen, ihn rituell „zelebrieren". Gibt es noch andere Umgangsformen mit Zukunft?

Zukunftsgestaltung

„Denn die Quelle der Angst liegt in der Zukunft, und wer von der Zukunft befreit ist, hat nichts zu befürchten."
(Milan Kundera)

„Ich sitze am Straßenrand. Der Fahrer wechselt das Rad. Ich bin nicht gern, wo ich herkomme. Ich bin nicht gern, wo ich hinfahre. Warum sehe ich den Radwechsel mit Ungeduld?" *(Bertolt Brecht)*

So zeigt sich in der Zukunft der Grundwiderspruch menschlicher Existenz

Die Zukunft war für Menschen immer schon ein besonderes Kapitel, voll von Widersprüchen, Herausforderungen, Ängsten und Unsicherheiten. In ihr geschieht eine Öffnung ins Unbestimmte, Grenzenlose, Unendliche. Sie schafft den Raum für Möglichkeit, ist aber auch Ort des unbestimmbaren Schicksals, das die Welt, die Natur für uns bereithält, uns zu-kommen läßt, ohne daß wir es kennen, beeinflussen können. So zeigt sich in der Zukunft aber auch nichts anderes als der Grundwiderspruch menschlicher Existenz: Der Mensch ist nämlich sowohl eine „offene Existenz", der „erste Freigelassene der Natur", der nach vorne blickt und nicht nur Evolution wiederholt, der sich verändernd immer neu schafft, er ist aber auch „Mängelwesen", von vielerlei abhängig, Naturgeschöpf, das nie genau wissen kann, wie weit und in welcher Form es sich von den Bedingungen seiner „Geschöpflichkeit" verabschieden, entfernen kann. So hat eben auch die Zukunft ihren doppelten Charakter: Sie ist der sich immer neu öffnende Raum der Freiheit, der Gestaltung, aber auch jener des unergründbaren Schicksals, in dem wir Antwort bekommen auf das, was wir mit uns angestellt haben. Zwar bemühen wir uns auf vielfältige Art schon von vornherein, diese Antworten vorauszuspekulieren, entwickeln Prognostik, simulieren Reaktionsmöglichkeiten etc. Im unendlichen Zusammenhang unserer Welt, in den unzähligen Rückkoppelungen und gegenseitigen Einwirkungen ist hier aber Sicherheit und Eindeutigkeit nie zu erreichen, zumal der höchste Unsicherheitsfaktor der Mensch selbst ist: Wer kann heute schon wissen, wie er sich morgen entscheiden wird, was er veranstaltet, um das heute Geplante wieder zu revidieren.

Auch für ihn, den wir inzwischen als offenes, freies, entscheidendes Wesen erkannt haben, als Differenz- und Widerspruchswesen, der immer auf der Suche bleibt und nie zu seinem Ende, seiner endgültigen Identität kommt, war die Wichtigkeit dieser Zeitdimensionen nicht immer gleich. Gesellschaftsformen, die versuchten, sich eher an Natur und Umgebung anzupassen, sich in Nischen einzurichten, um dort zu überleben, hatten wenig Veränderungsbedürfnis und keine Gedanken an eine nach vorne unendlich sich öffnende Zukunft. Ihr Weltbild war eher zyklisch; sie hatten Freude und Genuß an der „ewigen Wiederkehr des Gleichen" und schützten und feierten sie.

Nachfolgende Gesellschaften organisierten sich anders. Sie wollten Macht ausüben, nicht mehr so schicksalhaft abhängig sein von der Natur und ihren Ereignissen. Sie faßten Menschen dichter zusammen, bündelten kollektive Energien, zähmten die Flüsse, schufen Wasser- und Kanalisationstechniken, bauten Städte und „kultivierten" ihre Umgebung. Für sie wurden die Zeitdimensionen interessant. Der schaffend-herstellenden Tätigkeit öffnete sich eine Zukunft, als Ort des Noch-nicht-Getanen, der unendlich möglichen Veränderung. In sie lebt man hinein, aus der Kraft der aktuellen Gegenwart mit ihrem Handeln, und die Vergangenheit wird zur Erinnerung, zum Zurückgelassenen, zum jeweils bereits Überwundenen. Ziel ist nicht mehr die beruhigend-gleichmäßige Wiederkehr des Gleichen – auch wenn man sich immer noch über die Verläßlichkeit der „natürlichen" Abfolge der Jahreszeiten freuen kann –, das Ziel liegt in einer „besseren Zukunft", erreichbar gemacht durch das fleißige und gute Handeln der Menschen und die Gnade einer dieses leitenden Autorität (Gott: ich bin, der ich sein werde, mit heilsgeschichtlicher Begleitung der Profangeschichte). Zwar gab es immer auch Zweifel am Ziel und seiner Erreichbarkeit, immer auch apokalyptische Prophetien, grundsätzlich aber blieb bestimmten Geschichtstraditionen der Menschen gar keine Wahl mehr: Sie *mußten* ab nun in die Zukunft „gehen"; sie wurde der Ort der Freiheit und der Möglichkeit, beides sind „negative" Begriffe, solche von prinzipieller Unbestimmbarkeit. Also muß auch dieser Ort den Charakter von Unendlichkeit, Offenheit, ewiger Dauer, Unabschließbarkeit haben. Die Zukunft bekommt dort höchste Attraktivität, wo der selbstbewußt-gestaltende Wille der Menschen zum Prinzip wird. Jede neue Kraft in der Geschichte, jede Revolution betont, daß *ihr* „die Zukunft gehört", und nur die Dimension der Zukunft verleiht ihnen Platz in der Gegenwart.

Die anscheinend unendliche Offenheit der Zukunft, die Heimatlosigkeit des Menschen in Vergangenheit und Gegenwart, hat dadurch in ihrer „Leere" immer aber auch etwas Bedrohliches gehabt. Sie ist nicht nur „Noch-Nicht", sondern auch unfaßbar, nichts (aus ihr kann ohne und mit unserem Zutun auch Ver-nichtung folgen). Vor allem in Verbindung mit unserer Tätigkeit und Machtentfaltung unserer „Zukunftsgestaltung" rückt diese Zukunft in ein eigentümliches Licht. Worin finden wir für unser Handeln Sicherheit, woher wissen wir, daß wir auf dem richtigen Weg sind? Die offene Zukunft verbietet uns förmlich das Verharren, mit immer Neuem müssen wir uns in sie hineinbewegen, sie gleichsam erobern, ihr Gestalt, Bestimmtheit und Konturen geben. Auf den „Horror vacui" der prinzipiell unbestimmten Zukunft reagieren wir also mit zwei Verhaltensmustern: Wir setzen über unsere Zeit und unsere Profangeschichte gleichsam eine zweite von ihr abgehobene, die diese leitet. Auch wenn sich für uns Zukunft im detaillierten Handeln der Gegenwart entzieht, unbestimmt bleibt, im Zusammenwirken aller Kräfte, auf der Basis unverlierbarer Prinzipien kommt es schon zum richtigen Ziel. Oder wir lassen den Gedanken an das Unbestimmte, das Offen-Ausstehende nicht an uns heran, indem wir ständig produzieren, im Schaffen, Gestalten uns unserer Zukunft ständig versichern. Vielleicht ist unsere „Innovationswut", von hier aus betrachtet, nichts anderes als die Abwehr einer „erdrückenden" Zukunft, die sich als leer, ziellos, uneinholbar erwiesen hat.

Wir antworten auf die Herausforderung des Unendlichen, Unbestimmten durch Aktionismus und Beschleunigung so, als wäre es möglich, dadurch Herrschaft über sie zu bekommen. Weil dies aber so nicht gelingt, bleibt beides blind. „Ich lass' mich nicht hetzen, ich bin ja nicht auf der Flucht", blinder Aktionismus ist wohl eine Flucht nach vorne, die die Zukunft einholen will. Die Zukunft läuft uns aber immer voraus und ist uneinholbar. Aber je schneller wir ihr nachzulaufen versuchen, um so mehr nehmen wir uns Orte gegenwärtigen Verweilens, besinnender Ruhe.

Einerseits ist die Zukunft radikal unbestimmt, andererseits scheinen die Weichen gestellt

Das Zukunftsthema hat sich zuletzt in seiner Brisanz verschärft. Dies aus einer eigentümlichen Widersprüchlichkeit heraus. Auf der einen Seite steht eine gewaltige Unsicherheit, was uns die Zukunft bringen wird, es scheint ein Modell mit seinen optimistischen Vorstellungen zu Ende zu gehen. Der Glaube an den gestaltenden und segenbringenden Fortschritt schwindet, weltweite Veränderungen („Globalisierung") lassen uns an der Steuerbarkeit ihrer Komplexität zweifeln, die Ökonomie dominiert alle anderen gesellschaftlichen Subsysteme und richtet sie nach ihren Gesetzen. Unsere Macht über die Natur, einst tollste Herausforderung, kehrt sich gegen uns selbst. Sollen wir so weitermachen wie bisher? Müssen wir umdenken und unsere Gesellschaft umbauen? Gibt es einleuchtende Alternativen? Daß sich vieles mit sich überrollender Geschwindigkeit verändert, ist allenthalben bemerkbar. Wohin es mit uns geht, wissen wir aber weniger denn je. Die Zukunft erscheint wieder als völlig unbestimmt, noch dazu, wo uns weitgehend der Glaube an eine letztlich in aller Güte regelnd-richtende Kraft abhanden gekommen ist. Unsere Macht über Natur und Leben hat uns vor uns selbst erschrecken lassen, uns aber auch deutlich gemacht, daß wir individuell und kollektiv für unsere Geschichte und Zukunft selbst die Verantwortung tragen.

Auf der anderen Seite scheinen die Weichen gestellt: Wir haben unsere Welt eingefangen in klare Strukturen und Systeme, es gibt keine weißen Flecken auf der Landkarte, und es beginnt sich eine ökonomisch-technologische Weltgesellschaft zu konstituieren. Zu ihr gibt es anscheinend keine Alternative. *In* ihr ist schon alle Zukunft vorweggenommen und enthalten, in ihrem ehernen Gehäuse vollziehen wir ihre Gesetze. Neues, Anderes, Überraschendes kann und darf es eigentlich nicht geben. Probleme sind korrigierbare Betriebsunfälle, und im übrigen kann sich niemand dem „Sachzwang" entziehen. Kaum ins Leben eingetreten, ist man bereits zugeordnet, verwaltet, eingefangen in einer durchrationalisierten Welt. Lebenswege sind zugewiesen, Funktionen verteilt, man hat sich nützlich zu machen und tut dies, indem man im jeweiligen System seine Position bezieht. Es gibt nichts fundamental Neues, keine Überraschungen mehr, man hat alles „im Griff"; zumindest alle Mittel und Voraussetzungen „in der Hand", alles immer wieder in den Griff zu bekommen. Es ist langweilig geworden in unserer Welt; wir vollziehen nur mehr längst Geschaffenes, und die schöpferische Freiheit hat anscheinend nur mehr in Negation und Gewalt ihren ohnmächtig protestierenden Ort. Man sprach noch vor kurzem von der Jugend als Generation der „no future" und vereinigte wohl in dieser Aussage beide Seiten des Widerspruchs. Einerseits ist die Zukunft wieder radikal unbestimmt geworden, was heute noch geschätzter Beruf ist, kann morgen schon verschwunden sein, andererseits scheinen die Weichen gestellt; Jugend ist immer schon „eingefangen", sie hat kaum Freiraum für sich. Um Einwohner dieser Welt zu werden und um überleben zu können, um sich eine „Position" zu verschaffen, muß man unzähligen gegebenen Anforderungen gehorchen, die einen unter der Hand alt werden lassen, Sachzwang und seine Komplexität haben ihren Preis.

Doch die Beschleunigungen, die Geschwindigkeit von Innovationsabfolgen und Veränderungen schaffen hier Ablenkung. Sie halten uns in Atem und vermitteln uns den Schein freier Aktivität. Unsere Kraft ist gefordert, und sie muß eingesetzt werden, nur um mit-halten, dabei-sein zu können. Ein lebenslänglich über uns verfügter Lernprozeß spiegelt uns vor, daß wir ständig besser, höher qualifiziert werden, daß wir also selbst stets Neue und Andere werden. Näheres Hinsehen aber läßt Zweifel aufkommen. Wir bleiben nämlich in der Logik der Systeme; was wirklich Neues lernen wir nicht, nur mehr und Komplexeres desselben. Hingegen dürften Gebiete angenommen werden können, wo Bildung und Lernen überhaupt „ausgesetzt" erscheint, etwa im Sozialen, im Politischen etc.; für diese „Luxusfelder" fehlt die Zeit. Auf ihnen agieren wir oft unmittelbar, nach uralten Mustern, unangemessen unserer sonstigen Intelligenz. Könnte es sein, daß es gerade die Beschleunigung ist, die uns davor schützt, die Dialektik, die Widersprüchlichkeit der Zukunft in aller Schärfe und Konsequenz an uns herankommen zu lassen? Die Kompensationsformel könnte lauten: Die Geschwindigkeit der Veränderungsabfolgen läßt uns hoffen, daß wir mehr denn je fähig sind, die (unbestimmte) Zukunft zu erobern; aller Fortschritt ist sozusagen Gegenwart geworden. Und ihr Forderungscharakter, der unseren ganzen Einsatz verlangt, gibt uns das Gefühl, aktiv, frei und innovativ zu sein, lenkt davon ab, daß wichtige Weichen gestellt sind, wir nur mehr auf längst gelegten Schienen dahinrollen.

Immer mehr Menschen haben die Zeit, die anderen fehlt

Nun ist es so, daß immer mehr Menschen die Zeit haben, die anderen fehlt. Aber es ist keine gute Zeit, sie wird als Last, als Leere, als Unbrauchbarkeit empfunden. Sie ist in den anderen Systemen nicht unterbringbar. Denn dort herrscht Zeitmangel und Ratlosigkeit. Pausen, Unterbrechungen werden als ungenützte Zeit verstanden, wenn nicht überhaupt als Pannen. So rasen die einen in eine „erfüllte" Zukunft und übersehen dabei ihr eigenes Ende, während die anderen in vergangener Zeitlosigkeit versinken. Vielleicht ist diese Spaltung der Gesellschaft aber auch eine Chance, weil sie deutlich macht, daß uns eine generellere Spaltung Sorge zu machen hat: Das aktive, schnelle, beschleunigende, tätig-machtausübende Prinzip und Verhalten ist zukunftsorientiert (hat also Zukunft) und daher *gut* (es hat aber seltsamerweise „keine Zeit", ist also außer der Zeit, zeitlos – Illusion der ewigen Dauer und Unsterblichkeit), das Herausgefallene, zur Passivität Verurteilte ist unproduktiv, ohne Zukunft und daher *schlecht* (es hat zwar „alle Zeit der Welt", aber dieses Zeit-Haben ist nicht verwendbar; zwischen Zeit haben und keine Zeit haben gibt es keine Verbindung mehr). Das eine kann nicht mehr innehalten, das andere nichts tun; das eine wird blind, das andere leer.

Was heißt es, unter diesem Aspekt Zukunft gestalten zu wollen? Handelt es sich hier nicht um den stets wiederkehrenden Versuch, der Zukunft ihre unsichere Seite nehmen, sie endlich „in den Griff" bekommen zu wollen? Ist Gestaltung im Horizont der Bemächtigung gedacht? Es gibt Gründe, sich der Zukunft aufs neue anzunehmen, nicht bloß weil die Unsicherheit gestiegen, unser Fortschrittsglaube getrübt ist, es ist vielmehr etwas bisher Unerhörtes passiert: Wir müssen uns als Verantwortliche für unsere Geschichte anerkennen, wir können Verantwortung nicht mehr delegieren. So in die Pflicht genommen, müssen wir einfach neu über Gestaltung nachdenken, unser kollektives Handeln und die ihm zugrunde liegenden Entscheidungen überdenken. Damit richtet sich Gestaltung aber vorerst auf Vergangenheit, auf bereits geschehene Weichenstellungen, auf Marschrichtungen, für die ihre Befehle schon weit zurückliegen. Ein scheinbares Paradox wird sichtbar: Dem Gestalten wird zunächst sein aktives, tätiges, hervorbringendes, zukunftsorientiertes Moment genommen. Zukunftsgestaltung heißt dann zunächst Innehalten in der Gegenwart, Rückblick, Nach-denken. Die Frage stellen, wollen wir alles so, wie es ist? Ist es so „gut" für „uns"?

Der Titel Zukunftsgestaltung verführt und lenkt ab. Er läßt den Standort vergessen, auf dem man steht, bringt das aus dem Blick, was von ihm aus Zukunft jetzt schon determiniert. Allzu heftige Zukunftsorientierung ist auch Gegenwartsflucht, in der um so schneller gelaufen wird, je größer der Grund für die Flucht ist. Und es ist noch dazu ein altes Muster der Menschen, das hier aktiviert wird. In Unsicherheiten und Gefahren war lange Zeit aktive Flucht Überlebenselixier, ruhig betrachtendes Nachdenken hingegen todbringend. So neigen wir auch heute noch zu blindem Aktionismus, zu Beschleunigung und Hektik, wenn Krisen und Gefahren wachsen. Beschleunigungen und Verdichtungen von Zeit sind allenthalben zu beobachten. Eine „Flucht nach vorne" geschieht. Sie legt sich aus mindestens drei Gründen nahe: Wir sind uns unserer bisherigen Zukunftsperspektive nicht mehr sicher, der Fortschrittsglaube ist ins Wanken gekommen, die Zukunft ist damit zugleich offener, unbestimmter und so noch bedrohlicher geworden, und schließlich müssen wir dazu unsere kollektive Verantwortung zur Kenntnis nehmen, wo wir bisher in der Geschichte es gerade noch gelernt haben, individuell über Gewissen, Verantwortung und Zurechnung zu sprechen. Der Geschichte gegenüber aber ist das Individuum ohnmächtig, nicht jedoch in dem ihm zugewiesenen Handlungskreis. Also wird es dort aktiv, wo es kann, und kompensiert so seine Ohnmacht an der anderen Stelle, lenkt sich von ihr ab; denn sie ist lähmend.

Uns sind die alten Zukunftsanker verlorengegangen; Bilder, Vor-Stellungen, Utopien, Außenhalte haben keine lenkende Kraft mehr. Wir zweifeln am linear in die Zukunft hinein dauernden Fortschritt, obwohl wir ihn ständig und immer heftiger in seiner bisherigen Weise verlängern; die Idee einer klassenlosen Gesellschaft wurde erst kürzlich endgültig begraben, aber auch eschatologische Vorstellungen sind verblaßt. Wir vertrauen auch nicht mehr auf transzendente Geschichtslenker, heißen sie nun Gott, Evolution, List der Vernunft, invisible hand usw. Um so größer die Anzahl der Apokalyptiker.

Die Untergangsstimmungsmache ist dabei nicht bloß auf Sekten beschränkt, sie durchzieht das Rationalste, das wir uns geschaffen haben, nämlich die Wissenschaften. In ihnen spricht man plötzlich von Menschen als „Irrläufer der Natur", „Naturkatastrophe Mensch" und führt ihm permanent sein Selbstvernichtungsszenario vor. Die Analysen zeigen aber eine ähnliche hysterische Aktivität wie das, was sie kritisieren. Derselbe Grundzug wird auf beiden Seiten sichtbar. Offensichtlich scheint es dem Menschen schwer erträglich, vor eine Zukunft gestellt zu sein, die ausgeräumt ist, die Hoffnungen entleert hat, über die niemand, auch kein Prinzip mehr, Macht hat. Diese Entmächtigung bemächtigt sich uns als Schrecken, als „horror vacui". Und wir müssen diese plötzliche Leerstelle füllen. Und wenn wir schon gezwungen sind, an unsere Bemächtigungsmacht zu zweifeln, eine Macht bleibt uns dennoch, und sie wird daher auch immer wieder beschworen: die negative Macht über uns selbst, die der möglichen Selbstvernichtung.

Zukunft ist und beginnt überall

Es gelingt anscheinend schwer, die „sinnentleerte" Zukunft in ihrem eigentlichen Charakter als das, was sie im Grunde immer war, anzunehmen, als Chance zu erkennen: als Möglichkeit und Grenze des Menschen in einem, als das, was ihm allein zugehört, über das niemand sonst Verfügung hat. Und als solche gibt es sie nicht als feststehende Größe, als unverrückbar Kommendes, als „Substanz der Zeit". Zukunft ist und beginnt überall, und durch jede Handlung eröffnen wir ihr neue Dimensionen. Wir können gar nicht anders, als sie permanent zu gestalten. Sie ist ständig unser. Gibt es darüber hinaus heute aber einen besonderen Gestaltungsauftrag? Ich meine schon, allerdings unterscheidet er sich grundlegend von unserem bisherigen Meinen über das, was Gestaltung bisher war. Wir haben nämlich Gestalten, vor allem in unserem neuzeitlichen Modell, sehr stark an den Sinnbezirk von (technischem) Herstellen, Hervorbringen, Verändern gebunden; weniger an die Idee der Form, bereits Vorhandenem eine Gestalt zu geben, abzurunden, zu einem Zusammenhang zu formen. Gestalten soll eher schöpferisch sein, kreativ etwas Neues hervorbringen, „innovativ" sein. In diesem Sinnbezirk des Herstellens geht es aber letztlich um Bemächtigung, um Herrschaft und Kontrolle. Über sie ist grundsätzlich nichts Schlechtes zu sagen, sie schaffen Sicherheit, machen uns unabhängig von Zufällen, machen unser Leben bequemer. Es gibt wohl Unterschiede im Grad der Bemächtigung, in der Gewalt des Eingriffs, in der Geschwindigkeit der Veränderung. Aber ohne Machtausübung wäre der Mensch als „Mängelwesen" gegenüber einer in sich abgesicherten Natur nicht überlebensfähig. Seine Offenheit und Unbestimmtheit ist zugleich seine Verletzlichkeit, und seine Freiheit zwingt ihn, sich in seine Umgebung zu retten, ihr Gesetz zu geben. Wo aber Freiheit Ursache ist, Grund, war immer auch schon Schuld mitgedacht. Der Mensch ist Ursache seines Werkes und ist an ihm „schuldig". Allein aus seinem Werk heraus weiß er niemals, ob er recht gehandelt, ob seine Machtausübung berechtigt war. So haben viele Kulturen lange gezögert, tiefer in Natur einzugreifen, selbst wenn sie es grundsätzlich konnten. Immer schwang so etwas wie „Hybrisangst" mit, und der Prometheusmythos blieb ewiges Zitat. Was man also tat, stand unter höherem Rechtfertigungszwang und mußte sich auch durch höhere Instanzen richten lassen. Der Menschen Macht und Tätigkeit waren noch nicht zu sich selbst befreit, in ihre Unendlichkeit und Unbegrenztheit entlassen. Sie waren gefangen, begrenzt durch Autoritäten, Institutionen, Tabus, Normen, Denk- und Freiheitsverbote. Diese Fremdbestimmungen hat unsere Neuzeit abgelegt. Die neuen Instanzen heißen individuelles Gewissen und sein sich bewährendes Werk. Wahr ist, was sich bewährt, was an Hervorbringung praktisch funktioniert. Man hat Freude an seiner „Schuld", kann seine Fähigkeit, Leistung und Macht bewundern. Es ist wohl auch bewundernswert, was Menschen zu leisten imstande sind und was Technik hervorgebracht hat. Und dennoch zweifeln wir an der linearen Fortsetzung dieses Weges und fordern eine neue Gestaltung; was meint diese?

Zukunftsgestaltung unter dem Aspekt der Offenheit

Der Makel, der jedem Werk, jeder Macht, jeder Hervorbringung anhaftet, ist ihre Unvollkommenheit, Endlichkeit. Die Philosophen sagen, daß sich in jedem ihrer Werke die Freiheit veräußerlicht, sich von sich selbst entfremdet. Sie muß sich also wieder „zurückgewinnen"; sonst „stirbt" sie in ihren Taten. Dieser „idealistische" Gedanke scheint nicht unplausibel zu sein, ist er doch zu einer spürbaren Realität geworden. Wir haben so viel und so Gewaltiges hervorgebracht, daß wir zu Gefangenen unser selbst geworden sind. Erst haben wir uns die Maschinen geschaffen, damit sie uns dienen; jetzt „bedienen" wir sie. Höchst komplexe Systeme haben wir veranstaltet und müssen alle Kräfte zusammennehmen, um sie am Leben zu halten; ihre Eigenlogik beginnt *uns* zu dominieren. In dieser Lage greifen wir zu bewährten Mitteln, wir erhöhen die Schlagzahl und bringen noch Weiteres hervor.

Die Situation muß durch neue Tätigkeiten und Produkte bewältigt werden. Zwei Voraussetzungen unterstützen sich hier gegenseitig: Alles, was wir hervorbringen, ist unvollkommen und jeweils neue Herausforderung für Verbesserung; diese läßt keine „leere" Zukunft aufkommen. Diese ist immer schon ausgefüllt mit einer sich aus sich selbst erhaltenden Tätigkeit. Durch Herstellen, Produzieren gestalten wir eine Welt, in deren Architektur bereits alle Zukunft „eingefangen" ist. So jedenfalls die Vorstellung; die Zukunft ist unser „Produkt". Oder wie eine Werbung von Toyota es auf den Punkt bringt: „Wir warten nicht auf die Zukunft, wir überholen sie"; wir sind also schon jetzt „vor" ihr, haben sie hinter uns gelassen, sie kann uns nicht mehr bedrohen. Gestaltung, die sich in dieser Weise linear nach vorne orientiert, bleibt meist noch im Schema von Fortschritt, Innovation und Produktion. Auch griffige Begriffswechsel – von strategischen Zielen zu Visionen z.B. – ändern daran nichts. Immer noch tragen wir eine geschichtliche Bürde, die es uns verwehrt, die Zukunft als unbestimmbar-offene zu akzeptieren und mit dieser Qualität zu verfahren. Denn erst sie öffnet den Raum für eine andere Art von Gestaltung.

Zukunftsgestaltung unter dem Aspekt der Offenheit fühlt sich zunächst weder der Aktion noch der Produktion verpflichtet; sie will den offenen Raum nicht füllen, sie will seine Leere nützen. Diese wird um so wichtiger, da wir einer Weltgesellschaft (Globalisierung) entgegengehen, die sich zum System formt, die ihr geographisch-räumliches „Außen" verliert. In frühen Zeiten gab es dieses, „weiße Flecken" auf der Landkarte, Unentdecktes, fremde Kulturen anderer Menschen. Händler und Reisende, „Verräter" geschlossener Zugehörigkeiten, brachten Vergleiche, Relativierungen mit und konfrontierten Systeme miteinander. Auch wenn es viel an gegenseitigem Unverständnis gab, das sich in Krieg und Gewalt zum Ausdruck brachte, das Sieger produzieren wollte, die unterschiedlichsten Kulturen, Wahrheiten, Normen konnten nebeneinander existieren und stellten füreinander das reale „Außerhalb". Eine Weltgesellschaft kann sich wahrscheinlich diese inneren Fremdheiten nur beschränkt leisten. Auch Krieg und Gewalt in globaler Dimension kann nicht gewollt sein; ist doch auch eines ihrer Ziele deren Überwindung, Sicherung eines Weltfriedens. Ökonomie, Technologie, der Ausbau der Verkehrswege, die grenzenlose elektronische Kommunikation repräsentieren jene Bereiche, in denen die inneren Grenzen gefallen sind. Auf ihnen wird unsere Weltgesellschaft gebaut; auf ihren Prinzipien, Grundannahmen, Eigengesetzen ruht sie. Andere treten in den Hintergrund. Die alte Kulturvielfalt rettet sich oft nur mehr in Nostalgie und Folklore, und die Fusionen der Weltkonzerne arbeiten an der Integration interkultureller Unterschiede. Ohne Sentimentalität wird man von den bisherigen historischen Kulturen Abschied nehmen müssen, denn sie waren regional, national, auf Räume beschränkt und dazu da, deren Identität und Selbstbewußtsein zu sichern. Sie waren aber auch maßgebend für Gestaltung, für Einheitsstiftung und Sinngebung. Die Weltgesellschaft hat noch keine Kultur, es sei denn, sie bestünde einzig und allein im Charakter unserer Technologie und Ökonomie. Braucht sie eine? Im Moment überläßt man sie ihrer Macht, und Kultur beginnt sich wieder in Regionalität zurückzuziehen („Glokalisierung"). Die Reaktion ist verständlich, aber nicht ohne Folgen. Die Macht der Ökonomie macht vor den Grenzen der Region nicht halt; sie duldet keinen gesonderten Raum. Hartnäckige müssen daher als „Aus-Steiger" bezeichnet werden. Wir ahnen aber, daß auf dieser einseitigen Macht die Weltgesellschaft sich nicht unbedingt gedeihlich weiterentwickelt. Wo aber gibt es Instanzen ihrer Relativierung, wenn sie den „Weltenraum" schon gänzlich für sich erobert hat?

Vielleicht bietet uns die Zeit an, was der Raum uns versagt. Vielleicht ist die Zukunft der einzige Ort geworden, der „Außen" geblieben ist, der nicht erobert werden kann. Die Zukunft als „absolute" Grenze, als Unbestimmtes, als Leere, als Raum der mannigfachen Möglichkeiten. Als Ort der Systemüberschreitung und -relativierung, der Differenz zu aller Macht, die sich unser zu bemächtigen beginnt. Es dreht sich hier die Perspektive: Die traditionelle Angst vor der Leere, dem Nichts, dem Unbestimmten wendet sich zur Angst vor unserer wachsenden Unfähigkeit, aus den Gefängnissen unserer weltweit sich verbreitenden Systeme ausbrechen zu können, zur Angst vor der Ohnmacht gegenüber unseren eigenen Veranstaltungen. Die Zukunft als prinzipiell unbestimmte hingegen sollte uns freudig machen, befreien wiederum aus selbst auferlegtem Zwang.

Zukunftsgestaltung gewinnt erst hier eine neue Dimension. Sie verläßt den Sinnbezirk des Herstellens, Machens und Bemächtigens. Sie will dem Vorhandenen, dem Intendierten eine Form geben, das Auseinanderliegende verbinden, nach Entwicklung, Konsequenz und Sinn fragen. Zukunftsgestaltung blickt weniger nach vorne in die Zukunft, sondern gleichsam aus einem unbestimmten Ort der Zukunft zurück.

Herausgestellt aus der Not der Gegenwart leisten wir uns aus entfernter Zeit den „freien Blick". Jenseits der uns so oft versicherten „Sachzwänge" lassen wir uns von ihrer Unausweichlichkeit nicht mehr imponieren und erkennen uns als ihre Ursache, die wir mit uns auch verändern, anders setzen können. In die Zukunft gestellt, haben wir den Innenbezirk unserer diversen Systeme überschritten, befinden uns ihnen gegenüber in heilsamer Differenz. Dieses zeitlich spekulierte „Außen" brauchen wir aber, um „effizient" die einfache Frage zu stellen: „Wollen wir alles so, wie es ist und sich weiter zu entwickeln anschickt?" Soweit bekannt, hatten alle Systeme der Vergangenheit ein sie relativierendes Außen (geographisch, zeitlich, „jenseitig" etc.). Unsere immanenzgeprägte Weltgesellschaft droht dieses zu verlieren; damit geht sie aber auch des Ortes sinngebender Selbstreflexion verlustig. Wo aber finden wir das relativierende Außen, die „Systemtranszendenz"? Es könnte sein, daß Zukunft es bietet, als Differenz des Jetzt, als „Utopie", Niemandsland, Nicht-Ort, von dem aus wir uns betrachten, erfassen, reflektieren können. Zukunftsgestaltung dieser Art will Zukunft nicht „füllen", sich ihrer bemächtigen, sie aus der Gegenwart heraus determinieren, sie will sie vielmehr in ihrer relativierenden Kraft nützen. Aus ihrer Offenheit denken. Zukunftsgestaltung dieser Art berücksichtigt letztlich auch Generationsabfolge, die Zukunft unserer Jugend und Kinder. Denn auch für deren Entscheidung soll noch Offenes bleiben. Sie sollen durch unsere herstellend-bemächtigende Gestaltung nicht schon in unausweichliche Konsequenz gezwungen werden, in der sie nur mehr fortfahren oder reagieren können.

Zeitmanagement in der Wirtschaft

„Es war einmal ein erschöpfter Holzfäller, der Zeit und Kraft verschwendete, weil er mit einer stumpfen Axt einschlug. Denn wie er sagte, habe er keine Zeit, die Schneide zu schärfen." *(Anthony de Mello)*

Zeitsparen bedeutet Gewinn

Wir stehen vor der Alternative: Während unser Umgang mit der Zeit in allen unseren Lebens- und Tätigkeitsbereichen von den Gesetzen der industriellen Produktion und jenen der wirtschaftlichen Eigenlogik dominiert wird, brauchen wir für die Lösung der durch sie hervorgerufenen Krisen Zeitabfolgen und -bestimmungen, die in ihr nicht vorgesehen sind.
Weiters: die Zeitabfolge der Produktion und ihrer Wirtschaftsform (Konkurrenz, Markt etc.) bedingt „beschleunigte Zeit", d.h. Hineinpressen von möglichst vielen produkt/leistungerstellenden Tätigkeiten in immer kleinere Zeiteinheiten (das „Hetzen" hat hier seinen Ursprung in „Zeit ist Geld"): Die Lösung unserer weltgeschichtlichen Krisen, hervorgerufen eben durch ausbeutende Wirtschaftsformen und ihre Grenzen, braucht „verzögerte Zeit", ein Innehalten in der Raserei der Abfolge.
Es wird von der Beobachtung ausgegangen, daß sich Beschleunigungsprozesse in den letzten zehn Jahren bedeutend vervielfältigt und verdichtet haben und der Zeitdruck damit gleichermaßen gestiegen ist. Dies hat ebenso zu einer Erhöhung des „Dysstreß" geführt, als zu berechtigtem Zweifel, ob unter bestehendem Zeitdruck tatsächlich bestimmte Managementaufgaben erfüllbar sind. Aus ersten Analysen dieser Beobachtungen lassen sich folgende Grundhypothesen ableiten:

- im marktwirtschaftlichen Konkurrenzsystem ist vor allem bei Marktsättigung und verschärftem Verdrängungswettbewerb (international) bei einer „Verähnlichung" der Produkte und einer Annäherung des Lohnniveaus immer noch die Zeit die „letzte" Ressource, die noch zur ökonomischen Nutzung zu Verfügung steht.

- Wer im gleichen Zeitraum mehr – und damit billiger – mit womöglich höherer Qualität produziert, gewinnt am Markt gegen seine Konkurrenten.
- Wer in immer kürzeren Zeiträumen Neues (Produktinnovationen) hervorbringt, hat gegenüber seinem Konkurrenten die Nase vorne und auf gewisse Zeit einen Wettbewerbsvorteil.
- Wer oder welche Organisation imstande ist, schnelle Entscheidungen in Strategie und Management zu treffen, vermeidet lange Diskussionsprozesse und spart nicht nur Zeit, sondern vor allem auch Personalkosten.
- Wer rascher und adäquat auf Umweltveränderungen reagiert (Kunden, Märkte, Finanzsysteme), ist wiederum schneller angepaßt und hat damit Wettbewerbsvorteile.

Zusammenfassen läßt sich dies im alten Spruch: „Zeit ist Geld", Zeitsparen bedeutet Gewinn.

Die obigen Hypothesen entsprechen durchaus ökonomischer, betriebswirtschaftlicher Eigenlogik und sind in ihr zweifellos sinnvoll. Diese Tatsache hat in den letzten Jahren zu einem Ausschöpfungsversuch der Ressource Zeit geführt. Die Beispiele sind bekannt: die „just in time"-Logistik gegenüber Zulieferern und Kunden; Lean Management als Verflachung von Hierarchien und Verkürzung der Berichts- und Entscheidungswege; Reengineering als Neuordnung und Parallelschalten von Abläufen und Schlüsselprozessen; desgleichen im Einrichten von Projektmanagement.

Vergleichzeitigung von Abläufen, die früher nacheinander geschaltet waren: Herausholen aller Zeitreserven aus der Produktion durch Perfektionierung von Technologien (Computersysteme, Umorganisation der „Fließbänder", diverse Automationen etc.); Dezentralisierung von Entscheidungen, Minimierung zentraler (Aufsichts-)Befugnisse; Tele- und Videokommunikation, Fax etc. Vergleichzeitigung von Informationen, Redimensionierung von Bürokratie, wo möglich, etc. Es ließen sich noch viele Maßnahmen berichten, die alle Zeitbeschleunigungsprozesse zur Folge haben. Allerdings stößt die Vergleichzeitigung bereits dort an Grenzen der Ausschöpfung von Zeitreserven, wo durch technologischen Fortschritt Gleichzeitigkeit erreicht wurde: z.B. bei den Informationssystemen des Geldverkehrs, an den Börsen im internationalen Finanzmarkt.

Was aber für die „Ökonomie" vordergründig sinnvoll erscheint, ist es nicht unbedingt für alle anderen Bereiche. Kein Unternehmen ist auf die reine betriebswirtschaftliche Logik zu reduzieren. Werden daher Beschleunigung und Zeitdruck universalisiert, auf alle Unternehmensbereiche ausgedehnt, bemerkt man rasch Grenzen dieses Verfahrens. Die nächste Hypothese lautet dann:

Zeitmanagement ist praktisches Widerspruchsmanagement

Zeitbeschleunigung und Zeitdruck sind überall dort dysfunktional, wo man nicht beliebig und womöglich von außen beschleunigen kann, wo Prozesse stattfinden und berücksichtigt werden, die auf Entscheidungskonsens Wert legen, nicht auf Scheinkonsens, Teambildungen, die Feedback-Einrichtungen vorsehen, Motivationsgespräche wollen, Fortbildung in Kompetenz und Verhalten anbieten, längerfristige Strategie-Überlegungen durchführen, Umsetzungen von neuen Veränderungsmaßnahmen in Ruhe planen etc. Alle diese Prozesse sind „eigenzeitlich" strukturiert. Versucht man diese „Eigenzeit" zu verkürzen, verlaufen sie suboptimal, und es gibt meist kein gutes Ergebnis. Dies wäre tolerabel, hätte es nicht auch ökonomische Auswirkungen (Konsens unter Druck zerfällt oft und wird sabotiert; Konfliktlösungen „aus der Hüfte" verschärfen oft die Situation und lösen sie nicht; strategische Entscheidungen ad hoc haben nur Zufallstrefferwert).

Wenn aber aus den genannten Gründen beide Hypothesenteile gelten, so muß ein ständig zu managender Widerspruch Resultat sein: Zeitmanagement ist beauftragt, aus ökonomischen Gründen Zeiten zu verkürzen und zu beschleunigen.

Zeitmanagement ist andererseits ebenso gut beraten, Zeit zu „verzögern" überall dort, wo Eigenzeitlichkeiten von Prozessen zu berücksichtigen sind.

Zeitmanagement ist daher keine bloß „technische" Ordnungsdisziplin, sondern praktisches Widerspruchsmanagement. Um dieses adäquat zu leisten, ist es zunächst wichtig, Entscheidungskriterien dafür zur Verfügung zu haben, die eine Zuordnung ermöglichen: Wo kann und soll man beschleunigen, verkürzen, wo nicht?

Folgende orientierende Modellunterscheidung mag einen Blick auf unterschiedliche Zeitstrukturen gestatten. Im „technomorph" orientierten „Maschinenmodell", das lange Zeit auch als Vorstellungsmuster für Organisation verwendet wurde (Organisation als funktionale, rationale „Menschenmaschine", in der „ein Rädchen ins andere greift", in der Management anordnet und sonstige Tätigkeit Durchführung bedeutet), kann sozusagen „beliebig" von außen beschleunigt werden. Rücksicht genommen werden muß nur auf das „Material". Steigt man im Auto „aufs Gas", wird es schneller, und man kann „beliebig" oft beschleunigen und verlangsamen. Wenn Organisationen in diesem Modell geortet werden, liegt nahe, sie analog zu sehen. Organisationszeit müßte demnach beliebig beschleunigt werden können, jedenfalls läge Beschleunigung und Verzögerung in der Verfügung von anordnenden Managern. Die Organisation selbst hat keine eigenzeitliche Gestalt. Man kann mit ihren Zeitstrukturen eben machen, was man will: Arbeitszeiten verkürzen oder verlängern, Gleitzeiten vorsehen, Besprechungen terminisieren, Pausen abschaffen, „Leerzeiten" finden und „füllen", Abläufe beschleunigen etc.

Managen nach drei unterschiedlichen Modellen

Verbindet man das technomorphe Modell mit dem betriebswirtschaftlich ökonomischen Argument, ergibt sich daraus: mögliche Beschleunigung und Verkürzung all jener Zeiten, die ein Produkt verteuern, also Straffung der „produktiven" Tätigkeiten und Minimierung aller Zeiten, die „unproduktiv" sind, also nur Geld kosten: Pausen, Gespräche, Diskussionen, Analysen, „Privates", freundliche Worte, „ausufernde Kommunikation" („Quatschbude") etc. Hingegen empfiehlt es sich insbesondere im außertariflichen Bereich von Managern immer mehr unbezahlte Zeit für produktive Tätigkeiten zu verlangen, die Arbeitszeit auszudehnen und in die Freizeit hinein zu erweitern.

In letzter Zeit ist es aus vielen Gründen notwendig geworden, vor allem in „systemisch" orientierten Managementkonzepten, eine weitere Modellvorstellung zu explizieren. Im „biomorphen" Modell ist „das Lebendige" Muster. Organisation wird organismusanalog zu begreifen versucht. Lebendiges verhält sich anders als Maschinen. Es vollzieht sich in abgrenzbaren Systemen, die durch einen inneren Zusammenhang (z.B. „Biofeedbackprozesse") konstituiert werden. In ihm kann man nicht so ohne weiteres von außen eingreifen, denn entweder zerstört oder verändert man ihn zumindest, oder man stößt auf Abwehr und Widerstand, weil sich das System in seiner „Selbstreproduktion" (Erhaltung seines Überlebens) nicht stören lassen will, im System aber laufen Prozesse ab, die sich im eigenen Zeitmaß bewegen. Zwar können wir auch diese Rhythmen beeinflussen, unserer Willkür sind hier aber Grenzen gesetzt.

Ständig Verdauung zu beschleunigen ist ungesund, und andauernder Zeitdruck produziert Krankheitssymptome. Es kann nun beobachtet werden, daß die Zeitbeschleunigungsprozesse der letzten Jahre auf diese biorhythmische Eigenzeitlichkeit wenig Rücksicht nehmen, und gelingt es nicht, sich in den „Rausch" der Arbeitssucht zu flüchten, die wie eine Droge wirkt und zunächst die möglichen Spätfolgen verbirgt, treffen relativ rasch biologisch verursachte Widerstände gegen diese Verletzung der Eigenzeitlichkeit auf, sei es in Widerstand (innere Kündigung) oder in Krankheitssymptomen.

Zwar ist der Mensch nicht „nur" Leben wie die anderen Geschöpfe, die auf Störungen der Eigenzeit noch viel radikaler und wahrscheinlich sofort reagieren würden, er ist auch „Freiheit", Bewußtsein und kann sich daher trainieren, disziplinieren, beeinflussen. Offensichtlich sind aber auch hier „natürliche" Grenzen, die das Leben vorschreibt, vorhanden. Die Frage ist, wie verhält sich „fremd- und außenbestimmte Zeitbeschleunigung" zu diesen Grenzen, wo wird Leben gefährdet und verletzt.

Das zuletzt Erörterte führt zum dritten Modell. Man kann sich dem Thema in psycho- oder soziomorpher Betrachtungsweise annähern. Aus eigener Erfahrung wissen wir, daß psychologisch gleiche Zeitabläufe höchst unterschiedlich eingeschätzt werden. Manchmal sind sie im Nu um, manchmal scheinen sie nie vergehen zu wollen. Unsere innere psychische Uhr tickt je nach Erleben anders als die „objektive" Zeit. Ebenso wissen wir, daß Gruppenbildungs- und Konfliktlösungsprozesse bestimmte Phasen durchlaufen müssen, die ebenso ihre Zeit brauchen. Es bleibt also festzuhalten, daß es zu den wichtigsten Managementhandlungen gehört, zu entscheiden wie und in welchen Zusammenhängen Zeit beschleunigt werden soll und wo man auf Eigenzeiten bedacht sein muß. Auf die Einbindung des wichtigen Systems Wirtschaft soll im folgenden Epilog näher eingegangen werden.

Epilog

„Nie ist im durchschnittlichen Gange der Dinge Freundschaft so gegenwärtig wie im Abschied. Und nie die Offenheit für neue Zukunft so erregend, so verwirrend, so fühlbar. In solchen Augenblicken entschleiert sich Zeit neu und mit kaum erwarteten Zügen.
Was wir hier bedenken, hat sein größtes Beispiel am Tod. Er ist mehr als nur ein Beispiel. Er ist der Fall schlechthin, der entscheidende, auf den alles hinausläuft, für den alles andere nur Vorspiel und Vorübung ist. Darum kann man nicht ernstlich von Zeit sprechen und schon gar nicht von der Zeit als Augenblick, ohne vom Tod zu sprechen." *(Bernhard Welte)*

Der plötzliche Tod eines Freundes und Kollegen war mitbestimmend für meine nachhaltige Beschäftigung mit dem Thema Zeit. Nicht bloß, weil es „sein" zentrales Interesse war und wir uns oft darüber unterhielten, sondern weil der Tod dazukam. Er machte das Thema unabweislich und gab ihm drängende Unaufschiebbarkeit. Mit ihm in Verbindung hat es mich nicht mehr losgelassen. In ihm ist mir auch die Freundschaft gegenwärtig geblieben. Ihm und dem Tod schulde ich mein unaufhörliches Ringen mit den Fragen der Zeit. So steht der Tod auch im Zentrum der hier wiedergegebenen Erinnerungen an unsere gemeinsame Diskussionen.

Die nächsten Zeilen sind eine Sammlung von Thesen, Aphorismen, Vermutungen und Gedankensplittern, so wie sie mir aus Gesprächen mit meinem Freund und Mitarbeiter Jakob Huber erinnerlich geblieben sind. Ihn hat das Thema „Zeit" nie losgelassen, und – als hätte sein Geist sein frühes Schicksal schon geahnt und vorweggenommen – er hat, was dieses

Thema betrifft, theoretisch und praktisch in *seine* kurze Lebenszeit hineinzupacken versucht, was immer ihm nur möglich war. Theoretisch, indem er von seiner Dissertation an sich mit allen Modellen der Zeitbestimmung, allen Theorien über Zeit intensivst auseinandergesetzt hat, praktisch, indem er in gruppendynamischer Arbeit mit Zeitarrangements experimentierte, um durch sie Platz zu schaffen – für neue Reflexionsebenen und neue „soziale Umgangsformen". Denn obwohl er selbst sich öfters in der Überlastung seiner Lebenszeit erschöpfte, hineinzuverdichten versuchte, was immer an Ansprüchen an ihn herantrat, wußte er doch genau, daß der Umgang mit Zeit und ihre Ordnung unsere Lebensform und -qualität sowie unser besseres oder schlechteres soziales Zusammenwirken nachträglich bestimmen. Es war ihm immer Problem, eine durch Modell, Konvention „verordnete" Zeit einfach anzunehmen, und er versuchte in einer Phänomenologie der Alltagssprache aufzuzeigen, wie *sie* schon handlungsbestimmende Zeitstrukturen in unser Leben hineinschwindelt. So richtete sich sein kritischer Ansatz gegen jede unreflektierte Substantialisierung von Zeit, die seltsamerweise sich in unserer Neuzeit – obwohl jedem einsichtig sein kann, wie willkürlich zum Teil mit ihr umgegangen wird – verstärkt hat, so als wären Zeitmaß und Zeitordnung absolute Schicksalsgrößen; was er aber wollte, war die Erweiterung dieser kritischen Theorie zu einer sozialen Praxis.

Sicher gibt es ganze Denktraditionen, in denen begriffen wird, daß Raum und Zeit keine außerhalb der Menschen liegende Substanzen oder Wesen sind (vom aristotelischen Begriff der Zeit als Maßeinheit von Bewegung, bis zu den Kantschen „subjektiven Anschauungsformen"), aber selbst die wissenschaftlichen Überlieferer dieser Traditionen merken selten, wie selbst sie den Substantialisierungs- und Verobjektivisierungstendenzen unseres Zeitumganges unterworfen sind. Also bleibt ihre Überlieferung interessante theoretische Spekulation ohne praktische Konsequenz. Auch wenn sie wissen, daß Maß und Ordnung der Zeit von Menschen und Interessen bestimmt wird (wobei man sich früher meist an Bewegungszusammenhänge der Natur hält, um aus ihrer Erscheinung eine „Art" Objektivität abzuleiten), fehlt ihnen der Hebel, von hier aus Zeitabläufe individueller oder gar sozialer Herkunft auszusetzen, „aufzuknacken". Dies verstärkt den Eindruck von der schicksalhaft objektiv ablaufenden Zeit, die alle in ihre Fron genommen hat. Wie oft hören wir das Wort „ich habe keine Zeit", ohne dabei zu überlegen, wie wahr es eigentlich ist, allerdings im umgekehrten Sinn: ich habe nämlich für *mich,* mein *Ich* keine Zeit, Ordnung und Rhythmen sorgen für permanenten Selbstverlust.

Es waren die ersten Philosophen unserer Tradition, die erkannten, daß Philosophie und Selbstreflexion nur durch ein „Innehalten" im vorgegebenen Zeitablauf möglich sei, und sie nannten es „Muße". Weil sie sahen, wie gefährdet diese immer wieder wird, richteten sie Institutionen, Akademien dafür ein; Tempel und Klöster haben bis heute diese Funktion übernommen und geben oft durch ihre Architektur schon bekannt, daß in ihnen „die Zeit stillsteht". Unsere modernen Bildungsinstitutionen haben diese Differenz nicht halten können und in sich die funktionellen Abläufe der übrigen gesellschaftlichen Zeit hereingenommen. Und so jagen jetzt auch Gelehrte und Studenten von Seminaren zu Sitzungen, von dort zu Vorträgen und Kongressen, jagen in der unermeßlichen Literatur Seite auf und Seite ab und „haben keine Zeit mehr", d.h., die gesellschaftlich bestimmte Zeitordnung verwehrt ihnen partielles Heraustreten nach anderer Rhythmik. „Aussteiger" werden als Sonderlinge oder egoistische Parasiten bezeichnet; sie können auch *ihr* Zeitmaß nicht mit dem öffentlichen und kollektiven in Zusammenhang bringen.

Wie kann Philosophie als innehaltende Muße praktisch werden, ohne in weltfremdes Mönchs- und Sektierertum abzugleiten, wie kann sie innerhalb der sie verdrängenden Zeitabfolgen in Arbeit und Freizeit angesiedelt werden? Wie kann man schicksalhaften Ablauf wieder in partielle Mitbestimmung zurücknehmen? Wie entdecken wir überhaupt wieder, daß es andere Dimensionen, Abläufe, Ordnungen von Zeit gibt als die „gewaltsam" vorgegebenen? Muß das Gefühl dafür beschränkt bleiben auf Momente erfüllten Glücks oder vernichtenden Unglücks, in denen der Augenblick gleichsam Ewigkeit in sich hat? Gibt es Möglichkeiten, andere Zeitordnungen (die innere Rhythmik des Leibes wieder zu „hören", Rhythmen unserer Lebensentwicklung mehr zu berücksichtigen etc.) in unserer gesellschaftlich dominanten Zeit zu etablieren, haben wir uns nicht einem alles auffressenden Kronos unterworfen, der nun aber keine mythologische Person mehr ist, sondern unser eigener systematisierter und disziplinierter Todestrieb? Haben wir eine Zeitordnung etabliert, die in ihrer Linearität nichts mehr aus sich herausläßt und den kollektiven Selbstverlust zum weltgeschichtlich-endzeitlichen Prinzip macht?

Solche und ähnliche Fragen quälten uns, zumal wir bemerken konnten, wie in „geschützten" Räumen (in Seminaren oder „Laboratorien") es sehr wohl möglich war, anderen Zeitabläufen und -ordnungen Geltung zu verschaffen (etwa Zeit vorsehen für Warten, Schweigen, Selbstreflexion, individuell verwendbare Pausen, Tagesablauf nach Körperrhythmik, Vereinbarungen über Zeitgebrauch nach verschiedenen Inhalten etc.). Wir sahen auch, wie zunächst immer wieder diese Änderungen verwirren, Person und Gruppen vor ganz andere Anforderungen von Selbstbestimmung und Selbstwahrnehmung stellen, wie man sich daran gewöhnt hat, daß von außen über seine Zeit verfügt wird, wie beglückend es aber auch sein kann, zu erleben, welche anderen Umgangsformen mit sich und anderen veränderte Zeitabläufe zulassen. So meinten wir einen gewissen Übergang von der Theorie (der Philosophie als Muße, als Innehalten in vorgegebener Zeit) in individuelle und soziale Praxis gefunden zu haben. Im Aussetzen von bekannten und übernommenen Zeitabfolgen schufen wir neue „Lebensräume", die wir allerdings nicht nur agieren ließen, die wir vielmehr in ihrem Sinnzusammenhang und -gegensatz zum gewohnten Leben reflektierten und gemeinsam besprachen.

So verkehrte sich partiell das gewohnte Verhältnis: Es war nicht mehr der gewohnt strukturierte Zeitablauf, der den Umgang mit Inhalten und Menschen bestimmte. Sondern umgekehrt war es dort und da möglich zu erkennen, daß man sich für Inhalte und andere Lebensformen adäquat Zeit *„nehmen"* muß. So gesagt klingt die Aussage sehr banal und für jeden theoretisch einsichtig; praktisch konnten wir aber erfahren, wie schwer es ist und wie ungeübt wir sind, uns für wichtige Bedürfnisse, Aufgaben, Inhalte, Selbstreflexionen individueller und kollektiver Art die dafür adäquate Zeit zu nehmen. Eingepaßt in unseren alltäglich gewohnten und vorgegebenen Zeitablauf haben wir es weitgehend verlernt, Zeitansprüche von Inhalten wahrzunehmen, die nicht diesem System entsprechen. Als „Zeitverschwendung" wird nur allzuschnell bezeichnet, was sich mit Inhalten eingehender beschäftigt, die wir aus unserer alltäglichen Zeitökonomik längst gestrichen haben.

So ist es oft zunächst für Gruppen unverständlich, welche Zeit anfangs „draufgeht", wenn man versucht, sich zu finden, sich über sich ins klare zu kommen; ist dies dann geschehen, hat sie sich als wichtiger „Inhalt" erkannt und ist ihr dessen Identität wichtig geworden, so vergeht die Zeit wie im Fluge, und man bemerkt ohne Gefühl der Verschwendung, daß dieser Zustand *seine Zeit* braucht. Unser funktionales öffentlich-bürokratisches Leben kann mit der „ganzen" Person und einer Gruppenidentität nichts anfangen, also hat sie dafür auch keine Zeit vorgesehen; bestens die informelle Zeit in Pausen, beim „Zwischendurchkaffee" oder abgekoppelt im Privaten. Wir haben es verlernt, für diese Inhalte Zeit zu fordern.

Besonders deutlich wurden uns diese Tatsachen in Intergruppenprozessen, Organisationsseminaren bzw. in betriebsinterner Arbeit an Organisationsentwicklung. Wir merkten: je größer und komplexer die Organisationsformen menschlichen Zusammenlebens und -arbeitens, um so eindimensionaler und linearer die Macht fremdbestimmter Zeitabfolge. Dies liegt zweifellos einerseits im „Gegenstand" selbst: Damit komplexere arbeitsteilige Zusammenlebensformen der Menschen überhaupt „funktionieren", muß es eine sie alle disziplinierende, für alle verbindliche Zeitordnung geben.

Zeitordnung und Zeitabfolge sind aber *zweierlei;* während die erste den verbindlichen Rahmen setzt, organisiert die zweite die innere Bewegung und Rhythmik; die erste bestimmt Umraum und Zugehörigkeit (eine Organisation ist dadurch gekennzeichnet, daß sie eine für alle Mitglieder verbindliche Zeitordnung hat, aus der man sich nicht herausstellen kann, vgl. z.B. auch das „Kirchenjahr"); die zweite wird durch Inhalt und Interesse bestimmt. Wie *in* der Zeitordnung Zeitabfolge aufgegliedert und strukturiert wird, hängt davon ab, was man mit dieser Zeit *will.* Wenn es also darum geht, daß möglichst viel möglichst billig produziert wird, wird Zeit- und Handlungsabfolge danach ausgerichtet; erfüllte Zeit ist Zeit, in der möglichst viel produziert wird, verschwendete Zeit alles übrige; Freizeit ist eigentlich keine Zeit mehr, hier ist man *„frei" von Zeit,* sie gilt daher auch im wesentlichen nur als Erholungszeit, d.h. als jene, in der man sich für die eigentliche Zeit wieder fit macht.

Unsere Frage war: Gibt es nicht noch andere Topoi für die Bestimmung der Zeitabfolge, außer Produktion (Wirtschaftswachstum durch Intensivierung von Zeitabschnitten im Arbeitsablauf)? Nachdem wir erkannt hatten, wie unvorhergesehen in unserer alltäglichen (produktionsbestimmten) Zeitabfolge Zeit für Selbstreflexion, Bildung von Gruppenidentität (Solidarität), aber auch etwa Kunst etc. ist, fragten wir weiter: Gibt es nicht vielleicht andere notwendige Inhalte, die Zeitabfolgen bestimmen und ihre Zeit brauchen? Wir bemerkten plötzlich, daß die produktionsbezogene Rhythmik der Zeit ihre eindimensionale (technisch-praktische) lineare Abfolge auf alle anderen Bereiche erstreckte und sich dort bereits fest eingenistet hatte. Im Bildungswesen gilt nur, was der Reproduktion gesellschaftlicher Arbeit und Arbeitsformen dient; darnach wird Lernzeit funktional zerstückelt (Fächer wie Philosophie oder Kunst werden an den Rand geschoben; für sie ist keine Zeit); die Politik hastet von Wahlperiode zu Wahlperiode, ständig bemüht, einschlägige kurzfristige und -lebige Produkte vorzuweisen. Politiker hasten von Veranstaltung zu Veranstaltung und haben kaum mehr Zeit nachzudenken. Freizeit hat keinen inneren Sinn, keine eigene Abfolge, sie wird vielmehr bestimmt durch die intensivierte Konsumtion der Produkte, d.h., sie ist nach ihnen ausgerichtet.

In aller Radikalität stellte sich jetzt die Frage: Woher sollen wir Menschen eigentlich jene Zeit nehmen, die uns nicht nur gestattet, andere lebenswerte Inhalte zu berücksichtigen, die vielmehr und vordergründiger dafür gebraucht wird, mit den *Krisen und Problemen der Komplexität unseres Überlebens einigermaßen zu Rande zu kommen?* Wenn soviel Zeit schon für das Erreichen von Gruppenidentitäten vonnöten ist, wieviel erst für das menschengemäße Funktionieren von Organisationen und Institutionen? Wir wagten gar nicht daran zu denken, wieviel Zeit konkrete Demokratie (Information und Aufklärung sowie echte Entscheidungsprozesse) braucht. Diese Zeit ist jetzt in den „normalen" Abfolgen einfach nicht vorgesehen. Es herrscht die Autorität des schnellebigen Produkts.

Die Alternative stellte sich uns wie folgt:

Während bei der Bestimmung von Zeitabfolge und -rhythmik in all unseren Lebens- und Tätigkeitsbereichen die Gesetze der industriellen Produktion dominieren, brauchen wir *für die Lösung der durch sie hervorgerufenen Krisen Zeitabfolgen und -bestimmungen, die in ihr nicht vorgesehen sind.* Weiter: die Zeitabfolge der Produktion und ihrer Wirtschaftsform (Konkurrenz, Markt etc.) bedingt *„beschleunigte Zeit"*, d.h. Hineinpressen von möglichst vielen produkterstellenden Tätigkeiten in immer kleinere Zeiteinheiten, die Lösung unserer weltgeschichtlichen Krisen, hervorgerufen eben durch jene ausbeutende Wirtschaftsform und ihre Grenzen, braucht *„verzögerte Zeit"*, ein *Innehalten* in der Raserei der Abfolgen.

Die Abfolgesystematik der „beschleunigten" Zeit wurde von uns im Zusammenhang mit einem *systematisierten „Todestrieb"* gesehen. Beschleunigte Zeitabfolgen erfüllen zwei Funktionen: *erstens individuelle und kollektive Todesabwehr* und -verdrängung, *zweitens Hereinnehmen des realen Todes in „Lebenszeiten"*. In Verbindung mit der produktionsbestimmten Zeit: durch ständiges Produzieren und die Ausdehnung des dafür maßgebenden tätigen (technisch-praktischen) Prinzips auf Natur, Gesellschaft, Geschichte versucht unsere Tradition jene „ewige" Zeit, Unsterblichkeit wieder einzuholen, und zwar *in* unserer „profanen" Welt – nachdem sie aus dem raumzeitlichen Jenseits verbannt wurde. Daraus ergab sich auch noch ein zusätzlicher Schluß: Löst man die wie immer geartete räumliche Jenseitigkeit vom ewigen Leben, Unsterblichkeit etc. auf, muß man mit den dorthin projizierten Inhalten die profane Zeit „vollstopfen". Bereits früher war es aber allgemein anerkannt, daß man nur durch den Tod, vor allem jenen des besonderen Individuums, in die Unsterblichkeit eintreten könne. Löst man das „Jenseits" der ewigen Zeit auf, muß daher auch mit dem Tod besonders verfahren werden; versucht man durch beschleunigte Intensivierung von Zeitabfolgen (am Außenhalt „ewiger" Produkte", Werke) sich die räumliche Ewigkeit wieder einzuholen, muß die „Todesschwelle" radikal in die Zeit vorverlegt werden. D.h., die Beschleunigung von Zeitabfolgen, ihre zerstückelte Intensivierung von Zeiteinheiten im Sinne der Produktion nimmt einen vielfachen Tod vor einem „natürlichen" Absterben, gleichsam gesellschaftlich organisiert, vorweg. Um der beschleunigten Zeit zu genügen, muß viel an Individuum, an Gruppeneigenleben, an partialer Regionalität „sterben"; damit die „Gattung Mensch" ohne Gott und Jenseits ewig „weiter"lebt und damit bereits jetzt das Gefühl ihrer Unsterblichkeit prospektiv „genießen" kann, muß viel an Natur, Umwelt zugrunde gehen. Die *Beschleunigung von Zeit erreicht somit eine Intensivierung partiellen Todes auf allen Ebenen.*

Der Tod ist die endgültige Grenze individueller (jetzt auch schon möglicher Gattungs-) Existenz. Er ist schlechthin das Paradoxon „freier" Existenz und ihr eigentlich unzumutbar. Sein Sinn ist die Sinnlosigkeit, der endliche Erfüllung und Glück ständig abgerungen werden müssen. Wir wissen: Einmal ist „aus". Aber das wirkliche Ende ist unsagbar abrupter; es öffnet ein tödliches Nichts, eine unermeßliche Leere, die kaum erträglich und faßbar ist. Der Tod macht uns zu permanenten „Grenzgängern" des Lebens, in dem wir alles mögliche erreichen und überschreiten, um ans Ende nur um so gewisser zu kommen. Wir haben zwischen uns und diesem merkwürdigen Nichts Schutzmauern aufgestellt durch Rituale, Feste, Bräuche, Tröstungen und Glaubensvorstellungen. Wir mildern uns diese Grenze, weil wir sonst von unserer Freiheit keinen rechten Gebrauch machen können (insofern ist die Unsterblichkeit, wie Kant sagt, tatsächlich ein „Postulat der praktischen Vernunft"). Dennoch bleiben wir letztlich fassungslos.

Raum- und Zeitmodelle sind nun am besten geeignet, Schutzmauern zu errichten: Zwischen dem Leeren, dem Nichts und uns richten wir Räume ein und konstruieren ewige Zeiten und Dauerhaftigkeit. Der Tod läßt uns nur den „Raum" wechseln (von einer diesseitigen in eine jenseitige Welt); in ihm erwerben wir Anteil an der ewigen Zeit. Man hat sich die Unsterblichkeit immer wieder bis heute nur raum-zeitlich vorstellen wollen, weil sie sonst zu wenig konkret war. Die Grenze mußte durch Verdienst und Gnade *real* überschritten werden können, nicht bloß in der willkürlichen Vorstellung. Die Erkenntnis der Weisen, daß es sich – betrachtet man diese Glaubenswahrheiten genauer – eigentlich immer nur um bestimmte Raum- und Zeitnegationen handelt, kann sich schwer durchsetzen, denn sie verweist wieder ungeschminkt auf das Leere, das Nichts; d.h., man wird radikal auf seinen Alltag, seine Endlichkeit, sein Grenzgängertum zurückverwiesen.

Die Analogie scheint berechtigt: Im *Raum* Grenzen zu überschreiten ist eine alltägliche Erfahrung unserer Lebensgeschichte; in die Welt gehen, erwachsen werden heißt auch ständig (Schutz-)Raumgrenzen überschreiten. Warum soll nicht auch die letzte Grenze auf diese Weise räumlich überschreitbar sein? Eine weitere Analogie: Konflikte im inneren (Raum) drängen nach außen (politisch: Imperialismus – die Raumeroberung – verhinderte den Bürgerkrieg im Inneren). Ausgriffe in einem zur Verfügung stehenden Raum kompensieren Konflikte und können das Innere wieder eine Zeitlang stabilisieren. Man flüchtet auch in den Raum, damit man Konflikte am Ort nicht angreifen muß; man läßt die Grenzen im Inneren und erweitert sich nach außen. Grenzüberschreitungen im Raum (durchaus real geographische gemeint) gestatten Ablenkung und auch Lassen von Grenzen im Inneren. Die Möglichkeiten, Grenzen im Raum zu überschreiten und etwas Anderes, Neues, Ablenkendes zu finden, waren in der Geschichte trotz natürlicher Grenzen sehr groß. So gibt es die Ausdehnung von Reichen, Völkerwanderungen usw. Tatsachen, die für uns in ihren Schwierigkeiten bei unseren Kommunikations- und Verkehrswegen kaum begreifbar sind. Diese Möglichkeiten, generell im Raum Grenzen zu überschreiten, dieser „Aufbruch" der Menschen in „ihre" Welt, haben die absoluten und notwendigen Grenzen der Menschen (trotz aller Mahner) mit Recht in den Hintergrund treten lassen. Leidenschaft und Aufopferung markieren diesen Weg in der Geschichte der Raumeroberung, der Tod blieb relativierbar. Der „Heldentod" auf dem Schlachtfeld zeigt deutlich die „Umwertung" der Grenzen. Das Auf-sich-Nehmen, ja fast oft Herbeisehnen der absoluten Grenze, wird zur heldenhaften Tat, wenn es dabei gelungen ist, endlich (Raum-)Grenzen zu überschreiten.

Wo ist heute der Raum, der uns diese kompensatorische Entfaltung gestattet? Für Kollektive, Völker, Staaten ist er jedenfalls zu Ende; nur mit Mühe gelingt es noch, innere Konflikte nach außen zu schieben. Sicher, Individuen können um die ganze Welt reisen, aber welche Grenze überschreiten sie dabei wirklich? Wo immer wir hingehen, wir landen in unserem Raum und sind individuell und kollektiv auf uns zurückgeworfen. Es gibt kein reales und kein vorgestelltes Jenseits mehr, in das wir uns auch vor unseren absoluten Grenzen flüchten können. Die Weltgesellschaft hat nur *einen* Raum, den sie nicht mehr überschreiten kann; daher werden die wahren Grenzen *in ihm* so überdeutlich; insbesondere sind wir individuell und kollektiv auf die besondere Grenze Tod wieder zurückverwiesen: in einem Raum richten sich die Vernichtungswaffen, die man gerne aus ihm heraus in einen anderen geschleudert hätte, gegen sich selbst. In *einem* Raum gibt es nur Welt-Bürgerkrieg und Selbstvernichtung.

In doppelter Weise waren Bürgertum und industrielle Revolution auf eine „absolute Diesseitigkeit" des Raumes und seine prinzipielle „Kontinuität" angewiesen: Erstens konnte die Aggressivität der Produktion nur durch Ausgriffe auf alle Ressourcen dieser Welt befriedigt werden, zweitens das Wirtschaftssystem (Markt und Absatz) nur auf Grund eines weltweiten Mangels (Raum für Raum, Markt für Markt müssen erobert werden) funktionieren, der wiederum die aggressive Produktivität jeweils bis zur Sättigung hält. Der gesamte Erdenraum wird dieser Bewegung unterworfen; vor keinem Raum (keiner Kultur) wird halt gemacht.

Nun scheint aber der ganze Raum diesem System unterworfen, alle Grenzen überschritten zu sein. Hier werden wir auf unsere eigentlichen Grenzen zurückverwiesen, die wir nur *in uns* haben, bemerken und nicht mehr durch Grenzüberschreitung nach außen loswerden. Man hat uns alle jenseitigen Flucht- und Tröstungsmöglichkeiten genommen, und es gibt auch niemanden mehr, der aus der Rolle des jenseitshockenden Betrachters, der die Übersicht hat, unseren Weltenlauf lenkt. *„Gott ist in uns"*, versichern uns heute vielfach die Theologen und wissen oft gar nicht, welch eine verzweifelte Aussage sie damit tun.

Der Raum hat also abgedankt, man kann in ihm nicht mehr über unsere eigentlichen Grenzen „hinausgehen", sie nicht kompensieren, nicht vor ihnen flüchten. Auch Mond- und Marsflüge bringen uns das „verlorene" Jenseits nicht mehr zurück; Unsterblichkeitsvorstellungen mit dem Raum zu verbinden, einem jenseitigen Raum, gewinnt kaum mehr Anhängerschaft, und selbst Parapsychologen ziehen mit ihrem medialen Raum in unseren ein.

Warum war für unsere Zeitreflexion dieser Weg in den Raum so wichtig? Wir erkannten, daß das Abdanken der Jenseitigkeit des Raumes etwas zu tun haben konnte mit der Beschleunigung von Zeit. Anders formuliert: es liegt der Verdacht nahe, daß die *„Raumverweigerung"*, was Grenzüberschreitung und Kompensation anlangte, zu einer *Zeitkompensation* wird. Man spricht nun nicht mehr von einem Jenseits (wo alle Wünsche in Erfüllung gehen), sondern von Zeitdimensionen („noch sind wir nicht soweit, aber ...", „Gott ist Hoffnung, die Zukunft" etc.), von Fortschritt, Zukunft, Realutopie einer klassenlosen Gesellschaft, in der nach mancher Aussage auch der Tod überwunden sein wird. Das heißt, Unsterblichkeit (Überwindung der Grenze des Todes) wird aus dem räumlichen Jenseits in die Zeit verlegt, allerdings in eine meist noch ausstehende Zukunft (wir „sorgen" für die Unsterblichkeit zukünftiger Generationen). Wir bemerken einen ähnlichen Kompensationstrick wie früher im Raum: Wir müssen zwar unsere absoluten Grenzen anerkennen, sie sind aber nur vorläufige, ein Noch-Nicht. Wenn wir nur arbeiten und brav sind, werden vielleicht schon unsere Kinder die Früchte ernten.

Zwei damit verbundene Tatsachen führen nun zur Beschleunigung von Zeit, was wiederum extensiv der aggressiven Produktionsform unserer Wirtschaft entgegenkommt – wahrlich ein Teufelskreis. Erstens gilt es in kurzer Zeit möglichst viel zu leisten, damit die zeitlich reale Unsterblichkeit nicht zu lange auf sich warten läßt. Unsere Kinder (ohnehin immer das Symbol eines realen ewigen Lebens) werden es uns danken. Zweitens bekommen wir in der Beschleunigung von Zeit bis hin zum Grenzgefühl der Gleichzeitigkeit in Zeitpunkten gleichsam so ein „Vorgefühl" von Ewigkeit und eigener Unsterblichkeit. Es gibt scheinbar kein erhabeneres Gefühl für Menschen, möglichst viel oder alles und dann möglichst *gleichzeitig* zu tun. Dieses wurde daher der Tätigkeitsform Gottes zugesprochen.

Der expansiven Produktionsform kommt diese Selbstbeschleunigung nur zu Recht. In ihrem zusätzlichen Versprechen, durch Ausweitung des gesellschaftlichen Reichtums, den „Himmel auf Erden" einzurichten, entvölkert sie alle positiven Jenseitsvorstellungen. So gesehen kann unser alles dominierendes Wirtschaftssystem als der Kompensationsversuch gewertet werden, die absolute Grenze Tod durch „quantitative" Zeiterfüllung (durch Produkte) bewältigen zu wollen. Eine zweite (übrigens selbst tote) Welt wird in die erste eingezogen, in der, scheint's, der Tod sein Recht verloren hat. Aber vergessen wir nicht: Die Welt unserer Produkte ist deshalb schon „unsterblich", weil sie eine tote Welt ist. Die Raserei der Produktion zeigt somit die Aussichtslosigkeit dieses Vorgehens. Man bekämpft den Tod durch Totes und produziert dabei immer mehr realen und potentiellen Tod. Sind wir aber einmal in diesen Prozeß mit Haut und Haar einbezogen, hineinverwickelt in die beschleunigte Zeit, verlieren auch wir *unser* Leben in diesem permanenten Stricken unseres Leichenhemdes.

Damit soll nichts gegen Produktion, gesellschaftlichen Reichtum, Aufhebung des Jenseits überhaupt, Aufklärung, Wissenschaft, Technik etc. gesagt werden. Was fehlt, ist aber ihr inneres Maß, für unser Thema das richtige *Zeitmaß*.

Unsere Hauptthese lautet daher: Erst das *individuelle und universelle Verzögern* von Zeit läßt uns die Raserei der Produktion und die mit ihr verbundenen Nebenkosten vielleicht bewältigen. Verzögern von Zeit heißt aber einerseits nicht die Grenzen, insbesondere den Tod, verdrängen, bedeutet andererseits im beschleunigten Ablauf von Zeitfolgen wiederum andere Zeitrhythmen hineinzubringen. Letzteres muß mit vollem Bewußtsein und organisiert geschehen, Individuen für sich können nur aussteigen oder in innere Emigration flüchten.

Es ist zunächst einmal wichtig, die abstrakte Substantivierung von Zeit aufzuheben. *Die* Zeit gibt es nicht. Substantivierungen verschleiern die notwendige und immer auch bestehende Differenz zwischen Zeitrahmen (Zeitmessungssysteme) und Zeitabfolgen in diesem Rahmen. Dies führt in unserem Fall dazu, daß so getan wird, als wären die für uns maßgebenden, über uns verfügten Zeitabfolgen objektiv und notwendig (deduktiv) ableitbar aus den Zeitmessungssystemen. So wird die „Beschleunigung" von Zeitabfolgen immer wieder aus der „Genauigkeit" unserer Zeitmessungsmöglichkeiten abgeleitet. Als ob es ein zulässiger Schluß wäre, daß man aus Genauigkeit auch Abfolgen ableiten könne.

Unsere Verständigungen über dieses Problem waren nicht von Naturwissenschaft- und Technik-Ressentiment getragen. Wir erkannten durchaus die Notwendigkeit allgemeiner Festlegungen in der Zeitmessung; unsere Weltgesellschaft braucht für ihr Überleben und ihre Kommunikation diese allgemeinste gemeinsame Zeitrechnung. Noch vor nicht allzulanger Zeit hatte man nicht einmal in Europa gemeinsame Zeiten, was zweifellos zur Behinderung von Austausch und Wirtschaftsentwicklung führte. Es ist wohl auch notwendig, Zeitmessung an möglichst „neutralen" und überall geltenden Bewegungssystemen zu orientieren. Wozu aber diese Zeitmessung, vor allem wenn sie substantialisiert wird, führt, soll auch nicht übersehen werden. In der „Atomzeit" haben wir nun zwar die allgemeinste und „neutralste" Orientierung gefunden, es ist aber wohl nicht zufällig, daß es eine Orientierung am *Anorganischen,* an der sogenannten „toten Materie", ist (ich weiß: so tot ist diese auch wieder nicht, im Rahmen dessen, was es gibt, ist aber dieser Teil der Materie dem Toten am nächsten, gleichsam auch in seiner Ewigkeitsstruktur).

Und hier schließt sich der Kreis zu unserem Problem: Wir produzieren „tote" Dinge, errichten aus ihnen eine „zweite" Welt, die wir „beherrschen", und haben für sie auch schon die adäquate Zeitmessung, die aus demselben Bereich stammt. Wir versuchen durch die Produktion des Todes Tod zu überwinden und haben uns dafür die Zeitmessung aus toter Materie geborgt. In der Atomzeit selbst waltet nur mehr die Rhythmik des Anorganischen; sie wird bei der beschriebenen Verschleierung der Differenz zwischen Zeitrahmen und Zeitabfolge zum Maß für alle andere Rhythmik des Lebens; letztere wird ihr damit untergeordnet, sie hat keinen eigenen Wert.

Es war für uns erschreckend, wie konsequent hier alles zusammenpaßt: durch „anorganische Zeitmessung" wird ein Zeitmaß für alle Abfolgen gesetzt; dieses Zeitmaß hat den Ewigkeitsanspruch alles Toten an sich: Endlich haben wir in der Atomzeit die „ewige" Zeit für uns entdeckt, sie läuft gleichsam so vor uns her, bis ins Unendliche; ist es nicht schön, die ewige Zeit zu besitzen? Wir bekommen die Illusion suggeriert, nun endlich Ewigkeit und Unsterblichkeit in *unserer* Zeit etabliert zu haben („Atomuhren", heißt es, „gehen [!] ewig"; als ob es nicht überhaupt so wäre, daß, abstrahiert man von Inhalten, auf ihre Art viele Bewegungssysteme „ewig" sind); die Ewigkeit ist nicht jenseits, nach der Zeit, oder Negation bestimmter Zeit, sie ist *die* Zeit, in der *wir* leben. Das Fatale dabei ist nur, daß wir verlernt haben zu bemerken, wie nahe hier die ewige „Ruhe" des Todes bei dieser Art Unsterblichkeit angesiedelt ist. (Im „aufgeklärten Zeitalter" können wir uns wohl Ewigkeit nur am Maß des Anorganischen vorstellen.)

Dies hat für die Konstitution beschleunigter Zeit Konsequenzen. Tote, unendliche, ewige Zeit ist gleichsam eine unendliche zur Verfügung stehende Materie; sie hat in ihrer Linearität und Dauerhaftigkeit kein inneres Maß, keine Rhythmik, keine Perioden etc. Sie kann (wie alles Tote) beliebig zerstückelt werden, ohne daß sich an ihr substantiell etwas ändert. Man kann ihr ihr inneres Maß willkürlich vorschreiben, sie „wehrt" sich nicht dagegen. Umgekehrt bietet sie sich ja gerade dafür an; in ihr finden wir daher jene Möglichkeit willkürlicher Setzung am „idealsten" im Vergleich zu bisherigen Zeitrechnungen angelegt. Es entsprechen sich also „Atomzeit" und industrielle Produktionsabfolgezeit in der fast unendlichen Möglichkeit willkürlicher Einteilungen.

Das Ausschalten aller anderen (organischen) Zeitrhythmik im industriellen Produktionsprozeß findet in der Atomzeit ihr Pendant. Willkürliche Einstellung von Zeit, ihre Beschleunigung, das Hineinpacken von immer mehr in immer kleinere Zeiteinheiten ist nur in einem derart abstrakt-allgemeinen Zeitrahmen möglich, wie es die Atomzeit ist. Ginge man nach dem Kirchenjahr (auch ein Zeitrahmen), wäre z.B. Schichtarbeit unmöglich. Es tröstet und beruhigt, daß wir ohnehin die ewige und absolute und genaueste Zeit für uns „haben", die unberührt vor uns her läuft. *In ihr* können wir dann verfahren, wie es uns gerade paßt.

Mit der Atomzeit haben sich die Digitaluhren durchgesetzt, die schon durch Zahl und Bild die unendliche Linearität von Zeit dokumentieren. Man gilt heute bereits als „veraltet", wenn man Uhren mit Zeiger und rundem Zifferblatt trägt. Deutlich finden wir hier jenes schon beschriebene Zurücktreten des Raumes: Ein Zeiger, der „im Kreis geht", vermittelt ein bestimmtes Zeit-Raum-Verhältnis; die Zeit kehrt sozusagen im Raum wieder zu sich selbst zurück. Der Kreis symbolisiert Zyklik, Rhythmus, auch organischen: ewige Wiederkehr des Gleichen. Ewigkeit, Unsterblichkeit ist hier nicht garantiert durch die raffende und rasende Produktion des Neuen (der zweiten Welt), sie ist repräsentiert durch das wesentliche Gleiche, das in zugeordneten Räumen immer wiederkehrt. Die Darstellung der Linearität von Zeit in digitaler „Anschauung" weist nur vor sich hin in eine ewige Zukunft. Ewigkeit und Unsterblichkeit sind aus dem Raum genommen und in eine „nach vorne" weisende Zeit übertragen worden. Diese ist ewig und gehört doch *uns*.

Dies war uns nun theoretisch einsichtig geworden; wo sollten wir aber die Hebel finden, die verschleiernde Substantivierung von Zeit zu durchbrechen, die Gefahren bewußtzumachen und praktisch andere Zeitrhythmen zur Geltung kommen zu lassen? Unsere gruppendynamische Praxis wies uns Wege und Aussichten.

Zunächst war es zweifellos wichtig, die Differenz zwischen Fremd- und Selbstbestimmung von Zeit erfahrbar zu machen. In erschreckender Weise sind wir nämlich an die fremdbestimmte Zeit mit ihren querliegenden Rhythmen gewöhnt. Selbstbestimmung von Zeit wird sowohl von Gruppen als auch Einzelnen als „Zumutung" verstanden. Damit geht aber potentiell schon jeder alternative Anspruch an eigene Zeiteinteilungen verloren. Nun kann es freilich auch nicht darum gehen, an die Stelle der fremdbestimmten Zeitabfolge ausschließlich eigene zu setzen. Im Sinne des Anspruchs von Allgemeinheit, auch notwendiger entfremdeter Arbeit, muß es partielle Fremdbestimmung geben.

Für Individuen und Gruppen fanden wir nun einen Ansatzpunkt, der recht praxisbezogen war und gegenüber unseren theoretischen Überlegungen eigentlich auch allen plausibel: Größere Betriebe, Industrieunternehmen, also die „Kernzellen" der Einrichtung beschleunigter Zeit, kommen nämlich kaum mehr ohne Projektmanagement, Gruppen- und Teamarbeit aus. Nicht aus humanen, sondern aus ökonomischen und organisatorischen Gründen. Informationsweitergabe und -koordination funktioniert nur mehr in diesen „neuen" Strukturen. Und siehe da, diese Einrichtungen brauchen, damit sie funktionieren, „mehr" Zeit, besser andere Zeitabfolgen und ein anderes Zeitmaß, außerdem müssen sie sich *ihre* Zeit selbst bestimmen lernen. Dies ist äußerst lästig, weil für solche „Zeitverschwendungen" in bisheriger Zeitabfolge nichts vorgesehen war. (Übrigens ein interessantes Resultat am Rande: die Atomisierung und Funktionalisierung der Individuen am Arbeitsplatz sind das Pendant zur Zeitzerstückelung und Beschleunigung; nur ein so funktional kastriertes Individuum ohne jegliche Solidaritätsbasis läßt sich die Fremdbestimmung von Zeit in dieser extremen Weise gefallen.)

Zunächst scheint diese Einsicht banal: Mehr Menschen brauchen eben mehr Zeit. Diese Erkenntnis trifft aber nur einen Teil: Gruppen, soziale Einheiten brauchen *nämlich für sich*, damit sie arbeitsfähig, „reif" werden, *ihre* ihnen angemessene Zeit; diese ist kein bloß quantitatives „Mehr", sondern hat eine eigene adäquate Substanz in sich. Soziale Einheiten brauchen zu ihrer Selbstkonstitution eine eigene Zeitrhythmik; diese muß wahrgenommen werden.

Die Erkenntnis daraus war relativ einfach: Überall dort, wo es um ein Werden von Identitäten, Einheiten etc. geht, sei es bei Individuen, Gruppen, sogar Organisationen und Institutionen, brauchen diese dafür *ihre eigene* Zeit; Zeitabfolgen, die von außen vorgegeben werden, also Fremdbestimmung von Zeit, treffen nur zufällig die Bedürfnisse dieser Selbstentwicklung. Nur „tote" Materie läßt sich zeitlich von außen bestimmen, jedes andere lebendige System hat eine *„Eigenzeitlichkeit"*, eigene Zeitabfolgen, eigene Zeitrhythmen zur Selbstkonstitution nötig. In der Biologie und Landwirtschaft weiß man das zwar längst, doch hat man auch hier versucht – teilweise nicht ungestraft –, Wachstum zu beschleunigen, d.h. Eigenzeitlichkeit zu stören.

Eigenzeitlichkeit, d.h. *innere* Selbstbestimmung von Zeitabfolgen und Zeitrhythmen sind natürlich für das System der Zeitbeschleunigung eine einzige Herausforderung: Nimmt man etwa das Werden einer Gruppe und faßt man diese als „Sozial-Körper", der sich jeweils so gestaltet und ausbildet, wie es die Individuen in ihm nach ihren Voraussetzungen und Unterschieden „wollen" (so sind auch gewachsene Gruppen sehr verschieden voneinander und haben jede ihre eigene

„Kultur"), so braucht dieser Zeit für Wachstum und Selbstkonstitution; verkürzt man diese, wird es „Identitäts-" und „Wachstumsstörungen" geben; ein so gestörter und „verkrüppelter" Körper ist nun natürlich nicht so „arbeitsfähig" wie erwünscht. In all diesen Zusammenhängen kommt daher unser wirtschaftsbezogenes Organisationssystem in die Krise: Aus den Prinzipien ihrer Rationalität (Produktion, Umgang mit toten Dingen, Konkurrenzfähigkeit etc.) müßte sie ständig Zeit beschleunigen, weil sie aber auf Grund ihrer eigenen Komplexität nicht mehr auf Gruppen- und Teamarbeit verzichten kann (Entscheidungen brauchen eine breitere Informationsabsicherung), müssen sie für diese Zeit wieder „verzögern". In diesem Dilemma stehen heute viele Unternehmungen, und ihre Leitungen erschrecken vor dem Zeitaufwand, der ihnen für wichtige Entscheidungen und Organisationsfragen ins Haus steht; der Widerspruch lautet nämlich: *Obwohl es „ökonomisch" ist, Zeit zu beschleunigen, muß man in bestimmten Fällen ebenso aus ökonomischen Gründen Zeit verzögern.* Wenige Entscheidungsträger sind heute diesem Widerspruch gewachsen. Die Folge davon: es wird auf Gruppen und Projektteams immer wieder an entscheidender Stelle verzichtet, man flüchtet zurück in schnell gehende zeitunaufwendige Einzelentscheidungen. (Deren Qualität ist allerdings oft so beschaffen, daß man für Korrektur und mühsame nachträgliche Durchführung mehr Zeit braucht, als vielleicht für Teams notwendig gewesen wäre.)

Der Widerspruch läßt sich natürlich noch auf eine grundsätzliche Ebene bringen, nämlich auf jene des Gegensatzes von Fremdbestimmung und Selbstbestimmung und seine Zeitdimension. Selbstbestimmung erfordert nämlich für alles, was lebt, Eigenzeitlichkeit, ein Selbst-verfügen-Können über Zeitabfolgen und Zeitrhythmen. Größere Systeme erfordern aber insgesamt auch Fremdbestimmungen von Zeitabfolgen. (Die „Weltzeit" ist ja die notwendige für alle festgesetzte verbindliche Zeit, die von außen verfügt wird, damit die Gesamtkommunikation klappt.) Grundsätzlich heißt dies: Alle größeren Systeme, Organisationen, Betriebe müssen ständig den Widerspruch zwischen Fremd- und Selbstbestimmung von Zeitabfolgen „managen" (für uns ein Gleichgewicht zwischen beschleunigter und verzögerter Zeit herstellen). Auf Grund der von uns genannten Dominanzen (Ökonomie, Wirtschaftssystem und ihr Umgang mit „toter" Materie) wurde bisher in unserer Geschichte der industriellen Revolutionen der Widerspruch eindeutig, trotz politisch geforderter Selbstbestimmung, zugunsten der Seite Fremdbestimmung entschieden; im positiven Sinn führte dies zur Explosion von Güterproduktion, im Negativen zum Verlernen von Selbstbestimmung und dem Wahrnehmen von notwendigen Eigenzeitlichkeiten. In unserem gruppendynamischen Training, in Organisationsberatungen und Institutionsuntersuchungen fiel uns dies letztere Defizit besonders auf. Herausgerissen aus den Strukturen fremdbestimmter Zeitabfolgen wissen die Individuen plötzlich mit sich und der zur Verfügung stehenden Zeit nichts anzufangen. Die Verwirrung wird auch dadurch zum Ausdruck gebracht, daß man gefragt wird, ob es sich nun eigentlich um Arbeits- oder Freizeit handle. Selbstbestimmung über Zeit ist man also, wenn überhaupt, nur aus der Freizeit gewohnt; Wirtschaftsorganisation und- Bürokratie glaubten offensichtlich zunächst, daß der Widerspruch dualistisch zu lösen sei. Fremdbestimmung von Zeit in der Arbeit, Selbstbestimmung von Zeit in der Freizeit. Es hat aber die totale Fremdbestimmung ohnehin nie ganz existiert, und jedes soziale Leben hat sich in Kaffeepausen und Kantinen seine Nischen eingerichtet. Trotzdem funktionierte dieser Dualismus so lange halbwegs, als die Produktion und ihre Eigengesetzlichkeit dominierte (alles sich sozusagen in ihren Dienst stellte) und die Strukturen übersichtlich waren. Heute fehlen beide Voraussetzungen: Produktionen müssen gedrosselt werden (Kurzarbeit), viele Betriebe sind durch ihre Komplexität völlig unübersichtlich geworden.

Eine Bemerkung am Rande: die Ansprüche auf Eigenzeitlichkeit (Selbstbestimmung) werden durch zwei Vorgehensweisen vernichtet: durch den bereits genannten Dualismus Arbeit – Freizeit und die Vereinzelung (Atomisierung, Funktionalisierung, Austauschbarkeit, Reduktion zur „Ware" Arbeitskraft) von Individuen. Individuen bloß für sich genommen können kaum Eigenzeitlichkeit verwalten; der Mensch ist eben ein „Zoon politikon". Daher waren auch für das Entdecken von Eigenzeitlichkeit „Auszeiten" wie Streiks und ähnliches so wichtig, weil sie erst eine solidarische Basis für das Erwerben von Eigenzeitlichkeit darstellen. Die Vereinzelung der Individuen im Produktionsprozeß, ihre Funktionalisierung ist nun wieder nichts anderes als die Konsequenz der Produktion einzelner toter Produkte; Menschen werden dieser Produktion angepaßt; beide, Vereinzelung *und* Funktionalisierung, treffen den Anspruch auf Eigenzeitlichkeit auch deshalb, weil im Produktionsprozeß das Individuum als Ganzes, also was es für sich ist, ja überhaupt nichts gilt, nicht vonnöten ist. Es wird also nur das von ihm gebraucht, was sich bereitwillig der Fremdbestimmung von Zeitabfolgen unterwirft. Konstitution des „ganzen" Individuums und seiner Identität ist nicht Sache des Arbeitsprozesses (weshalb man ja von „Entfremdung" spricht).

Anders wieder heute: in Gruppenarbeiten, Teams etc. braucht man *„mehr"* an Individuum; bloße Funktionen können nicht zusammenarbeiten, und man bemerkt, was man dabei riskiert: Entdeckung von Eigenzeitlichkeit, Selbstbestimmungswünsche etc. In unseren Hierarchien wird das vielfach als Revolution empfunden. Daß aber Vereinzelung und Funktionalisierung von Menschen deren partiellen „Tod" bedeuten, beunruhigt weniger. Wieder sehen wir, wie die wirtschafts-adäquate „Beschleunigung" von Zeit mit ihrer „materiell-quantitativen" Unsterblichkeit (möglichst große Fülle in möglichst kleinen Zeiträumen) zumindest den partiellen Tod des „Lebenssystems" Individuum mit sich bringt. Den einzelnen Produkten „macht es nichts", wenn Zeit beschleunigt wird; es werden nur mehr! Individuen hingegen verlieren ihre ihnen eigene Zeit und Zeitrhythmik, damit Selbstbestimmung und sich selbst. *Willkürliche Beschleunigung von Zeit bedeutet, allgemein gesprochen, daher Tod von Lebenssystemen mit Eigenzeitanspruch.* Jede Organisation hat nun das ihr zukommende Eigenleben, bestimmt durch das Zusammenleben der Subsysteme. Wird in ihnen (von Individuen über Gruppen, Abteilungen, Bereichen etc.) Eigenzeitlichkeit ständig verletzt, so stirbt über kurz oder lang die gesamte Organisation und muß „von außen" gerettet werden.

Die Konsequenzen dieser Erkenntnisse sind von großer Tragweite. In vielen gemeinsamen Gesprächen haben wir sie erörtert und für unsere praktische Beratung relevant zu machen versucht. Den theoretischen Rahmen konnte Jakob Huber in seiner Habilitation noch niederschreiben, aus praktischer Arbeit wurde er durch seinen Tod herausgerissen. Ich selbst werde versuchen, die begonnene Arbeit in seinem Sinne fortzusetzen: d. h. mit Zeitabfolgen im sozialen Bereich experimentieren, die Wahrnehmung von Eigenzeitlichkeit trainieren, für den Zusammenhang zwischen Selbstbestimmung und Eigenzeitlichkeit sensibilisieren, das Leben mit seinen Gesetzen gegenüber dem Tod so weit wie möglich in Schutz zu nehmen. Das heißt zusammenfassend: überall, wo es angebracht ist, Zeit zu *verzögern.*

Von einer Politik, die es sich gestattet, ihre allzu enge Verbindung mit den „Gesetzen" des Produktionsprozesses zu lösen und sich Zeit zu nehmen für die anstehenden Überlebensprobleme, hängt ohnehin unser weiteres Schicksal ab. Die notwendige Eigenzeitlichkeit für eine selbstbestimmte demokratische Politik haben wir auch noch nicht gefunden. Auch Politik wird in beschleunigten Zeitabläufen fremdbestimmt und zu ständigen Sofort- und Kurzzeitentscheidungen gezwungen. Könnte es nicht sein, daß heute Entscheidungen gefällt werden müßten, die der Vorarbeit und Verbreitung mehrerer Generationen bedürfen?

Schnelle Entscheidungen täuschen Kompetenz vor und verschleiern die Tragweite und Bedrohlichkeit des Problems. Die Einführung der beschleunigten Zeit in die Politik kann nach unseren Erkenntnissen der gesamten Gattung Tod und insofern „Unsterblichkeit" bringen.

Aus diesen Gedanken heraus entstand auch der „Verein zur Verzögerung der Zeit". Zu seiner Gründung verfaßte ich nachstehende Sätze:

„Seit einigen Jahren überlegen wir uns, einen Verein zur Verzögerung der Zeit zu gründen. Nun ist es soweit.

Die Gründe:

Vor allem zunächst die generelle Sympathie, die uns und unserem Unternehmen von allen möglichen Seiten quer durch unsere Gesellschaft entgegengebracht wird. Einer Verwunderung, einem ungläubigen Lächeln gegenüber unserem schrulligen Vorhaben zunächst ist Ernst und Zustimmung gefolgt. Man beginnt von einer solchen Gründung etwas zu halten.

Theoretische und praktische Einsichten liegen vor: immer mehr Menschen haben trotz ‚Arbeitszeitverkürzung' immer weniger Zeit für das, was sie wollen. Auch im großen gewinnt man den Eindruck, daß sich das Rad der Geschichte immer schneller zu drehen beginnt, daß es immer weniger die Möglichkeit für ein betrachtendes Innehalten gibt. Kopfüber stürzen wir uns aktivistisch in den Lauf der Zeit; Pausen sind Ablenkung, unproduktiv und kosten überdies Geld. Wir leben in einer Epoche einer sich immer schneller ‚beschleunigenden Zeit'.

‚Zeit ist Geld' lautet die nicht unplausible Erkenntnis unserer Neuzeit. Sie gilt auch zweifellos für ein wirtschaftliches Produktionssystem, in dem der ‚gewinnt', der in immer kürzeren Zeiträumen immer mehr und besser produziert. Er hat Konkurrenzvorteile.

Was für die industrielle Produktion und ihre Eigenlogik gilt, hat sich aber auf alle Lebensbereiche übertragen und nicht nur auf unsere Arbeit. Freizeit wird mit allem Möglichen immer mehr vollgestopft, Politiker brauchen *ihre* Erfolge innerhalb einer Wahlperiode und veranlassen Gesetze, die flüchtig gepfuscht sofort das Novellierungskarussell in Gang setzen, und selbst Seelsorger hetzen von einer Seele zur anderen.

Die Beschleunigung wird zum Maß aller Tätigkeiten und vergewaltigt ‚Eigenzeit'. Damit ein Schwein ‚sich rechnet', muß es nach einem halben Jahr für den Schlächter ‚reif' sein. Agrartechnologie hilft Natur und Lebendiges unter das ökonomische Zeitmaß zu zwingen. Naturprodukte geraten unter das Zeitmaß industrieller Produktion.

Medizinische, psychologische Hilfe und Beratung darf ein gewisses Zeitmaß nicht überschreiten, sonst wird sie unrentabel; Krankenkassenbeiträge haben ihre Zeit.

Nachdenkpausen in der Politik gelten als Eingeständnis von Schwäche, auch wenn es wahrlich viel zum Nachdenken gäbe.

Im Verkehr wird ‚Gleichzeitigkeit' geübt: die Geschwindigkeiten und Kräfte unserer Verkehrsmittel werden ständig erhöht. Es ist wichtig, schnell überall sein zu können.

Am Arbeitsplatz wachsen Spannungen, Konflikte proportional zur fehlenden Zeit, sie ‚behandeln', analysieren und lösen zu können. Diskussion ist ‚Quatschbude'.

Im demokratischen Leben hetzen Berufsfunktionäre und -politiker von einer Veranstaltung zur anderen und kommen eingestandenermaßen weder zum Lesen noch zum Denken; wer denkt für sie?

Jährlich wird uns angeblich aus Rationalitätsgründen eine Sommerzeit verschrieben; den Vorteil genießen Tennisspieler mit längerem Licht am Abend. Den Bauern ist dies nicht so recht; Tiere schauen nicht auf die Uhr.

Langsamkeit, Bedächtigkeit, innehaltendes Prüfen werden fast als körperliche Behinderung angesehen. Auf jemanden oder etwas warten zu müssen, wird als persönliche Beleidigung verstanden.

Produkte haben in einer ‚Wegwerfgesellschaft' immer kürzere Lebenszeiten; man produziert bestenfalls fürs Recycling. Produkte, deren Herstellung lange dauert, sind unerschwinglich.

Wir alle wissen um unsere gattungsbedrohenden Globalprobleme. Überbevölkerung, Natur und Umwelt, Ressourcenmangel; das Wissen ist aber kraftlos, weil ihm kaum Zeiträume geschenkt werden, in denen es wirklichkeitsverändernde oder -steuernde Konsequenzen entwickeln kann. Eher wird weiter beschleunigt und das Wissen an Experten delegiert, wo es wirkungslos aufbewahrt werden kann. Zur Lösung unserer globalen Probleme braucht man in erster Linie Zeit; eine solche, die man sich solidarisch-international gibt, ihr rasendes Fort-schreiten unterbrechend. An der Lösung unserer gegenwärtigen Probleme müssen Generationen aufeinander aufbauend arbeiten können. Der Zeitbeschleunigung entspricht aber ein eher blinder Aktivismus und eine Reparaturmentalität. Unsere Geschichte scheint aber so weit gekommen zu sein, daß ‚Heil im nachhinein' in ein Selbstmordprogramm umschlagen kann.

Trotz Senkung des Pensionsalters und Frühpension sind wir gegen allen Lebensrhythmus aktiv, als würden wir der ewigen Jugend teilhaftig sein. Zeitbeschleunigung hilft der Todesverdrängung.

Unsere Neuzeit ist auch unter der Devise angetreten, ‚produktiv' den Tod zu überwinden. Je mehr sie dazu getan hat, um so näher hat sie ihn uns kollektiv gebracht.

Ist Zeitbeschleunigung eine Säkularisierung unserer alten Unsterblichkeitswünsche? Die angestrebte Gleichzeitigkeit das Gegenbild zur mystischen Jetzt-Ewigkeit?

Es gibt immer mehr ‚chronische' Krankheiten des Leibes und der Seele. Hängen diese mit der schnellen ‚Heilung' der akuten zusammen? Mit Symptombekämpfung statt Ursachenforschung? Oder, wie diese Gedanken Abwehrende sagen, bloß mit der höheren Lebenserwartung?

Auch wenn man über diesen oder jenen Befund streiten oder diskutieren kann – übrigens wann? –, wir halten eine ‚Verzögerung' der Beschleunigung für notwendig. Daher der Verein.

Warum ein Verein? Nicht allein, weil es eine gute demokratische Errungenschaft ist, Vereine gründen zu dürfen. Auch nicht, weil Österreich für seine ‚Vereinsmeierei' weltbekannt ist. Es fällt uns einfach keine besser geeignete Instanz ein, die Ziele zu verwirklichen.

Jedes Vereinsmitglied sollte am Ort seiner Tätigkeit überall dort, wo es ihm sinnvoll erscheint, Zeit verzögern und sich der Solidarität des gesamten Vereins sicher sein. Er sollte zum Innehalten, Nachdenken auffordern, wo blinder Aktivismus und partikulares Interesse Scheinlösungen produziert. Er sollte in seiner Umgebung recht viele Mitglieder werben, damit er den nötigen Rückhalt in seiner Umgebung hat."

Zwanzig und mehr Jahre sind nun seit unseren Gesprächen vergangen. Die aufgezeichneten Erinnerungen haben weitere Zuspitzungen erfahren. Auch wenn Geschehnisse so manchen Zugang zum Thema Zeit verändert haben mögen, worüber dieses Buch Auskunft zu geben versucht, auch wenn reiferes Alter Pointierungen, die hier noch in ungeschützter Betroffenheit vonstatten gingen, abgemildert haben mag, unser aller Verhältnis zu unserem unaufhebbaren Ende, dem Tod, bleibt für mich maßgebend für unseren Zeitumgang. Der Tod, er *muß* immer überwunden werden, der Tod, er kann nicht überwunden werden.

„Der Tod allein ist mächtig,
wir sind die Seinen
lachenden Munds
Wenn wir uns mitten im Leben meinen
wagt er zu weinen
mitten in uns."

(R. M. Rilke)

Achtsam leben im Alltag

Thich Nhat Hanh
Schritte der Achtsamkeit
Band 4890
Eine Reise an den Ursprung des Buddhismus
Hrsg. von Thomas Lüchinger
In Wort und Bild ist dieses Buch eine Anleitung zum Sein im Hier und Jetzt – gerade weil es von einer Pilgerreise eines großen spirituellen Lehrers von Indien erzählt. Das Buch zum Film.

Eknath Easwaran
Meditieren als Lebenskunst
Acht Schritte zu innerer Harmonie und zur Entfaltung des eigenen Potentials
Band 4683
Ein Trainingsprogramm, das hilft, den Alltagsstreß zu reduzieren und den Zugang zu einer größeren Lebensfülle für sich zu entdecken.

Alan Watts
Leben ist jetzt
Der östliche Weg der Befreiung und die Verwandlung des Selbst
Band 4622
Die tiefe Erfahrung östlicher Religionen: wer sich mit dieser Denkweise vertraut macht, wird eine tiefere Heiterkeit auch in sich selbst entdecken.

Lawrence LeShan
Vom Sinn des Meditierens
Schlüssel zu einem erfüllteren Leben
Band 4615
Wie man durch meditieren Gelassenheit und persönliche Stärke entwickelt.

Maha Ghosananda
Wenn der Buddha lächelt
Frieden finden – Schritt für Schritt
Vorwort von Jack Kornfield
Band 4544
In den Texten des bekannten Friedensstifters geht es um Einfachheit und Achtsamkeit, um Zorn und Liebe.

Inspiration

Anselm Grün
Herzensruhe
Im Einklang mit sich selber sein
Band 4925

Leistung und äußerlicher Wohlstand allein können nicht bringen, wonach sich Menschen wirklich sehnen: innere Ruhe und Seelenfrieden. Der moderne Seelenführer zu einem tieferen Leben.

Gelassenwerden
Herausgegeben von Rudolf Walter
Band 5016

Die innere Gelassenheit wächst, wenn man ihr Raum gibt, wenn es gelingt, loszulassen, Vertrauen zu gewinnen, das Ganze zu sehen.

Anthony de Mello
Zeiten des Glücks
Band 5009

Die schönsten Texte de Mellos, die aufmerksam machen auf die tieferen Möglichkeiten des Alltags. Geschichten, die Herzen verwandeln.

Thomas Merton
Ein Tor zum Himmel ist überall
Zeiten der Stille
Mit einem Vorwort des Dalai Lama
Band 5007

Thomas Merton, Denker, Mystiker und Poet, lädt ein, die eigene innere Einheit zu finden. „Merton ist wirklich jemand, zu dem wir aufblicken können" (Dalai Lama).

Laß dir Zeit
Entdeckungen durch Langsamkeit und Ruhe
Band 5006
Hrsg. von Rudolf Walter

Die Autoren inspirieren dazu, sich wieder Zeit zu nehmen für das Leben: für Liebe und Zärtlichkeit, Trauer ebenso wie für Freude und Genuß.